Oct 9, 2004 São Paulo

Anita Garibaldi

LEI DE
INCENTIVO
À CULTURA
MINISTÉRIO
DA CULTURA

Volkswagen.

Celesc

W/Brasil

TAM

Anita Garibaldi

Uma heroína brasileira

Paulo Markun

Para Bernardo, meu pai.

5ª edição

Editor: Marcus Vinicius Barili Alves (vinicius@sp.senac.br)
Coordenação de Prospecção Editorial: Isabel M. M. Alexandre (ialexand@sp.senac.br)
Coordenação de Produção Editorial: Antonio Roberto Bertelli (abertell@sp.senac.br)

Preparação de Texto: Luiz Carlos Cardoso
Revisão de Texto: Ivone P. B. Groenitz
Izilda de O. Pereira
J. Monteiro
Luiza Elena L. de Paula
Capa: João Baptista da Costa Aguiar
Projeto Gráfico e Editoração Eletrônica: Lato Senso - Editora de Textos
Impressão e Acabamento: GraphBox Caran

Gerência Comercial: Marcus Vinicius Barili Alves (vinicius@sp.senac.br)
Supervisão de Vendas: Dario Checchetti Filho (dario.checchetti@sp.senac.br)
Administração: Rubens Gonçalves Folha (rfolha@sp.senac.br)

Dados Internacionais de Catalogação na Publicação (CIP)
(Câmara Brasileira do Livro, SP, Brasil)

Markun, Paulo
Anita Garibaldi : uma heroína brasileira / Paulo Markun.
5ª ed. – São Paulo : Editora Senac São Paulo, 2003.

Bibliografia
ISBN 85-7359-086-6

1. Garibaldi, Anita, 1821-1849 2. Revolucionários – Brasil 3. Revolucionários – Itália I. Título.

99-2803 CDD-923.2

Índice para catálogo sistemático:

1. Revolucionários : Vida e obra 923.2

Editora Senac São Paulo
Rua Rui Barbosa, 377 – 1º andar – Bela Vista – CEP 01326-010
Caixa Postal 3595 – CEP 01060-970 – São Paulo – SP
Tel. (11) 3284-4322 – Fax (11) 289-9634
E-mail: eds@sp.senac.br
Home page: http://www.editorasenacsp.com.br

Sumário

Nota do Editor

Neste momento em que se iniciam as comemorações dos 500 Anos, é indispensável recuperar a imagem e o sentido das ações dos atores sociais que contribuíram para a construção de nossa face diferenciada – uma face que traz as marcas não apenas do colonizador português, ou dos povos ameríndios, ou ainda dos da diáspora africana. Entre os atores sociais que ajudaram a construir essa nossa maneira de ser plurívoca, figuram igualmente personalidades identificadas com os princípios libertários que embalaram nossa formação, como Giuseppe Garibaldi, herói na Itália e também no Brasil, e sua companheira brasileira Ana Maria de Jesus Ribeiro, Anita Garibaldi. Reconstruir para os brasileiros a imagem dessa heroína, numa interação em que a ficção parece encontrar-se com a realidade, é o objetivo de *Anita Garibaldi. Uma heroína brasileira*, de autoria de Paulo Markun. É dentro desse horizonte, em que se conjugam a objetividade comunicativa do texto do jornalista e o rigor documental da pesquisa histórica, que a vida de Anita – historicamente indissociável da personalidade do marido – é reconstituída com traços e matizações que a apresentam como figura cativante de mulher e de guerreira.

Anita Garibaldi. Uma heroína brasileira é mais um produto de qualidade da Editora SENAC São Paulo, em sua linha de publicação de biografias de personalidades nacionais. A recuperação desses perfis segue as estratégias do SENAC-SP, para quem a aquisição de novos conhecimentos deve ser simétrica ao exercício da cidadania. Esse exercício, neste caso, pode se iniciar pela consciência do sentido histórico da ação de atores sociais que, como Anita Garibaldi, marcaram nosso imaginário histórico.

Prefácio

O momento é oportuno para livros como *Anita Garibaldi. Uma heroína brasileira*. A aproximação dos 500 Anos induz à reflexão sobre o Brasil, sua história, seus intérpretes, seus mitos. As editoras parecem atentas ao significado da data, para proveito dos leitores. Percebo, satisfeito, que o público demonstra interesse pelos títulos que têm sido publicados sobre a chegada dos portugueses ao Novo Mundo, sobre as contribuições de diversos povos para a formação do Brasil, sobre os intelectuais que pensaram o país e nos legaram modelos originais de compreensão da realidade nacional, sobre personagens que deixaram sua marca em nossa história. Os assuntos se multiplicam, enriquecendo os estudos brasileiros nas mais diferentes áreas.

O livro de Paulo Markun é parte desse contexto. Escrito em tom coloquial, de fácil leitura, Markun destaca as figuras de Anita e Giuseppe Garibaldi, em uma narrativa bem-contextualizada. O relato da epopéia dos Garibaldi é pontilhado de referências às circunstâncias históricas do Brasil e da Europa. Lemos sobre o Congresso de Viena, o movimento carbonário e o sonho de Mazzini da "Jovem Itália". Acompanhamos a consolidação do regime monárquico no Brasil, o período da Regência, as revoltas regionais, a Guerra dos Farrapos e a República Juliana. Fica caracterizado o papel de Giuseppe como "herói de dois mundos". No Brasil e na Itália, ele, ao lado de Anita, teria feito avançar as causas da liberdade, da autonomia, da república.

O debate sobre "as idéias fora de lugar" já nos fez ver que os conceitos, quando utilizados em contextos diferentes daqueles em que foram gerados, podem assumir sentidos novos, por vezes inusitados. Talvez tenha sido o caso com o republicanismo de Mazzini, de quem Garibaldi se dizia seguidor em sua gesta brasileira. Para o movimento "Jovem Itália", a república significava a luta pela unificação política da península, contra os ditames do Congresso de Viena, da Restauração. No Brasil, os discípulos de Mazzini se viram diante de outra exigência histórica. Como tive oportunidade de argumentar em contribuição à *História geral da civilização brasileira*, a Guerra dos Farrapos foi movida pelo interesse de elites locais em assegurar uma inserção menos assimétrica das províncias do Sul na ordem monárquica havia pouco criada. Não se tratava de uma revolta separatista, voltada para a fundação de uma república independente. Piratini e Juliana estavam fadadas à transitoriedade. O objetivo último dos revoltosos era a federação, ou uma relação entre o Poder Central e a Província que se revelasse menos prejudicial aos interesses de estancieiros, charqueadores e exportadores. Não se contestava o Império em si mesmo, mas os termos da subordinação à Corte.

A idéia não é minimizar a importância do idealismo dos Garibaldi, mas antes ressaltá-lo sob a perspectiva que conferiu a esses personagens permanência histórica, que fez de Giuseppe um mito nos dois lados do Atlântico. Refiro-me a seu perfil irredento, aventureiro, avesso à opressão, que desde então inspirou a caracterização de tantos personagens em romances épicos ou históricos. Lembro o apelo de que se revestem os "camisas-vermelhas" em *Il gattopardo*, de Giuseppe de Lampedusa.

Talvez o perfil dos Garibaldi trouxesse a marca do seu tempo – um tempo de transformações, de redesenho de fronteiras, de ampliação do debate político, de emergência do povo como sujeito histórico. Fenômenos que se manifestaram com intensidade na Europa, mas que também se fizeram sentir no Brasil, malgrado o peso da escravidão e a força do estamento. Tanto é que o país revelou-se permeável a outras vozes críticas egressas da Itália, as quais, ainda que sem o ímpeto de Giuseppe Garibaldi, foram emblemáticas da paisagem intelectual brasileira no fim do Império. Penso em nomes como Giovanni Battista Líbero Badaró: médico, botânico, matemático, jornalista, polemista e, sobretudo, pregador de idéias liberais. Seu púlpito era o jornal *Observador Constitucional*, que ajudou a fundar. Também podemos lembrar de Giovanni Rossi, que se lançou, supostamente com o estímulo do próprio imperador, segundo relatos da época, à façanha de instalar uma colônia anarquista no atual Estado do Paraná – a Colônia Cecília. O sindicalismo anarquista do início deste século em São Paulo viria a contar, como sabemos, com forte participação de operários de origem italiana.

Concluo retomando a questão da oportunidade de trabalhos como o de Markun. Lembrei que os 500 Anos convidam à redescoberta de figuras que fizeram história. Parece-me importante que os nomes escolhidos possam estimular a reflexão sobre os desafios do presente. A saga dos Garibaldi é um bom exemplo. Não que caibam paralelos imediatos entre o ambiente histórico em que atuaram e as circunstâncias atuais. Os tempos são outros. Há muito unificada pelo gênio de Cavour e a energia de Garibaldi, a Itália está hoje a caminho de uma concertação política mais ampla, no marco do Tratado de Maastricht. O Brasil, com mais de um século de República federativa, aprofunda uma integração mutuamente vantajosa com nossos vizinhos do Prata e o restante da América do Sul. Mas os "dois mundos" de Garibaldi estão se voltando um para o outro e buscando uma ampla acomodação de interesses, juntamente com seus respectivos parceiros regionais. Vêm assim à lembrança, como fonte de inspiração, os atributos dos Garibaldi, sua determinação em ampliar as fronteiras do possível, em inaugurar novas sendas. Que saibamos – agora com os instrumentos do diálogo, da persuasão – reduzir ainda mais a distância que separa a Laguna de Anita da Riviera de Garibaldi.

FERNANDO HENRIQUE CARDOSO

Introdução

O irreal é, em certos casos,
mais verdadeiro do que o real.
GUSTAVE LE BON

A metáfora mais usada para historiadores e biógrafos que buscam recriar a trajetória de uma personalidade ou um instante específico da história é a do garimpo. Mas no caso de Ana Maria de Jesus Ribeiro, o garimpeiro mais persistente corre o risco de desanimar.

Um século e meio depois de sua morte, os filões mais promissores já foram vasculhados, revistos e até adulterados por pesquisadores brasileiros, italianos, franceses, ingleses, americanos, uruguaios. Mesmo assim, a vida curta e movimentada dessa catarinense mais conhecida na Itália do que no Brasil continua cheia de mistérios e lacunas, que parecem impossíveis de ser superados.

Não é à toa que a enciclopédia mais popular do país lhe dedica apenas quinze linhas, uma a menos do que as reservadas a Gajah Mada, herói nacional indonésio do século XIV – e, nesse resumo, ainda reduz pela metade seus quatro filhos.

Ana Maria se transformou em Anita ao conhecer Giuseppe Garibaldi, num desses momentos em que o limite entre ficção e realidade parece deixar de existir. Viveu dez anos ao lado desse mito sedutor e único como o diamante – para não fugir à metáfora. E não há como dissociar as duas histórias, até porque as memórias desse italiano aventureiro são a principal fonte de informação sobre a vida de Anita, inclusive em suas omissões, como a da prisão dela durante a batalha de Curitibanos, que relega ao apêndice de dezesseis páginas em que resume a biografia da mulher.

Por tudo isso, percorrer a trajetória de Anita – para usar outra imagem batida – foi como montar um quebra-cabeça. Ou melhor, construir um mosaico, já que muitas peças originais se perderam para sempre.

Antes de mais nada, foi preciso separar as informações confiáveis das falsas ou fantasiosas. Depois, tentou-se acrescentar dados, imagens e relatos que permitam conhecer um pouco mais a época em que ela viveu e os cenários por onde transitou. Qual a imagem de Anita que sairá desse conjunto de fragmentos é o que o leitor vai conferir em seguida.

Mas antes é preciso apresentar aqui o verdadeiro garimpeiro dessa história que jamais desanimou: Wolfgang Ludwig Rau, um pesquisador apaixonado e independente que vive em Florianópolis e dedicou quarenta anos de sua vida a Anita Garibaldi. Como já havia feito com outros interessados, ele nos ofereceu total acesso à sua preciosa coletânea de livros, documentos, imagens e lembranças hoje mal acondicionados num espaço de 70 metros quadrados e sendo rapidamente destruídos pela umidade, pelos cupins e pelo tempo.

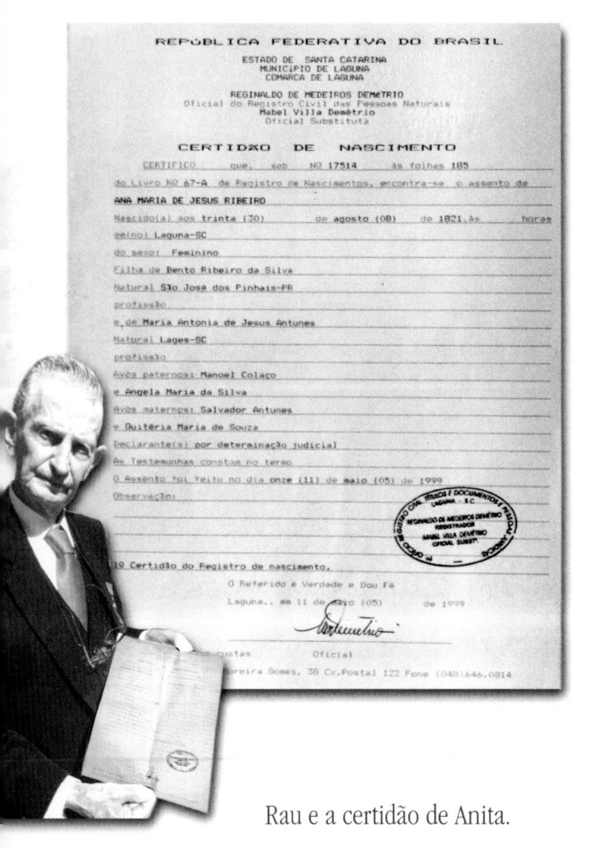
REPÚBLICA FEDERATIVA DO BRASIL

ESTADO DE SANTA CATARINA
MUNICÍPIO DE LAGUNA
COMARCA DE LAGUNA

REGINALDO DE MEDEIROS DEMÉTRIO
Oficial do Registro Civil das Pessoas Naturais
Mabel Villa Demétrio
Oficial Substituta

CERTIDÃO DE NASCIMENTO

CERTIFICO que, sob Nº 17514 às folhas 185
do Livro Nº 67-A de Registro de Nascimentos, encontra-se o assento de
ANA MARIA DE JESUS RIBEIRO
Nascido(a) aos trinta (30) de agosto (08) de 1821, às horas
em(no) Laguna-SC
do sexo: Feminino
Filha de Bento Ribeiro da Silva
Natural São José dos Pinhais-PR
profissão
e, de Maria Antonia de Jesus Antunes
Natural Lages-SC
profissão
Avós paternos: Manoel Colaço
e Angela Maria da Silva
Avós maternos: Salvador Antunes
e Quitéria Maria de Souza
Declarante(s) por determinação judicial
As Testemunhas constam no termo
O Assento foi feito no dia onze (11) de maio (05) de 1999
Observação:

1ª Certidão do Registro de nascimento.

O Referido é Verdade e Dou Fé
Laguna., em 11 de maio (05) de 1999

custas Oficial
...oreira Gomes, 38 Cx.Postal 122 Fone (048)646.0814

Rau e a certidão de Anita.

Quando Laguna concedeu a Anita a primeira certidão de nascimento tardia expedida no Brasil, Rau, merecidamente, recebeu a primeira cópia do documento. Mas para retribuir o esforço dele em resgatar um pedaço de nossa história é preciso mais.

Nos Estados Unidos, o tesouro de outro pesquisador independente, o ítalo-americano Anthony P. Campanella – que estudou Giuseppe Garibaldi –, está perfeitamente preservado. É parte do setor de Livros Raros e Coleções Especiais da Thomas Cooper Library, na Universidade da Carolina do Sul, e foi uma importante fonte de pesquisa para este trabalho.

Nesse caso particular, tenho certeza, o que é bom para os Estados Unidos, é bom para o Brasil.

A mão na areia

A sexta-feira, 10 de agosto de 1849, amanheceu quente e abafada, na região de Ravenna, no nordeste da Itália. Para os camponeses que cuidavam da plantação de trigo, em Mandriole, a 4 quilômetros do Adriático, era apenas mais um dia de trabalho na terra plana como uma mesa de bilhar e abaixo do nível do mar.

Bem ao lado, havia um pequeno pasto, conhecido como Motta della Pastorara. Justamente ali, três garotos corriam atrás de um *setter* de pêlo negro chamado Sirocco. De repente, o cão começou a ganir e a escavar a areia escura e encharcada como um pântano. Giuseppe dal Pozzo, nove anos, seu irmão Giovanni, sete, e Evaristo Petroncini, também de nove, se aproximaram. Evaristo, o mais curioso, conseguiu um graveto e acelerou o trabalho de Sirocco.

Motta della Pastorara.

No instante seguinte, os três gritaram. Tão alto e forte que Speranza, de catorze anos, irmã mais velha dos Dal Pozzo, largou o bando de perus que pastoreava a curta distância e correu para a Motta. Atrás dela, vários camponeses. Quando chegaram ao local, fez-se um estranho silêncio. Diante dos garotos estarrecidos e de um cão excitado, emergia da areia cor de chumbo uma mão parcialmente descarnada. Mão de mulher. Outros homens se aproximaram. Um deles disse:

– Ce la donna che stava con Garibaldi!

Angelo Pozzi, colono dos Gucciolli e pai dos dois irmãos, foi avisar a polícia. No povoado vizinho de Santo Angelo, o inspetor Federico Bonvicinno tomou as primeiras providências: mandou vigiar o lugar e comunicou o fato à Polícia Pontifícia.[1] No mesmo dia, à tarde, ele e cinco policiais foram à sede do sítio.

A Fattoria Gucciolli pertencia à família de Ignazio Gucciolli, que havia sido ministro das Finanças da República Romana, poucos meses antes. Na sede, um casarão de dois andares e 22 janelas, a não mais de 800 metros da Motta, eles interrogaram os camponeses e Stefano Ravaglia, o encarregado do sítio. Às oito e quinze da noite daquele mesmo dia 10, surgia o primeiro documento oficial sobre o caso, endereçado ao presidente do Tribunal de Ravenna.

Stefano Ravaglia.

Mas é bom esclarecer desde logo alguns detalhes. Não se sabe como amanheceu o dia. A raça, a cor e o nome do cão não foram registrados em lugar nenhum. O grau de curiosidade de cada garoto, se gritaram em uníssono ou se houve mesmo silêncio, ninguém sabe.

Quanto à participação de Speranza, existem apenas indícios. Conhecida como Pasqua, por ter nascido no dia 19 de abril de 1835, um domingo de Páscoa, ela morreu aos setenta anos. Até o fim da vida jurava que havia realmente descoberto a mão na areia, quando pastoreava um bando de perus. Chegou a registrar uma declaração em cartório nesse sentido.

Mas os interrogatórios feitos pela polícia e os documentos do processo judicial não mencionam nem Speranza, nem Pasqua, apenas seus irmãos e Evaristo Petroncini.

Esta é apenas uma das muitas incorreções já publicadas sobre o episódio. Para evitar a repetição de inverdades, o que se segue está rigorosamente baseado em informações documentadas, nos relatos de quem viveu essa história ou na versão endossada pelos mais respeitados pesquisadores. Mesmo com esse cuidado, sempre poderá haver enganos e incorreções.

---

[1] Até 1860, a região estava sob domínio do Papado, que exercia poder de polícia, apesar da aliança com o império austríaco, que também tinha a sua polícia imperial.

Em busca da verdadeira história daquele dia, muita gente passou anos pesquisando documentos, livros e reminiscências cuidadosamente preservados. No início de 1999, a igreja de San Alberto estava a cargo de Isidoro Giuliani. Aos 81 anos, magro, elétrico, sorridente e gentil, parecia pároco de cinema, dos tempos do neo-realismo italiano, ou, vá lá, dos filmes de Roberto Benigni. Vivia há 53 anos na paróquia de Mandriole, onde se deram os fatos aqui relembrados.

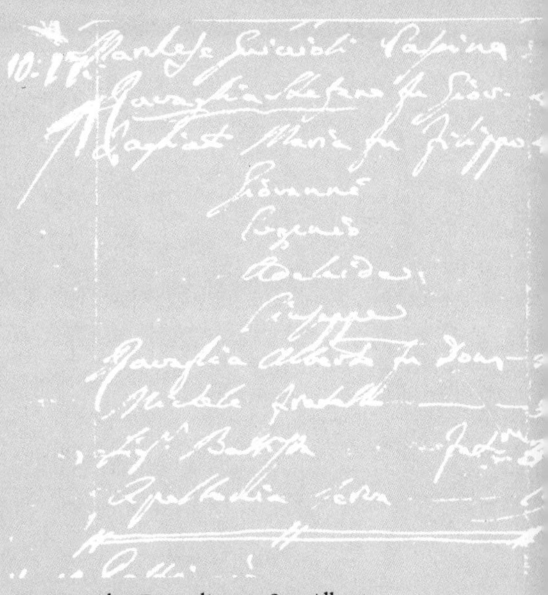
Registro dos Ravaglia em San Alberto.

Outro desses abnegados morava perto dali, em Ravenna. Mario Guerrini tinha a mesma idade do padre Isidoro e se dedicava ao tema havia quase três décadas. Sua casa parece um museu, cheia de fotos, livros, documentos, uniformes. Unidos na obsessão, eles se separam na hora das explicações. O padre vasculhou os velhos livros da paróquia para localizar o registro do nascimento de Speranza, que teria encontrado o corpo. Guerrini pesquisou os depoimentos à polícia e ao judiciário, até identificar Evaristo Petroncini como o terceiro garoto da história, de que Speranza, garante, jamais participou.

Dito isso, voltemos àquele 10 de agosto de 1849, que, muito provavelmente, foi mesmo quente e úmido como são os dias de verão nas plantações de trigo de Mandriole. Mais exatamente, avancemos 48 horas, até o delegado pontifício de polícia de Ravenna, conde A. Lovatelli, encaminhar o seguinte documento a monsenhor G. Bedini, comissário pontifício extraordinário de Bolonha.

O relatório do delegado

Excelência Reverendíssima.

Sexta-feira passada, 10 do corrente, algumas crianças que brincavam em certos pastos da propriedade Gucciolli, a cerca de 1 milha de distância de Porto de Primaro e onze milhas de Comacchio, encontraram uma mão humana aflorando de um pasto de areia. Ontem, pouco depois de recebida a notícia, a Cúria foi ao lugar onde se observou a dita mão e parte do correspondente antebraço, que estavam devorados pelos animais e afetados pela putrefação. Retirada a areia, que ali tinha cerca de meio metro, foi descoberto o cadáver de uma mulher, de um metro e dois terços de altura, de idade aparente entre 30 e 35 anos, com os cabelos já destacados da cútis e espalhados pela areia, escuros e curtos, assim ditos à puritana. Observou-se que os olhos estavam salientes e metade da língua para fora, entre os dentes, além da traquéia rota e um sinal circular em torno do colo, sinais inequívocos de que sofreu estrangulamento.

Nenhuma outra lesão foi observada na periferia de seu corpo. Constatou-se que faltavam dois dentes molares na parte esquerda da mandíbula superior e outro dente pré-molar na parte direita da mandíbula inferior. Seccionado o cadáver, foi encontrado grávido de aproximadamente seis meses. Estava vestido com uma túnica de cambraia branca, com uma sotaina semelhante, com um casaquinho igualmente de cambraia, com o fundo violeta e com flores brancas. Os pés indicavam ser pessoa da cidade e não do campo, porque não tinha calos nas plantas.

A massa de pessoas vinda de Mandriole, de Primaro, de San Alberto e de muitos outros lugares não pôde reconhecer o cadáver. Não se pôde estabelecer a cor da pele, porque o corpo estava em putrefação, o que modifica sua cor natural. Não foi levado para um lugar público para o reconhecimento e foi prontamente enterrado, em resguardo à saúde pública. Tudo leva a crer que fosse a esposa ou a mulher que seguia Garibaldi, seja pelas notícias que se tinham do desembarque deles naquela área, seja por estar grávida.

Continua obscura a razão pela qual aquela mulher estava naquele local e como tornou-se uma vítima. Estamos, no entanto, procedendo às investigações oportunas, cujos resultados me apressarei a submeter a Vossa Reverendíssima.[2]

A autópsia foi feita pelo médico legista Luigi Fuschini, cirurgião principal do hospital de Ravenna. Ele anotou que o corpo estava sobre o flanco esquerdo, com o rosto abaixado e o queixo apoiado sobre o peito. O juiz Giuseppe Francesconi acompanhou a autópsia e seu relatório acrescenta alguns detalhes igualmente macabros e conclui:

---

[2] G. Emilio Curatolo, *Anita Garibaldi, l'eroina dell'amore* (Roma: Fratelli Treves-Treccani-Tumminelli, 1932), pp. 250-252.

Os primeiros resultados assim obtidos apresentam o aspecto de um gravíssimo delito, e como cúmplices foram presos por este inspetor de polícia, *ex officio*, os irmãos Stefano e Giuseppe Ravaglia, ambos feitores do marquês Guccioli, ambos moradores da citada vila de Mandriole.[3]

Concluída a autópsia, o corpo foi entregue ao padre da paróquia de Mandriole, dom Francesco Burzatti, que, antes de enterrá-lo, pediu autorização ao bispo, preocupado com os boatos de que a falecida era judia. Depois de uma apressada função fúnebre, envolvido numa esteira de junco, o corpo foi sepultado. No local o padre colocou uma cruz de madeira maior do que as outras, já que muitos garantiam que a desconhecida era mulher de um general e, na Itália daquele tempo, era melhor ser prudente. No livro da paróquia, registrou o procedimento em latim, como mandava o código da Igreja.

O registro do padre

> Mulher desconhecida, de aproximadamente trinta anos de idade. Cadáver descoberto no lugar vulgarmente chamado de Motta della Pastorara. Acabados os atos legais da Cúria Criminal, obtido o consentimento da autoridade eclesiástica, foi transportado a essa igreja e, feitas as devidas exéquias, hoje pelas quatro da tarde foi sepultado no cemitério e exatamente entre a cruz principal e a cerca da parte do horto. Em verdade de tudo quanto foi dito,
>
> Francesco, pároco Burzatti.[4]

Naquele dia, chegou a Mandriole a notificação do Comando Real Imperial Civil e Militar de Bolonha determinando a prisão de Garibaldi e seu bando.

---

3 Giovanni Fabrini, *La morte di Anita e la fuga di Garibaldi attraverso da Romagna* (Milão: Casa Editora Bietti, 1932), p. 197.

4 G. Emilio Curatolo, *op. cit.*, pp. 186-187.

NOTIFICAZIONE

Il Corpo di Garibaldi venne nella massima parte fatto prigioniero o per terra dalle I. R. Truppe che lo stringevano ed inseguivano, o per mare dalle Truppe Austriache componenti la flottiglia dell'Adriatico

Riusciva però ad alcuni di questo Corpo di Masnadieri a disperdersi o prima dell'imbarco a Cesenatico quando erano fugati dalle Truppe di terra, o dopo lo sbarco a Magnavacca quando furono respinti da quelle di mare. Tra questi trovasi il Garibaldi stesso, il quale trae seco la moglie in assai avanzato stadio di gravidanza.

Tutti i buoni, e specialmente quelli della campagna, si trovano agitati per la latitanza di questi pericolosi individui. Si ricorda a chiunque il divieto di prestare aiuto, ricovero o favore in qualsiasi modo ai delinquenti, ed il dovere di buon cittadino di ributtarli da sè, e di prestarsi a tutta possa per discoprirli, e consegnarli alla giustizia, e si avverte *che sarà assoggettato al Giudizio Statario Militare chiunque scientemente avesse aiutato, ricoverato o favorito il profugo Garibaldi, o altro individuo della banda da lui condotta o comandata*

Dal Quartier Generale in Villa Spada il 5 Agosto 1849.

L'I. R. Governatore Civile e Militare, Generale di Cavalleria
GORZKOWSKI.

Original da notificação.

O grupo de Garibaldi acaba de ser preso por terra, pela tropa real que o cercava e seguia, ou por mar, pela flotilha austríaca do Adriático. Escaparam, contudo, alguns daqueles bandoleiros, que se dispersaram antes do embarque em Cesenatico, quando fugiam das tropas de terra ou depois do desembarque em Magnavacca, quando foram rechaçados por mar. Entre eles, acha-se o próprio Garibaldi, que trazia consigo a mulher em avançado estado de gravidez.

As boas pessoas, especialmente do campo, estão agitadas por causa da fuga desses perigosos indivíduos.

Recordamos a todos a proibição de prestar ajuda, ocultar ou favorecer de qualquer maneira os delinqüentes e o dever dos bons cidadãos, de procurar descobri-los e encaminhá-los à justiça, e se adverte que estarão sujeitos à justiça militar os que tenham conscientemente ajudado, encoberto ou favorecido o fugitivo Garibaldi ou outros indivíduos do bando por ele conduzido ou comandado.

Do quartel-general de Villa Spada, 5 de agosto de 1849.

Governador Civil e Militar, general-de-cavalaria Gorzkowski.[5]

Como o mapa indica, Cesenatico é um porto sobre o Adriático a menos de 30 quilômetros ao sul de Ravenna, na direção de Rimini. A praia de Magnavacca fica a quase 60 quilômetros dali, em direção ao norte. Gorzkowski era o comandante das tropas austríacas e tinha fama de inflexível. Cairia em desgraça dias mais tarde, justamente por causa do tal Garibaldi, que escapou ao cerco, dominou a pequena guarnição do porto de Cesenatico e simplesmente desapareceu no mapa, mesmo tendo a cabeça a prêmio, horas antes de ter sido emitido esse comunicado.

Garibaldi havia comandado a defesa de Roma, atacada por 20 mil soldados franceses. No dia 30 de junho, parou de lutar, depois de a assembléia constituinte romana ter declarado que a defesa da cidade era impossível, permitindo a entrada dos

5 Ivan Bóris e Mino Milani, *Anita Garibaldi: Vita e morte di Ana Maria de Jesus* (Milão: Camunia, 1995), pp. 155-156.

franceses na recém-criada República romana para ali restabelecer o poder temporal do papa Pio IX.

Mas Garibaldi rejeitou a capitulação. Saiu de Roma disposto a enfrentar 60 mil soldados franceses, napolitanos, espanhóis e austríacos. Tinha 4 mil homens exaustos, mal armados e com apenas um canhão. Uma semana depois, quase metade dessa tropa já havia desertado. Ainda assim, percorreu 550 quilômetros pela Itália afora, procurando chegar a Veneza, que, cercada pelos austríacos, mantinha-se independente.

Anita e Garibaldi deixam Roma.

A seu lado, cavalgava uma mulher grávida de cinco meses. A brasileira Ana Maria de Jesus Ribeiro, conhecida por todos como Anita Garibaldi.

No 15 de agosto, em Bolonha, junto com o relatório do delegado Lovatelli, monsenhor Bedini recebeu várias cartas anônimas. Uma delas denunciava que o responsável pelo estrangulamento da desconhecida era justamente Giuseppe Garibaldi, num ato de desespero destinado a facilitar sua fuga, dificultada pela gravidez da mulher que o seguia.

Na ópera

Um ano e cinco meses antes de morrer, Anita Garibaldi estava entre as mais de 2 mil pessoas que lotavam o Teatro Carlo Felice, assim chamado em honra do rei. O prédio, orgulho de Gênova, prova concreta de que a cidade se tornara a segunda capital do reino e do Piemonte-Sardenha, levou dois anos e dezoito dias sendo construído sobre os restos de um convento demolido, na Praça San Domenico. Foi inaugurado no dia 7 de abril de 1828, em plena primavera, com a ópera *Bianca e Fernando*, de Bellini, com uma festa que parou a cidade.

Era um sonho antigo. Três décadas antes, no tempo dos franceses, o prefeito Bourdon falava em criar "um espaço com função de reunião social e de representação". O primeiro desenho foi feito em 1810, mas só catorze anos mais tarde, em Turim,

Fachada do Teatro Carlo Felice.

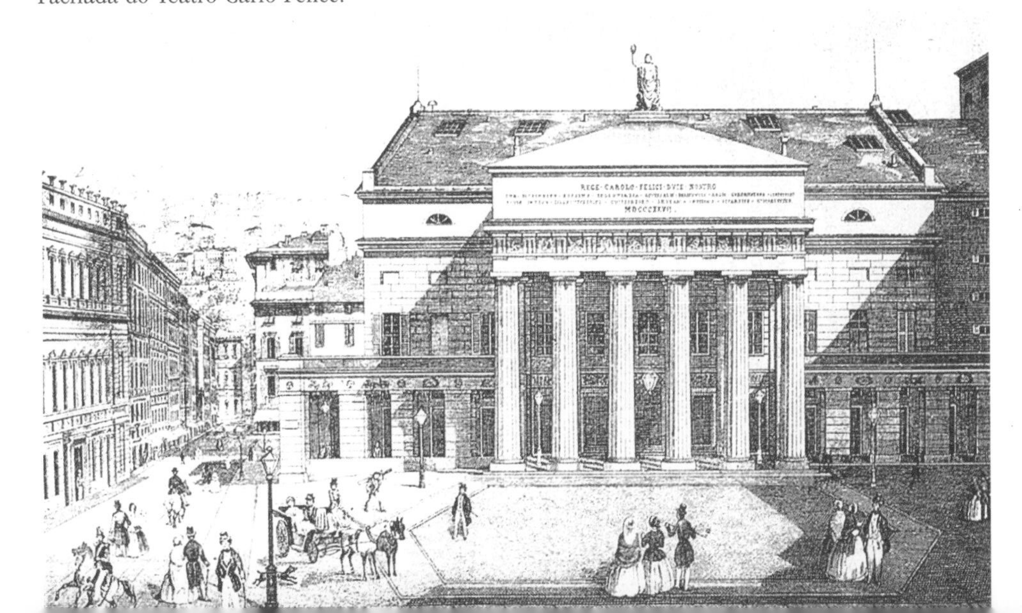

Platéia do Teatro Carlo Felice.

o recém-coroado rei Carlos Félix tirou as plantas da gaveta, cumprindo uma promessa do pai.

A obra começou no ano seguinte e custou 1.441.000 liras. Um terço dos recursos foi desembolsado pela administração municipal. O restante veio da venda dos camarotes. Quem investiu não deve ter se arrependido: o resultado abrigava 2.500 pessoas em 4 mil metros de área.

Na entrada principal de 94 metros de comprimento, quatro colunas enormes. Numa das laterais, outra fachada, com 47 metros. As medidas do palco também eram excepcionais: 36 metros de profundidade e 22 só de boca de cena (mais 24 metros para camarins, sala para as coristas, etc.). Cavalos e máquinas entravam diretamente da rua por uma porta especial.

Mas o mais impactante era a platéia, que rivalizava com a do Scala de Milão, até hoje uma referência mundial em termos de teatro. Entre os afrescos e as doze filas de poltrona, havia 17 metros de pé-direito, 155 camarotes e uma galeria para 144 espectadores. Tudo destruído na Segunda Guerra Mundial. O Carlo Felice foi refeito em 1991, mas do prédio original só restaram o pórtico e as colunas da entrada.

Na noite do dia 4 de março de 1848, Anita estava ali. Nunca vira nada parecido. Quando saiu de Laguna, sua terra natal, em 1839, o edifício mais imponente da cidade era a igreja matriz de Santo Antônio, em estilo toscano. O teatro só começaria a funcionar em 1858. Montevidéu, de onde acabara de chegar, tinha menos de 40 mil habitantes e dois teatros. A Casa de Comédias ficava a duas quadras da casa dela e tinha funções regulares, mas não passava de um galpão adaptado.

Para imaginá-la num dos camarotes do Carlo Felice é preciso recorrer aos dotes do pintor italiano Gaetano Gallino. Ele era o principal retratista da sociedade montevideana: grandes comerciantes, políticos destacados e senhoras da elite passaram por seu ateliê. Ernesto Laroche, pintor e crítico de arte, identificou certos padrões nos retratos. Gallino desenvolveu uma espécie de linha de montagem: os interessados escolhiam o cenário e a posição mais adequados e o pintor só fazia o rosto.

Anita foi retratada numa miniatura, ou seja, não saiu da linha de montagem e, como os outros trabalhos do pintor são muito fiéis, é provável que ela fosse tal como aparece hoje em uma das vitrines do Museo del Risorgimento, em Milão.

O "Cartão-postal" de Ciprelli.

Em 1979, Natale Ciprelli, um italiano de Pescara, publicou por sua conta um livrete acompanhado por um cartão-postal, que seria uma fotografia de Anita, Garibaldi e dois filhos, Menotti e Teresita, tirada em Roma, pouco antes da partida. Apesar dos argumentos do autor, nenhum historiador aceita sua tese de que este teria sido o primeiro cartão-postal da história.

Assim, fiquemos com o trabalho de Gallino e as descrições de quem a conheceu efetivamente. Mãe de três filhos – a quarta ficara no cemitério de Montevidéu –, ela deveria ter uns 26, 27 anos quando foi ao teatro em Gênova. No começo deste século, um certo Anacleto Bitencourt, que conviveu com ela em Laguna e viveu o bastante para lembrá-la muito tempo depois, a descreveu como "uma mulher alta, meio corpulenta, busto grande, olhos pretos ovais, cabelos pretos e abundantes e rosto ligeiramente sardento".

O padre Bresciani a define desse modo:

> Esta mulher é morena como todos os crioulos* dos trópicos; de personalidade simples, agitada e vivaz; com uma fisionomia bem desenhada e de semblante melancólico, mas de olhos ardentes e de másculo peito.

No fim de junho de 1849, em Roma, Garibaldi apresentou-a aos oficiais de seu Estado-Maior. O suíço-alemão Gustavo von Hoffstetter era um deles e escreveu em seu diário, no dia 1º de julho:

> Uma noite dessas vi pela primeira vez a célebre mulher de Garibaldi. Ela se apressara a vir aqui para acompanhar seu marido. O general me apresentou no Palácio Corsini. Ela era uma mulher de cerca de 28 anos, de pele muito escura, traços interessantes e delicada constituição física. Ao primeiro olhar, porém, se reconhecia nela a amazona. À ceia, para a qual me convidara o general, me foi possível observar todo o carinho e a atenção que ele dispensa à esposa.[1]

Mas, poucas semanas depois, Anita passou diante de Ettore Marziali, morador de Cetona, no interior da Itália. E ele a relembrou de outro modo:

> Cavalgava com muita desenvoltura um cavalo baio claro, vencendo com facilidade o calçamento defeituoso de mármore travertino mal rejuntado das rampas de Cetona. Um chapéu de feltro negro, ornado de rica pluma da mesma cor, cobria-lhe a abundante cabeleira que lhe descia pelo pescoço.
>
> Era bela? Muito ao contrário! De tez muito escura e traços não muito regulares: a varíola tinha marcado o seu rosto visivelmente. Malgrado isso, ninguém podia fixá-la senão com admiração e com crescente simpatia.[2]

---

* Descendentes de europeus, nascidos na América.

1 *Apud* Rafaele Belluzi, *Il ritrato di Anita Garibaldi* (Bolonha: Museo del Risorgimento), p. 5.

2 *Ibidem*.

Miniatura de Anita pintada por Gallino (Museo del Risorgimento, Milão).

Marziali devia ser muito novo na época – redigiu essa carta quase cinqüenta anos depois, no dia 8 de fevereiro de 1897. E pode ter sido traído pela memória. Anita não tinha marcas de varíola, mas sardas. Além disso, naquele dia, ela certamente usava o cabelo curto, cortado pouco antes em Roma e que continuaria assim até 10 de agosto, quando seu corpo passou pelas mãos do legista em Mandriole.

A primeira ópera assistida por Anita na pátria das óperas não foi das melhores. Os compêndios especializados registram uma dúzia de libretos chamados *Tancreda* ou *Tancredi*. Todos se baseiam no poema épico *Jerusalém libertada* de Torquato Tasso. O mais famoso foi criado por Gioacchino Rossini. Já o de Pietro Corelli, um obscuro dramaturgo que produziu algumas obras de argumento histórico e entonação patriótica, ficou apenas essa curta temporada no Carlo Felice, de Gênova. Jamais foi encenado novamente.

A chegada de Anita a Gênova fez mais sucesso que a ópera, embora tenha merecido apenas um registro discreto na quarta página do jornal *La Lega Italiana* de 3 de março, na seção "Notizie del Mattino":

SPETTACOLI.

TEATRO CARLO FELICE. — Opera: *Tancreda* musica del maestro Achille Peri.
Ballo nuovo: *La Presa di Suly* composto e diretto dal coreografo sig. Domenico Ronzani.
Balletto: *Il Biricchino di Parigi*.

Serata a benefizio della prima donna Marietta Gazzaniga per la quale verrà aggiunto allo spettàcolo i seguenti pezzi: Atto 2.° dell' opera gli *Orazj e Curazj*. — Cavatina nell' opera *Attila*. — Inno del maestro Mabellini l' *Italia Risorta* Atto 3.° dell' opera *Ernani*.

TEATRO DA S. AGOSTINO. — La Drammatica Compagnia di A. Giardini esporrà: *Maria Stuarda* tragedia.

TEATRO DALLE VIGNE. — La Compagnia di G. Ponti recita, colle Marionette: *La Lega Italiana*. Con ballo.

ANFITEATRO GINNASTICO *situato fuori le port dell' Arco*. — La Compagnia Ferroni, Padre e Socj, darà un corso di rappresentazioni Ginnastiche, Acrobatiche, Atletiche Mimiche, ecc.

Sulla la piazza dei Funghi vi è da vedere un graudioso Gabinetto di Belle Arti, ogni giorno dalle 9 della mattina sino alle 8 della sera.

TEATRO DI MARIONETTE *in S. Pier d' Arena nella Crosa Larga*. — Michele Bruno proprietario e direttore di un nuovo edifizio di Marionette recita domani: ...
Ballo: *Venere e Marte alla Fucina di Vulcano*

Si previene questo rispettabile Pubblico che la già annunziata seconda Rappresentazione Panoramica nel Salone in legno sulla piazza dei Funghi, vicino al Palazzo Ducale, resta irrevocabilmente ancora pochissimi giorni esposta.

Programação teatral de Gênova para 4 de agosto de 1848 (*Gazzetta di Genova*).

> Ontem chegou a este porto a esposa do general Garibaldi com dois filhos. Nessa ocasião, diversos cidadãos presentearam-na com uma bandeira tricolor italiana em sinal de homenagem.

Em meio às notícias sobre a extinção da pena de morte e a convocação de eleições na França, a nota não dava a noção exata do que ocorrera. Os *diversos cidadãos* eram mais de 3 mil pessoas. Uma multidão movida não apenas por sentimentos tipicamente latinos – a efusão e a cortesia para com os recém-chegados. Aquela gente toda demonstrava, assim, até onde chegava o prestígio do marinheiro condenado à morte pelas autoridades da mesma Gênova havia catorze anos e que se transformara em líder nacional durante o exílio.

Anita, Menotti, de sete anos, Teresita, de três, e Ricciotti, de um, ficaram na casa dos irmãos de Stefano Antonini, um amigo de Garibaldi que vivia em Montevidéu e era beneficiário dos negócios com a Legião Italiana. Ali conheceu a irmã de Napoleone Castellini, Nina, que se tornou sua amiga. Além da ópera, foram ao espetáculo de marionetes no Teatro delle Vigne.

Assistiram a uma récita da Companhia de G. Ponti sobre *La Lega Italiana*, provavelmente uma sátira política. Os marionetes eram uma verdadeira febre em Gênova: havia dois anos o delle Vigne só apresentava esse tipo de espetáculo. Naquela noite, depois da récita, houve um baile no teatro. Os bailes eram uma coqueluche em Gênova, na primeira metade do século XIX. Organizados nos teatros e em muitos outros locais, chamaram a atenção do jornal *Gazzetta di Genova*, pouco antes:

Os bailes de Gênova

> Depois do dinheiro, parece que o baile se transformou no objetivo favorito dos lígures. O baile é um gosto universal, uma espécie de furor que se estende do pequeno ao grande, do rico ao pobre, do jovem ao velho. Baila-se na casa de B., na casa de P., na casa de T. e em quarenta salas. Baila-se na Praça Banchi e amanhã se bailará no Santo Agostinho*. Pode-se crer, em meio a tantos bailes, que o inimigo esteja em torno, que a guerra esteja na fronteira, sobre os morros e no mar?[3]

Gênova foi fundada pelos lígures. Na Idade Média tornou-se a capital de uma república que lutou contra a preponderância comercial de Veneza. Em 1684, foi bombardeada pelos franceses de Luís XIV. Tornou-se capital da República da Ligúria, em 1797. Incorporada ao Império Francês em 1805, foi tomada pelo reino do Piemonte-Sardenha em 1815. Para Giacomo de Asarta, era uma metrópole pujante:

---

* Outro teatro da cidade (PM).

3 Franco Ragazan, *Teatri storici in Liguria* (Gênova: Sagep Editrice, 1991), p. 99.

Gênova em meados do século XIX.

> Antes de mais nada, recordamos aos leitores que Gênova tem 120 mil habitantes, para quem o comércio é o principal sustento. É uma das mais importantes praças marítimas do Mediterrâneo, luxuriante de riqueza própria e estrangeira, ilustre pelos monumentos edificados e nobres e humaníssimas instituições. É, em suma, a segunda capital do Estado.[4]

Na verdade, Gênova não era tão luxuriante – é preciso dar um desconto ao autor, governador da província, tentando justificar seu fracasso na repressão a uma revolta republicana.

A história da movimentação de Anita em Gênova chegou aos dias de hoje graças à carta que enviou a Stefano Antonini em Montevidéu, pouco antes de embarcar num vapor para Nice. Ela contava um pouco do que tinha feito e mandava um recado para o marido:

---

[4] *Ibid.*, p. 154.

Estimadíssimo senhor.

Tenho o prazer de lhe informar sobre minha feliz chegada a Gênova, depois de uma viagem felicíssima de cerca de dois meses. Tenho sido festejada pelo povo genovês de modo singular. Mais de 3 mil pessoas vieram debaixo de minha janela gritando: – Viva Garibaldi, viva a família de Garibaldi! – E me deram uma bela bandeira com as cores italianas, para que a entregue ao meu marido tão logo chegue à Itália, para que seja o primeiro a fincá-la sobre o solo lombardo.

Se o senhor soubesse o quanto Garibaldi é amado e desejado em toda a Itália, principalmente aqui em Gênova! Todos os dias, a cada embarcação que acreditam que venha de Montevidéu, eles pensam que pode ser ele e, se realmente fosse, creio que a festa não teria fim.

Nápoles festeja a Constituição.

Veneza proclama a República.

As coisas caminham muito bem na Itália. Em Nápoles, na Toscana e no Piemonte foi promulgada a Constituição e Roma a terá dentro em pouco. A guarda nacional foi instituída em vários lugares e muitos benefícios obtiveram esses países. Os jesuítas e todos os seus afilhados foram expulsos de Gênova e de todo o Estado e por todo canto não se fala de outra coisa a não ser unir a Itália mediante uma liga política e alfandegária e depois liberar os companheiros lombardos do domínio estrangeiro. Tenho recebido mil finezas dos irmãos Antonini. Há alguns dias estive na ópera e ontem à tarde na comédia; visitei os principais lugares da cidade e da vizinhança e amanhã parto no vapor para Nice. Ficarei agradecida, no caso de meu marido não ter partido ainda, de pedir-lhe que o faça e dizer-lhe que os últimos acontecimentos da Itália devem fazer com que acelere sua partida.

Saudando-o pois, afetuosamente,

Gênova, 7 de março 1848

Sua devotada serva Ana Garibaldi.[5]

---

[5] Brasil Gerson, *Garibaldi e Anita* (Rio de Janeiro: Souza, 1953), pp. 207-208.

Era um bom resumo da situação italiana, sobre a qual Garibaldi tinha vagas notícias. Mas ele não recebeu a carta: quando ela chegou a Montevidéu, ele já estava navegando em direção à Itália. Com certeza não foi Anita quem a escreveu – deve ter ditado a alguém. Suas poucas mensagens têm caligrafias diferentes, o que fez com que alguns historiadores dissessem que ela era analfabeta. Mas pelo menos uma de suas cartas, enviada para a sogra Rosa Raimondi, leva uma assinatura insegura, de quem não está acostumada a manejar uma pena. Certa ocasião, o próprio Garibaldi lhe escreveu dizendo que queria ver sua assinatura, como prova de que estava bem.

Quanto à avaliação da situação política contida na carta, pode muito bem ter sido feita por Anita. Gênova vivia um momento de ebulição e seus anfitriões eram gente ligada à Jovem Itália, o movimento que queria implantar a República e unificar o país. Além disso, Garibaldi deve ter lhe falado sobre as mudanças na situação da Itália quando estavam em Montevidéu.

Um momento crucial

A Itália vivia mais um instante crucial. Até 395, sua história confunde-se com a de Roma. Naquele ano, o imperador Teodósio fez a partilha do grande império. Quando as invasões bárbaras começaram, Bizâncio já tinha na Itália o Exarcado de Ravenna e outros pequenos territórios. Os lombardos não foram capazes de expulsar os bizantinos, nem de dominar todo o território, assim como o Papado: por isso, ficaram tantas divisões políticas, ducados, etc. Surgiram três capitais – Pavia, sede do domínio lombardo, Ravenna, dos bizantinos, e Roma, a residência dos papas.

Daí por diante, a história italiana se torna um emaranhado de disputas, alianças e conflitos. Papas e lombardos contra a Alemanha (século XII), o Papado e os guelfos contra o império germânico e os guibelinos (séculos XIV e XV), franceses, aragoneses e alemães disputando o reino de Nápoles, no sul da península, enquanto, ao norte, Florença, Pisa, Lucca, Veneza e Gênova eram repúblicas poderosas até o século XVI. Nos séculos XVII e XVIII, tentativas de duques e condes de estender seus domínios conviveram com os avanços e recuos de domínios estrangeiros, enquanto o Papado, num jogo completo de alianças, conseguia manter os extensos estados pontifícios. Tudo isso contribuiu para impedir a unificação da Itália.

Durante o domínio napoleônico em parte do território, as reformas liberais e modernizantes introduzidas pelos franceses pós-revolucionários subverteram as velhas instituições: favoreceram o comércio e a indústria e diminuíram o espaço dos poderes clericais e feudais. Mesmo assim, estes continuaram importantes.

Em 1806, como conseqüência das guerras provocadas pela Revolução Francesa, foi criado o Reino da Itália, mas em 1815 a Lombardia ficou com a Áustria. O processo de modernização da Itália, que marca 1839, não se restringe ao campo da política e da cultura. Havia mudanças também na economia: só no vice-reinado lombardo-veneziano, dominado pelos austríacos, já funcionavam 292 fábricas de panos de algodão, 320 de seda, 548 de cama e mesa. Na Toscana surgiram 97 fábricas de papel, 200 de seda e 112 de panos de lã. Na Sardenha, 372 de lã e algodão. Abriam-se escolas laicas, sociedades agrícolas, estradas de ferro começavam a ser construídas. Entretanto, os obstáculos eram pesados. Ao longo do território italiano, não havia uniformidade de instituições, nem de justiça, nem de tribunais; mais grave ainda, nem mesmo existia uniformidade de pesos, de medidas e de moedas, e muito menos de preços.

O poder nos estados pontifícios era um empecilho dramático para a modernidade. Neles, a desordem administrativa era grave, pois prelados, padres subalternos e monges-policiais eram corruptos e desregrados, sempre defendendo pequenos privilégios particulares e das velhas famílias "patrícias" da aristocracia romana. A repressão política era de tal ordem que um contemporâneo chegou a dizer, segundo Cheinman, que os estados da igreja encontravam-se, a partir de 1831, em permanente estado de sítio, com as prisões e os centros de deportação abarrotados, e a forca funcionando quase diariamente. Os novos movimentos econômicos e políticos da burguesia, de intelectuais e de organizações populares viam na unificação nacional um meio de superar esse atraso.

Anita ainda estava em Gênova quando os jornais anunciaram modificações importantes no regime político da Sardenha. Assinado no dia 5 de março, em Turim, o estatuto começava assim:

Carlos Alberto, pela graça de Deus rei da Sardenha, de Chipre e de Jerusalém; duque de Savóia, de Gênova, de Monferrato, de Aosta, de Chiablese, de Geneveze e Piacenza; príncipe do Piemonte e de Oneglia; marquês da Itália, de Saluzzo, de Ivrea, de Susa, de Ceva, de Maro, de Oristano, de Cesana e de Savona; conde de Moriana, de Genebra, de Nizza, de Tenda, de Romonte, de Asti de Alessandria, de Goceano, de Novara, de Tortona, de Vigevano e de Bobbio; barão de Vaud e de Faucigny; senhor de Vercelli, de Pinerolo, de Tarantasia, da Lomellina e do Vale do Sesia, etc., etc., etc.

Os etcéteras estão no original e se referem a outros tantos títulos nobiliárquicos. Mas o que interessou aos genoveses foi o que vinha abaixo. A liberdade individual era garantida, criava-se um arremedo de legislativo, abolia-se parte da legislação feudal. O rei continuava a ser uma pessoa sacra e inviolável, que convocava eleições, sancionava as leis, comutava as penas, era o Chefe Supremo do Estado, comandante das forças armadas. Mas, apesar disso, como dizia Anita, as coisas iam bem na Itália.

Condenado à morte

A denúncia feita por carta anônima a monsenhor Bedini, comissário extraordinário pontifício de Bolonha, não foi a primeira, nem seria a última acusação grave contra aquele homem. Em Gênova, a 300 quilômetros de Mandriole, já fora oficialmente condenado à morte. Aconteceu em fevereiro de 1834. Ele tinha 26 anos e estava servindo na marinha de guerra.

A fragata tinha ido para a água havia dez anos, quando a França ainda mandava em Gênova, e por isso recebeu o nome de *Haute Combe*. Mas o rei do Piemonte e da Sardenha, Vitorio Emmanuele I, retomou o controle sobre a região e decidiu recuperar a frota, designando o conde Giorgio des Geneys para o comando do almirantado, com essa dura tarefa. O barco foi rebatizado – expediente evitado pelos marinheiros mais supersticiosos – e nosso personagem embarcou para o que seria uma viagem de um único dia no *Comte des Geneys*.

Comte des Geneys.

Na Real Marinha Piemontesa, a ficha do rapaz dizia o seguinte:

Giuseppe Maria Garibaldi, marinheiro de terceira classe
Nome de guerra: Cleombroto
Nascido: Nizza, 4 de julho de 1807
Altura: 1,66 m
Cabelos: loiros
Sobrancelhas: loiras
Olhos: castanho-claros
Fronte: alta
Nariz: regular
Boca: média
Cabeça: redonda
Barba: loira
Rosto: oval
Cor: boa
Sinais particulares: nenhum.[1]

Naquela pequena marinha, o nome de guerra não era usado por razões de segurança, como nas organizações secretas e movimentos clandestinos. Servia apenas para distinguir homens com os mesmos sobrenomes. Cleombroto, irmão gêmeo de Leônidas, foi um rei espartano. Morreu em 371 a. C. na batalha de Leuctras, lutando contra Tebas. Codinome perfeito para um sonhador como Garibaldi. Seus companheiros optavam por designações menos grandiloqüentes: Tartaul, Cloridano, Camauro, Cloro, Zebu, etc. Podiam tanto se inspirar em poemas de Tasso de Ariosto como nos demônios listados pela Bíblia. E quem já tinha um sobrenome singular, dispensava o expediente. Foi o caso de Eduardo Mutru. Os dois se conheceram a bordo do barco *Barletta*, no fim de 1832, e entraram juntos para a marinha.

Nizza era como os italianos chamavam a cidade de Nice. Uma terra com muita história, mesmo ignorando o que ali fizeram os primeiros povos que chegaram não se sabe de onde havia 400 mil anos para caçar elefantes e deixaram vestígios pesquisados por arqueólogos e visitados pelos turistas.

---

[1] John Parris, *The Lion of Caprera* (Nova York: David McKay Company Inc., 1962), p. 44.

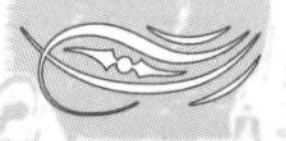

A velha Nizza

No século quinto da nossa era, quando os romanos abandonaram a vizinha Cemenelum, de 20 mil habitantes, Nizza já era Nikaia, velha de oitocentos anos. Do fim do Império Romano até 972 esteve nas mãos dos sarracenos. Mais tarde, passou a obedecer à casa de Savóia. Em 1792, foi conquistada pelos franceses. Voltou ao domínio do rei da Sardenha – o duque de Savóia – em 1814, mas por pouco tempo, sendo definitivamente incorporada ao território francês 46 anos depois.

Nice no Império Romano.

Quando Garibaldi nasceu, no dia 4 de julho de 1807, Nice estava francesa. Por isso, na pia batismal da Igreja de San Martino, o mais novo súdito de Napoleão Bonaparte recebeu o nome de Joseph-Marie. O avô dele, Angelo, um marinheiro, chefiava o clã que saiu de Chiavari, no litoral do Mediterrâneo, 30 quilômetros ao sudeste de Nice, em 1778. O pai, Domenico, já contabilizava enorme milhagem a bordo do barco da família, quando se casou com Rosa. Os dois tiveram quatro filhos. O segundo foi Joseph, ou Giuseppe, ou mais exatamente *Peppino,* como era conhecido em casa e entre os amigos.

Mar Mediterrâneo.

Sua primeira língua foi o nizardo, dialeto resultante da tumultuada história de Nice e de suas invasões e que mesclava o lígure, o romano, o provençal, o piemontês, o italiano e o francês numa receita particular.

A língua de Garibaldi

Quando Garibaldi era um rapazola, o nizardo resultava em algo assim:

CANTADA PER L'INSTALLASSION DAU BUST DE S. M. CARLO FELIX A LA SOUSSIETA FILARMONICA DE NISSA.

... Un bouon Paire, un bouon Rei s'aspera a bras dubert:
Parmi de tendre enfan gusterà lu delissi
De courre su li flou dai nouostre bei prat ver; ...

... Au Rei che nen sierve de Paire
L'oufranda vitou deven faire
De toui lu nouostre sentimen:
Plen d'achela cara speransa,
Amour, fidelità, coustansa
Non nen chiteran un momen...[2]

Rosa Raimondi,
mãe de Garibaldi.

A segunda língua de Garibaldi não foi o italiano, mas o francês. Isso explicaria não apenas o sotaque estranho e a gramática claudicante, que manteve toda a vida, como, segundo alguns autores, seu nacionalismo exacerbado.

Os Garibaldi não eram ricos: nunca tiveram casa própria. Viviam bem ao lado do cais, no número 3 da viela que ficava à direita de quem olhava o mar, no porto de Nice. O prédio, concluído em 1781, abrigava várias famílias e foi projetado pelo arquiteto Phillippe Nicolis de Robilante, no estilo

Porto de Nice – à esquerda, a casa dos Garibaldi.

---

2 Poesia composta em 1824 por Joseph-Rosalinde Rancher, em homenagem ao rei Carlos Félix.

turinês, numa renovação urbana do porto. Mais tarde, todo o lado esquerdo da viela, o mais próximo ao mar, desapareceu, para que o cais fosse ampliado. Mas do outro lado da ruela eliminada alguns prédios continuam em pé, abrigando restaurantes turísticos. Na parede de um deles, bem na esquina do Quai de Lunel com a rua Antoine-Gautier, uma placa informa: aqui viveram os Garibaldi.

Nos sonhos de Domenico, o filho só freqüentaria aquele ou qualquer outro cais do mundo como passageiro. A ficha da marinha – e a biografia de Peppino – atestam que ele não apenas contrariou os planos paternos, como jamais deixou de ser um homem do mar.

Placa na casa dos Garibaldi.

No fim da vida, apresentava-se como uma pessoa simples, um verdadeiro autodidata. Mas não era verdade: para transformá-lo em padre, ou advogado, seu pai fez com que ele estudasse. Em 1864, num jantar em Londres, ele próprio reconheceu: foi aluno regular de uma escola em Gênova. O historiador Christopher Hibbert, no livro *Garibaldi and his enemies*, tem uma teoria para esse lapso:

> Talvez ele não tenha admitido isso porque a escola era um seminário religioso e viveu toda a sua vida como um inimigo dos padres, que chamava de emanação do inferno, laia negra, escória pestilenta da humanidade, esses inimigos de toda a raça humana, o verdadeiro flagelo de Deus. Certamente, tanto seu pai quanto sua piedosa mãe gostariam que ele se tornasse um padre e contrataram para seu primeiro tutor um velho monge agostiniano.[3]

Foi o padre Giaume que lhe ensinou a maior parte das disciplinas, ficando a cargo de um militar reformado, o *signore* Arena, caligrafia, italiano, matemática e história romana. Garibaldi iria lamentar a desatenção durante algumas aulas dadas pelo monge, ao adotar a identidade falsa de um marinheiro britânico em 1834 e constatar que não se expressava em inglês.

Mesmo não sendo um exemplo de aplicação, aprendeu o suficiente. Dominou a matemática e a álgebra e tornou-se fluente em francês e italiano. Habilidades que garantiram o pão de cada dia em Constantinopla e Montevidéu, onde foi professor.

---

[3] Christopher Hibbert, *Garibaldi and his enemies* (Londres: Little, Brown and Co., 1965), p. 4.

Um amigo entrevistado pela escritora Jessie White Mario e não identificado descreve assim o colega relapso:

> Embora Peppino fosse um jovem brilhante e corajoso que planejava todo tipo de aventuras, gazeteava as aulas sempre que conseguia que lhe emprestassem uma espingarda ou persuadia um dos pescadores a levá-lo em seu barco, saía para capturar ostras, nunca perdia o festival do atum em Villafranca, ou os arrastões de sardinha em Limpia, ele estava freqüentemente pensativo e em silêncio, e, quando tinha um livro que lhe interessasse, ficava horas a fio lendo sob as oliveiras. Nessas ocasiões, não adiantava tentar fazer com que ele nos acompanhasse em nossas travessuras. Ele tinha uma bela voz e sabia todas as canções dos marinheiros e camponeses, além de muitas outras ótimas em francês. Mesmo quando era menino, o procurávamos para que ele fosse o nosso árbitro, enquanto os pequeninos o consideravam seu protetor natural.
> Ele era o mais forte e resistente nadador que já vi, um verdadeiro peixe na água.[4]

Num dos períodos de férias escolares, Peppino tramou sua primeira grande aventura. Junto com três companheiros, abasteceu um pequeno barco de pesca com água e comida e fugiu. Destino do quarteto inexperiente: a Turquia, quase 3 mil quilômetros distante no rumo leste. Uma viagem impensável para barco tão pequeno e navegadores tão verdes.

Denunciados por um padre – a quem jamais perdoou —, Cesar Parodi, Raphael de Andrei, Celestino Dermond e ele foram pegos pela guarda costeira quando estavam a 22 quilômetros de distância, na altura de Mônaco. Garibaldi levou uma surra, mas Domenico reconheceu: o garoto não tinha jeito. No dia 12 de novembro de 1821, registrou o filho de catorze anos como grumete num barco mercante.

Garibaldi e seu professor.

Dois anos mais tarde, Garibaldi foi de Nice para Odessa, no mar Negro. Passou meio ano fora, quatro meses em casa e partiu novamente, agora no barco do pai, para

---

[4] George Macaulay Trevelyan, *Garibaldi's defence of the Roman Republic* (Nova York, Longmans, Green and Co., 1907), p. 10.

uma viagem comercial pela costa francesa. Domenico, um católico fervoroso, quase um carola, escolheu para batizar sua embarcação o nome da padroeira da cidade. Uma santa que continua a ter devoção e capela em Nice, embora não seja reconhecida pelo Vaticano.

Santa Reparata

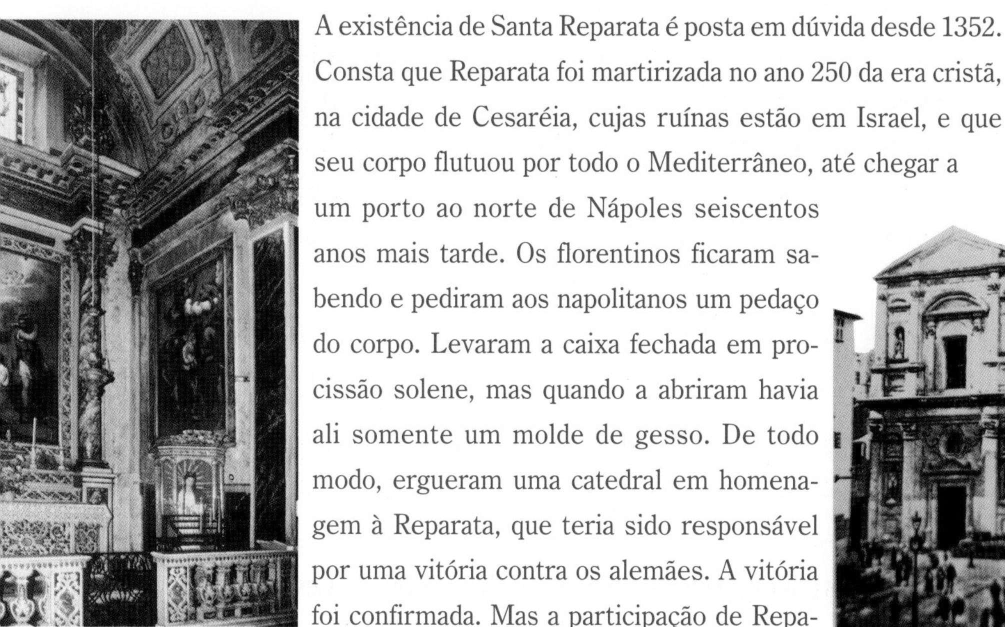

a em Homenagem à santa
o Vaticano não reconhece.

A existência de Santa Reparata é posta em dúvida desde 1352. Consta que Reparata foi martirizada no ano 250 da era cristã, na cidade de Cesaréia, cujas ruínas estão em Israel, e que seu corpo flutuou por todo o Mediterrâneo, até chegar a um porto ao norte de Nápoles seiscentos anos mais tarde. Os florentinos ficaram sabendo e pediram aos napolitanos um pedaço do corpo. Levaram a caixa fechada em procissão solene, mas quando a abriram havia ali somente um molde de gesso. De todo modo, ergueram uma catedral em homenagem à Reparata, que teria sido responsável por uma vitória contra os alemães. A vitória foi confirmada. Mas a participação de Reparata, não, e, em 1412, a cidade achou melhor trocar de padroeira: dedicou a nova catedral à Virgem Maria. Quando o Duomo de Florença abriu suas portas, uma geração mais tarde, nenhum de seus dezesseis altares era dedicado à Reparata.

Igreja de Santa Reparata em Nice.

Seja como for, *La Santa Reparata* levou os Garibaldi a uma viagem comercial pela costa francesa em 1824. No ano seguinte, os dois foram com ela para o porto de Civitavecchia e dali seguiram até Roma. Viagem inesquecível para o rapaz que ainda retinha as lições de história do *signore* Arena. Passaram um mês e meio na cidade. Domenico esticou a estada para assistir à cerimônia religiosa do Ano Santo. E o filho não reclamou: a demora lhe permitiu desenvolver adoração equivalente em relação a Roma, seus monumentos, ruínas e história. Experiência que identificaria mais tarde como o primeiro sintoma de seu amor pela Itália.

Viagens de Garibaldi.

De volta à marinha mercante, aprendeu a lição elementar para qualquer marinheiro, ao assistir ao naufrágio de um barco catalão: o mar é sempre mais poderoso do que o homem e seus barcos. Fez outras travessias curtas e, em sua primeira incursão ao Atlântico, chegou até Gibraltar e às ilhas Canárias.

Numa dessas viagens encontrou os famosos piratas que atuavam no mar Egeu, diante dos quais seu comandante se rendeu. Ficaram quase nus. Na primavera de 1828, deixou Smirna, na Turquia, e foi para a cidade russa de Taganrog, no mar de Azov, junto à foz do rio Don, e dali foi a Constantinopla, na Turquia. Doente, ele desceu do navio para se tratar em terra. Veio a guerra entre a Rússia e a Turquia e seu barco não voltou mais para aquele porto.

Garibaldi precisava trabalhar e conseguiu que uma viúva italiana o contratasse como professor para seus filhos. Passou meses ensinando italiano, francês e matemática na cidade que se chamou Bizâncio até se tornar a capital do Império Romano do Oriente, nos tempos de Constantino, o Grande. Nas horas vagas, conheceu os palácios dos sultões e estudou grego e latim.

Quando voltou a Nice, sua namorada Francesca Roux já estava casada e tinha um filho. Cansara de esperar pelo marinheiro que não dava notícias. Garibaldi foi

curar a dor-de-cotovelo em alto-mar: tornou-se capitão marítimo de segundo grau e embarcou novamente, como segundo comandante.

No dia 24 de fevereiro de 1832, teve seu batismo de fogo: o *Clorinda* foi atacado por dois navios piratas no mar Egeu. Mas, ao contrário do que ocorrera cinco anos antes, o capitão do navio decidiu reagir, usando seus dois canhões. Os piratas acabaram desistindo, Garibaldi ficou ferido na mão e fez uma frase que repetiria pelo resto da vida: "É sempre melhor lutar quando atacado do que render-se sem combater".[5]

Novamente em Taganrog, foi cantar alto num bar e acabou sendo preso com outros marinheiros pela polícia do czar, por perturbação da ordem. Libertado sob a condição de não deixar o barco, voltou ao café e foi detido outra vez, sendo solto apenas sob o pagamento de fiança.

Foi nessa época que se interessou por política. Outros acontecimentos que mexeram com a vida da Itália e da Europa – e que serão tratados mais adiante – tinham passado em brancas nuvens. Mas um panfleto relatando a morte de Ciro Menotti lhe chamou a atenção. Quando chegou a um porto italiano, quis saber mais.

Ciro Menotti

Ciro Menotti nascera em Carpi, Módena, em 1798, filho de burgueses empreendedores. Entrou em contato com os exilados italianos liberais em Londres e, a partir de 1830, começou a organizar comitês insurrecionais em Bolonha, Florença, Parma e Mântova. Chegou a redigir um projeto de monarquia representativa a ser instaurada com o beneplácito do duque de Módena, Francisco IV, tendo Roma como capital. Acabou preso e foi executado no dia 26 de maio de 1831.

Ciro Menotti.

Depois de conhecer a história de Ciro Menotti, em livros e panfletos, Garibaldi teria um contato de primeiro grau com essa gente que queria mudar o mundo. No dia

[5] Jasper Ridley, *Garibaldi* (Londres: Constable Publisher, 1974), p. 31.

22 de março de 1833, o *Clorinda* saiu de Marselha para a Turquia levando treze franceses para o exílio. Impossível ignorá-los: usavam longas becas vermelhas e túnicas brancas folgadas, cinturões, luvas e botas de couro preto, lenços pretos ao redor do pescoço, cabelos e barbas despenteados e compridos.

Segundo o líder do grupo, Emile Barrault, a aparência era uma forma de chamar a atenção para aqueles homens e suas idéias. Eram seguidores do conde de Saint-Simon. Garibaldi aprendeu a lição não apenas quanto a algumas idéias, mas também sobre o uso da imagem como símbolo, como se verá à frente, nas descrições do uniforme usado por seus legionários.

Um saint-simoniano.

O conde de Saint-Simon

Claude-Henri de Rouvroy se dizia descendente de Carlos Magno. Esteve na América lutando pela independência dos Estados Unidos, em Yorktown. Durante a Revolução Francesa, comprou terras nacionalizadas, com dinheiro emprestado, e ficou rico com a inflação. Mas era um socialista acima de tudo, capaz de distribuir sua renda numa vida pródiga. Em 1805 estava pobre e em 1823 tentou se matar com um tiro de pistola. Perdeu um olho, mas continuou tentando enxergar o futuro: previu a industrialização do mundo e a superação da miséria pela ciência e tecnologia. Escreveu *Carta de um habitante de Genebra a seus contemporâneos*, *Introdução aos trabalhos científicos do século XIX*, *Reorganização da sociedade européia*, *O catecismo dos industriais* e *O novo cristianismo*. Depois de morto, conquistou muitos adeptos.

Garibaldi pouco sabia sobre os saint-simonianos:

Poucas vezes tinha ouvido falar da seita: sabia apenas que aqueles homens eram os perseguidos apóstolos de uma nova religião. Agora, durante aquelas noites claras do Oriente, onde, como disse Chateaubriand, não há trevas, mas uma ausência de luz, sob aquele céu semeado de estrelas, sobre aquele mar que parece permanentemente acariciado por uma brisa generosa, nós discutimos não apenas o problema nacional, ao qual se restringia até então o meu patriotismo de italiano, mas também a grande questão da Humanidade.[6]

Para Saint-Simon, lhe disse Barrault, o objetivo da sociedade era melhorar as condições morais e físicas da classe mais pobre. O Estado precisava ser organizado numa hierarquia dominada por um líder ascético, simples e desprendido. Mais do que isso, o francês convenceu Garibaldi de que um soldado se tornava um herói quando agia como cosmopolita, oferecendo sua espada e seu sangue a todos os povos, para combater a tirania.

Fica difícil saber até que ponto o internacionalismo de Garibaldi deriva de Barrault. Segundo Jasper Ridley, autor de *Garibaldi*, a influência foi mais no campo do comportamento do que do modelo econômico:

> Barrault não conseguiu converter Garibaldi ao socialismo saint-simoniano. Ele aceitou com entusiasmo os princípios internacionalistas, mas não a teoria econômica socialista. Reagiu a essa exatamente como, quarenta anos depois, reagiria às idéias econômicas de Marx e da Primeira Internacional.[7]

Mas, para a história que se pretende contar aqui, o mais importante talvez sejam as teses de Saint-Simon em relação às mulheres. Na sociedade ideal do conde, elas seriam emancipadas, iguais aos homens. E o corpo devia ser usado em honra de Deus, como fonte de prazer sexual.

Garibaldi jamais esqueceu aquelas idéias. Guardou também o livrinho *O novo cristianismo*, com a dedicatória de Barrault na primeira página, ainda hoje preservado como relíquia na ilha de Caprera, onde ele morreu.

Trabalhadores e capitalistas, para o saint-simonismo, eram parte da mesma categoria, dos industriais, que deveria proteger a sociedade dos ricos – os nobres e os militares – promovendo o bem-estar dos mais numerosos e mais pobres. Garibaldi aceitou bem essa tese.

A rejeição aos conceitos marxistas não impediu que Garibaldi aderisse à Primeira Internacional, à Liga pela Paz e pela Humanidade e apoiasse a Comuna de Paris.

---

6 Alexandre Dumas, *Memórias de José Garibaldi* (Porto Alegre: Estado do Rio Grande do Sul, 1907), p. 29.

7 Jasper Ridley, *op. cit.*, p. 43.

As conversas com Barrault foram o primeiro passo na conscientização de Garibaldi. O segundo aconteceu em Taganrog. Ali ouviu falar de um movimento que tinha muito a ver com o que Barrault lhe contara: a Jovem Itália de Giuseppe Mazzini. Em suas memórias, o episódio aparece cheio de reticências, como outros momentos de sua vida:

> Em uma viagem a Taganrog encontrei-me com um jovem lígure que primeiro me deu algumas notícias do andamento das nossas coisas. Certamente não experimentou Colombo tanta satisfação na descoberta da América, como eu provei ao encontrar quem se ocupasse da redenção da pátria.[8]

Garibaldi jamais revelou quem teria sido esse iniciador. A maior parte dos historiadores acredita que tenha sido Giovanni Batista Cuneo, que ele reencontraria na América e depois escreveria sua primeira biografia, publicada em 1859.

Seja quem for o tal crente, aproximou-o das idéias de outro Giuseppe, o Mazzini, um genovês dois anos mais velho do que Garibaldi. Sobre Mazzini, o conde Metternich, o homem mais poderoso da Europa de então, diria, mais tarde:

> Fiz entrarem em acordo imperadores e reis, um czar, um sultão, um papa, enredei e desenredei vinte vezes intrigas palacianas, mas ninguém me deu maiores dissabores que um faccioso italiano, magro, pálido, cerimonioso, mas eloqüente como a tempestade, ardente como um apóstolo, astuto como um gatuno, desenvolto como um comediante, infatigável como um enamorado. Seu nome, Giuseppe Mazzini.[9]

O transtorno dos poderosos

Giuseppe Mazzini.

O pai era professor de Anatomia na Universidade de Gênova, mas ele foi estudar Direito, talvez sob influência da mãe, uma republicana. O jornal literário que fundou aos 23 anos, chamado *L'Indicatore Genovese*, foi

---

[8] Alexandre Dumas, *op. cit.*, p. 12.

[9] Brasil Gerson, *Garibaldi e Anita, guerrilheiros do liberalismo* (São Paulo: José Buskatsky, 1971), pp. 111-112.

fechado seis meses depois, por sua linguagem revolucionária. Mazzini mudou de trincheira, mas não parou de disparar. Escreveu em várias revistas literárias e filiou-se aos carbonários. Mais tarde, rompeu com as sociedades secretas, por achar que elas jamais chegariam à unificação da Itália, mas continuou fiel à maçonaria, na qual acabou se tornando grão-mestre. Em 1830 foi parar na cadeia, por seis meses. Expulso do país, fixou-se em Marselha e fundou a Jovem Itália, cujos detalhes merecem mais do que um parágrafo.
Quanto aos carbonários, foram um ramo da maçonaria que prosperou na Itália com o mesmo espírito romântico e conspirativo das sociedades secretas européias da época, como a *Burschenchaft* alemã. Considerados oficialmente pelo papado como homens que "têm por objetivo a subversão dos poderes legítimos e a ruína da Igreja", os carbonários tinham no início, entre seus quadros, soldados desmobilizados dos exércitos napoleônicos. Depois, espalharam-se por toda a Itália com as suas táticas de ação subterrânea e motins de surpresa, predominando entre eles, com o passar do tempo, os defensores de uma república democrática e social. Entretanto, com o desaparecimento dos velhos quadros militares, os carbonários chegaram a meados dos anos 30 com uma organização militarmente frágil e ineficiente.

O fato é que, em 1834, acreditando que bastaria um pretexto para deflagrar todo o potencial revolucionário do Norte da Itália, Mazzini planejou uma invasão da Savóia, a ser feita em parceria com os carbonários. Conseguiu o dinheiro necessário, 40 mil francos, para equipar uma coluna de mil voluntários e encontrou um militar genovês de passado respeitável disposto a comandá-la, o general Ramorino. Isso em outubro. Em novembro, nem sinal do general, que estava em Paris, jogando – com o dinheiro da revolução. Os carbonários pularam fora e, diante de outras deserções, Mazzini fixou o dia 1º de fevereiro de 1834 como a data do início do ataque.

O general ficou com apenas 250 voluntários, depois que os poloneses e os alemães foram presos pela polícia suíça, devidamente informada pelos austríacos. Foi até o ponto de encontro, mas na hora H disse que era impossível agir com aquela tropa minguada.

Mazzini berrou, ameaçou, desesperou-se – em vão. Houve até uma escaramuça entre a coluna e policiais, que resultou em dois mortos e dois prisioneiros, mas a batalha estava perdida. Os dois republicanos presos – Angelo Volontini e Joseph Borrel (um nome a se registrar) – foram condenados e fuzilados.

A única esperança, imaginava Mazzini, eram os marinheiros de Gênova, escalados para rebelar a guarnição da cidade em apoio à invasão, no dia 11 de fevereiro. Um deles nem fazia parte efetivamente da Jovem Itália: Giuseppe Garibaldi.

Ele tinha sido encarregado de arregimentar novos adeptos entre os tripulantes e os oficiais inferiores da marinha de guerra, para reforçar o movimento. Para isso, deixou o posto de capitão da marinha mercante a fim de entrar na Real Marinha Piemontesa, destacado para Gênova, em 26 de dezembro de 1833. Tinha mesmo de cumprir o serviço militar obrigatório e assim aproveitava o embalo para se engajar numa tarefa revolucionária. Junto com ele, foi Eduardo Mutru. Nenhum dos dois sabia exatamente o que Mazzini e seu grupo estavam tramando.

Caserna da Praça Sarzano.

Embarcado na fragata *Eurídice*, Garibaldi não perdeu tempo: fez contato com o artilheiro Luigi Bonfiglio, que já conhecia, e passou a se reunir no camarote deste com o escriturário Cristini. Aos dois, o novo militante falou e falou sobre a revolução e a República. Chegou mesmo a pagar comes e bebes para eles durante a catequese, mas mesmo assim todas as conversas do novo crente com seus pupilos foram cuidadosamente relatadas por estes aos oficiais da marinha e à polícia.

Garibaldi só não foi preso na hora porque o marquês Paulucci, governador, comandante e general da divisão, não queria a polícia metendo o bedelho em seu território e achou melhor deixá-lo agir, até identificar outros conspiradores. A Bonfiglio e Cristini somou-se depois o tenente De Medici – como os outros dois, um convertido só na aparência.

Prudência não existia no léxico do revolucionário iniciante, que não perdia uma chance de falar mal do rei Carlos Alberto e bem da República e da revolução no Café de Londres, perto do porto de Gênova.

Pretexto para ir à terra ele tinha, e bem doloroso: curar uma gonorréia adquirida pouco antes do Natal. Dormia numa viela de Acquavite, na Taberna da Pompa, de Caterina Boscovich, onde a camareira Teresina Cassamiglia o protegia.

No dia 3 de fevereiro, junto com Mutru, foi inesperadamente transferido do *Eurídice* para a *Comte des Geneys*, a nau capitânia. Ali seriam mais facilmente vigiados. Foi quando receberam a notícia de que a expedição de Savóia tinha fracassado e que eles deveriam antecipar ao máximo a insurreição em Gênova. Nas suas memórias, a história aparece devidamente maquiada:

> Minha propaganda no *Eurídice* tinha sido bem-sucedida, mas, apesar de minha candente impetuosidade, as operações que me haviam sido delegadas não foram suficientes. Nesse meio tempo soube no porto de Gênova, onde estávamos ancorados, que uma insurreição estava para se iniciar e que a caserna da Praça Sarzano tinha de ser dominada. Conseqüentemente, deixei a conquista da fragata a meus companheiros, entrei num bote, fui até a casa onde a revolta deveria começar, desci na aduana e dali fui para a Praça Sarzano.[10]

A Praça Sarzano

Há controvérsias sobre o nome – *Arx Jani*, a pedra de Jano, ou *Fundus Sergianus*, o fundo de Sergio, ou ainda Salsano, parte plana da colina cultivada de amoras. De todo modo, uma praça alongada, com não mais de 30 metros de largura e só três entradas – ou saídas, dependendo do ponto de vista – muito estreitas. Morada de pequenos artesãos e com um comércio pobre, a Praça Sarzano fica num ponto elevado de Gênova, junto à colina do Castello, o primeiro núcleo habitado da cidade. Desde 1145, abrigava as grandes festas e torneios da cidade, que tinham na Igreja de São Salvador um importante ponto de referência.

A Praça Sarzano hoje.

[10] John Parris, *op. cit.,* p. 41.

Para Garibaldi, a história da praça ou sua arquitetura pouco interessavam: o importante é que ali havia combinado de encontrar os outros revolucionários – trezentos, em seus cálculos preliminares:

> Esperei mais ou menos uma hora, em vão: não havia nenhum ajuntamento. Então ouvi que o negócio tinha falhado, que tinham ocorrido prisões e que os republicanos haviam fugido. Assim, como eu havia entrado para a marinha sarda* só para atuar a favor da causa republicana, achei que era inútil retornar a minha fragata. Comecei a pensar em meu próprio caminho para a segurança, especialmente quando as tropas se aproximaram e começaram a cercar a praça. Não havia tempo a perder.[11]

O que Garibaldi não revela é que tinha entrado numa arapuca cuidadosamente armada – da qual só escapou por sorte. Ele e Mutru passaram a andar pelas ruelas de Gênova até encontrarem um baile, onde ficaram algumas horas. Voltaram à estalagem e Mutru, mais tranqüilo, pegou no sono, enquanto Garibaldi, tenso, foi circular um pouco. Estava retornando quando encontra o garçom da taberna procurando-o a pedido da camareira Teresina. Mutru tinha sido preso! Garibaldi vai se hospedar na casa de uma de suas muitas amigas, justamente na Praça Sarzano.

No dia 9 de fevereiro, usando um vestido da dona da taberna, com um cesto carregado de pães e queijo, ele deixou a cidade. Salvou-se da prisão graças à ajuda de três mulheres: a vendedora de frutas Natalina, a estalajadeira Caterina e a camareira Teresina.

Desde cedo, o marinheiro não muito alto e de pernas ligeiramente arqueadas encantava as mulheres. Tinha uma testa ampla e um nariz grego. E quem o conheceu anotou uma certa delicadeza feminina nesse eterno guerrilheiro, que tomava banho sempre que possível e cuidava bem de suas mãos, dentes e cabelos.

Garibaldi foge pelos montes.

Durante dez dias, provavelmente sem banho, ele andou pelos montes da região. Usava a estrela Cassiopéia para se guiar e fazia uns 30 quilômetros

---

* Antes de 1860, o Piemonte e a Savóia formavam o reino do Piemonte-Sardenha, que englobava a ponta noroeste da bota italiana e a ilha de mesmo nome (PM).

[11] *Ibid.*, p.42.

por dia. Chegou a Nice, esteve na casa dos pais, despediu-se e saiu com dois amigos, Giuseppe Jaun e Angelo Gustavini, para atravessar o rio Vado. Na margem do rio, abraçou os companheiros e mergulhou na água. Nadou por alguns minutos e do outro lado deu adeus a seus amigos. Só voltaria a pôr o pé na sua cidade natal catoze anos mais tarde.

Na fronteira, apresentou-se aos guardas franceses e contou sua história. Os soldados resolveram prendê-lo. Levaram Garibaldi para Grasse e depois a Draguignan. Mas soldados desarmados que prendem um jovem marinheiro de 27 anos, disposto a tudo, numa sala do primeiro andar do posto policial, onde as janelas não tinham grades, deviam esperar o previsível: ele saltou.

Quando os guardas desceram as escadas, Garibaldi já tinha desaparecido. Queria ir para Marselha. Mas no meio do caminho tinha uma estalagem, onde entrou em busca de comida:

> A mesa estava posta para o jantar e o jovem estalajadeiro e sua mulher convidaram-me a comer. Aceitei prontamente, achei a comida e o vinho bons, o fogo quente e aconchegante, meus anfitriões aparentemente confiáveis, a ponto de me permitir contar-lhes minha fuga e suas razões.
>
> Para minha surpresa, a face do estalajadeiro foi ficando escura enquanto eu falava, tanto que eu perguntei sobre seu mal-estar. Ele me explicou, em resumo, que era obrigado a me prender. Dei risada, mostrando a ele que não tinha levado a sério o assunto. Como não estava com medo naquele instante, decidi cuidar de uma coisa de cada vez. "Ah", disse-lhe calmamente, "você quer me prender? Muito bem, depois do jantar temos muito tempo para isso. Deixe-me terminar a comida, eu lhe pagarei em dobro." Tirei as moedas da minha bolsa e continuei comendo, sem demonstrar preocupação. Mas logo percebi que o estalajadeiro não teria dificuldade de conseguir auxiliares para garantir minha prisão. Jovens da vila mais próxima, bons amigos dele, chegavam para jogar cartas, beber e cantar. O sujeito não tirava os olhos de mim e não tocou mais no assunto da prisão, obviamente confiando em seus camaradas, se necessário – e eu contara mais de dez.
>
> Uma boa idéia me salvou. No momento em que os parceiros de trago terminaram uma canção e os bravos se sucediam, eu rapidamente ergui meu copo e exclamei: "Deixem-me cantar algo" e comecei a cantar *O Deus das pessoas boas*, de Béranger.* Atribuo

* Poeta francês popular e republicano (PM).

aos versos de Béranger e à popularidade do poema com seu refrão fraternal, e talvez à maneira agradável com que eu cantei, o envolvimento da platéia. Na verdade, tive de repetir as estrofes duas ou três vezes e o pessoal finalmente me abraçou e gritou: "Longa vida a Béranger! Longa vida à França! Longa vida à Itália!".[12]

Fim do problema. Garibaldi chegou a Marselha no dia 25 de fevereiro, adotou a identidade de Joseph Pane, marinheiro inglês, e tentou lembrar, sem muito sucesso, das lições do padre Giaume. Numa pequena nota de página interna do jornal *Peuple Souverain*, de 17 de junho de 1834, percebeu que sua vida tinha mudado definitivamente.

A sentença de morte

O Conselho Divisionário de Guerra, situado em Gênova, convocado por ordem de Sua Excelência o comandante general-de-divisão, examinou a ação militar real do Estado contra Mutru, Eduardo, 24 anos, natural de Nice, marinheiro de 3ª classe no serviço real; Canepa, Giuseppe, 34 anos, sargento no 1º Regimento de Savona; Parodi, Enrico, 28 anos, marinheiro da marinha mercante; Deluz, Giuseppe, chamado de o Urso, 30 anos, marinheiro na marinha mercante; Cabale, Filippo, 17 anos, aprendiz de livreiro; Crovo, Giovanni Andrea, 36 anos, subsecretário do Tribunal da Prefeitura; Garibaldi, Giuseppe Maria, filho de Domenico, 26 anos, capitão da marinha mercante e marinheiro de 3ª classe no serviço real, natural de Gênova; Mascarelli, Caorsi, também capitão mercante em Nice.
Os primeiros seis citados estão presos. Os outros, julgados à revelia – todos acusados de alta traição militar. Garibaldi, Mascarelli e Caorsi são também acusados como autores da conspiração tramada nesta cidade durante os últimos meses de janeiro e fevereiro, tentando induzir as tropas à revolta e à derrubada do governo de Sua Majestade. Garibaldi e Mascarelli são, além disso, acusados de tentar, por persuasão e oferta de somas de

[12] Elpis Melena, *Garibaldi's memoirs* (Sarasota, Flórida: International Institute of Garibaldian Studies, 1981), pp. 10-11.

dinheiro atualmente desembolsadas, seduzir muitos oficiais não-comissionados do corpo real de artilharia, etc., etc.

O Conselho de Guerra, invocando a ajuda divina, rejeitando a alegação de incompetência proposta pela defesa, condena à revelia Garibaldi, Mascarelli e Caorsi à pena de morte ignominiosa e declara que eles devem ser expostos ao público em vingança, como inimigos do país e do Estado, sujeitos a todas as penalidades impostas pela lei real contra bandidos na primeira lista em que os condenados sejam classificados.[13]

O caladão Joseph Pane ainda ficou um mês em Marselha. No dia 25 de julho, sempre sob nome falso, foi para Odessa. Um ano depois, voltou a Marselha, onde passou dois meses. O fracasso de Gênova e a reação exagerada do governo, condenando-o à morte, o tinham transformado numa celebridade. Enquanto ia de um lado para outro no Mediterrâneo, todos falavam nele na Itália e o próprio Mazzini escutava histórias do rapaz. Finalmente, na primavera de 1835, Garibaldi entrou para a Jovem Itália, adotando o nome de guerra de Borel, em homenagem ao patriota executado depois do fracasso da invasão do ano anterior.

Quem o recrutou foi, provavelmente, Luigi Canessa, o primeiro italiano a quem escreveria mais tarde, ao chegar ao Rio de Janeiro. Canessa nasceu em Gênova, mas vivia como exilado em Marselha, onde era o líder do mazzinismo.

Diante dele, Garibaldi deve ter feito o juramento, obrigatório para quantos entrassem no movimento – e que hoje soa meio empolado.

O encontro (que não aconteceu) entre Garibaldi e Mazzini.

O juramento da Jovem Itália

Eu, cidadão italiano, diante de Deus, pai da Liberdade; diante dos homens nascidos para a alegria; diante de mim e da minha consciência, espelho das leis da natureza; pelos direitos individuais e sociais que constituem o ho-

[13] Mino Milani, *Giuseppe Garibaldi, biografia crítica* (Milão: Mursia, 1982), p. 22.

mem; pelo amor que me liga à minha infeliz pátria; pelos séculos de escravidão a que foi submetida; pelos tormentos sofridos por meus irmãos italianos; pelas lágrimas derramadas pelas mães sobre os filhos mortos ou presos; pelo frêmito da minha alma em me ver só, inerte e impotente; pelo sangue dos mártires da pátria; pela memória dos pais; pelas cadeias que me circundam, juro consagrar, hoje e sempre, toda a minha potência moral e física à Pátria e à sua regeneração; consagrar o pensamento, a palavra, a ação para conquistar independência, unidade e liberdade para a Itália; extinguir com o braço e infamar com a voz os tiranos e a tirania política, civil, moral, citadina, estrangeira; combater de todo modo a desigualdade entre os homens de uma mesma terra; promover por todos os meios a educação da Itália para a liberdade e a virtude que a tornem eterna; buscar por todos os caminhos que os homens da Jovem Itália obtenham a direção da coisa pública; obedecer às ordens e instruções que me forem transmitidas por quem representa comigo a união dos irmãos; não revelar, por sedução ou tormento, a existência, os objetivos da Federação, e destruir, se possível, quem o revele; assim juro, renegando todo meu particular interesse em favor da vantagem da pátria e invocando sobre minha cabeça a ira de Deus e a abominação dos homens, a infâmia e a morte e o perjúrio, se faltar com o meu juramento.[14]

Seu primeiro projeto revolucionário, como novo integrante da Jovem Itália, não deu certo. Ele foi para Túnis, na África setentrional, onde tentou, sem sucesso, conseguir um barco com o bei – o governador da província – e com ele iniciar a vida de corsário.

Ao retornar a Marselha, a cidade vivia o auge de uma epidemia de cólera. Mostrando que correr riscos era sua segunda natureza, Garibaldi trabalhou voluntariamente, como enfermeiro, por duas semanas.

Quando a situação começou a se normalizar, resolveu deixar a Europa e ir para onde estava a fragata *Comte des Geneys*, de onde desertara havia quase dois anos. Garibaldi estava indo em direção ao país onde encontraria a mulher de sua vida.

---

[14] Indro Montanelli, *L'Italia del risorgimento* (Milão: Rizzoli Editori, 1998), p. 42.

Aninha do Bentão

O primeiro branco a desembarcar na costa de Santa Catarina foi o francês Binot Palmier de Goneville. Ele estava no tombadilho do navio *L'Espoir*, em janeiro de 1504, quando viu algumas montanhas verdes se erguendo ao longe no mar. Goneville baixou âncoras na baía que viria a se chamar São Francisco, 240 quilômetros ao norte de Laguna, e ali ficou até a celebração da Páscoa. Ao ir embora, deixou na areia uma cruz de madeira com os nomes do papa Alexandre VI, do rei Luís XII e do almirante Mallet de Greville. Devidamente homenageados os chefes, inscreveram logo abaixo a relação dos tripulantes do *L'Espoir*, começando pelo comandante, é claro.

Ilha de Santa Catarina.

Ao retomarem viagem, tinham dois passageiros a bordo. Não falavam uma palavra de francês, mas pareciam pacatos, como a maioria dos habitantes da região. Eram sedentários, sabiam trançar redes, cestos e esteiras. Excelentes arqueiros, alimentavam-se do que caçavam e pescavam e recebiam bem os navegadores que aportavam nas suas terras, fornecendo-lhes água fresca e suprindo os navios de lenha e mantimentos, em troca de miçangas, espelhos e outras quinquilharias.

Os europeus iriam chamá-los de patos ou carijós, denominação genérica dada às populações da família lingüística tupi-guarani que viviam no litoral sul do Brasil. Os carijós não foram os primeiros habitantes de Santa Catarina.

Carijós.

Antes deles, outros povos viveram por ali, deixando vestígios semelhantes aos encontrados em todas as praias do mundo. São montanhas de conchas que os carijós chamavam de sambaquis – de *també*, concha, e *kimonte*, cônico.

Os sambaquis

O maior sambaqui do mundo fica justamente em Laguna, a pouca distância de onde Anita nasceu. É mais antigo do que as pirâmides do Egito e chegou a ter centenas de metros de comprimento por 25 de altura – o equivalente a um prédio de oito andares.

A montanha branca facilitou a vida dos navegadores, servindo como ponto de referência. Esse morro artificial que levou milhares de anos para ser erguido acabou

O Sambaqui da Carniça em 1972... e em 1997.

sendo utilizado como matéria-prima para a produção de adubos. Entre 1971 e 1972, uma empresa de mineração retirou do Sambaqui da Carniça pelo menos 50 mil tone-

ladas de conchas, reduzindo-o a uma sombra do que foi e comprometendo um sítio arqueológico único.

Os sambaquis parecem ter sido um misto de local de moradia, cemitério e posto de observação, de onde os nativos podiam vigiar a chegada de eventuais inimigos. Em seu interior não existem apenas ostras e conchas, mariscos, berbigões e cernambis, mas também ossadas de peixes, de botos e baleias, restos de capivara, tatu, paca, anta e até onça, ou de aves como albatroz, pingüim e gavião; e mesmo de répteis como o jacaré.

Machados, quebra-coquinhos, amoladores, pesos de rede, lascas para bater, cortar, serrar e furar e vestígios de fogueiras foram encontrados nos sambaquis. Eles também eram usados como local de sepultamento e, entre as ossadas humanas solenemente enterradas com seus pertences ou pintadas de ocre, para ficarem com cor de sangue, há algumas de carijós, o que faz supor que não tenham sido estes os responsáveis pelo fim do homem do sambaqui.

Como aconteceu com muitos outros povos indígenas, os carijós foram escravizados pelos mercadores e catequizados pelos padres. Em 1635, Laguna era o mais importante porto dedicado ao comércio de escravos. Um viajante encontrou ali 62 barcos, carregando 12 mil índios. Em 1677, num documento que pedia uma capitania ao rei de Portugal, frei Manuel de Santa Maria deu a seguinte notícia sobre a área:

> As terras, desde Cananéia até o Rio Grande, que terão mais de 200 léguas por costa, estão despovoadas, por haverem os moradores de São Vicente lhes tirado o gentio que as povoava e só no mencionado Rio Grande há algum gentio que confina com os charruas em Buenos Aires. [1]

Diante disso, não é de se estranhar que o cacique Taiaranha que comandava os carijós da região tenha enfrentado os homens de Domingos de Brito Peixoto, em 1676, quando este foi fundar Laguna, matando vários escravos e um dos filhos do bandeirante.

Mas isso foi depois. No barco do francês Binot de Goneville seguiram apenas um velho chamado Namoa e o garoto Içá-Mirim, que logo virou Essomeric. Era filho

---

[1] Oswaldo Rodrigues Cabral, *Notas históricas sobre a fundação da póvoa de Santo Antônio dos Anjos da Laguna* (Florianópolis: Idesc, 1976), pp. 91-92.

do cacique local e jamais retornaria à terra natal. Foi o primeiro catarinense a conhecer a Europa, embora ninguém o chamasse assim, mesmo porque aquelas terras só seriam batizadas 23 anos depois, quando Sebastião Caboto chegou àquele litoral cheio de belas praias e ótimos ancoradouros.

Se Essomeric teve algum problema de identidade em sua nova pátria, a história não registra. O que se sabe é que ele casou com uma parente do comandante Goneville e ali viveu até os 96 anos.

Já os primeiros brancos a viverem situação oposta tiveram menos sorte do que o carijó expatriado. Eles chegaram à praia com a roupa do corpo, depois que o barco da esquadra de Juan de Solís naufragou na ponta sul da ilha de Santa Catarina, em 1515. Aliás, o próprio Solís também acabou mal: foi morto pelos índios quando tentava descobrir, no interior do Brasil, minas de prata que, na verdade, ficavam no Peru.

Mapa de 1549, no livro de Hans Staden.

Dez anos mais tarde, Sebastião Caboto chegou à costa sul do Brasil. Em 1544, registrou o que considerava sua descoberta num mapa-múndi. Identificou com relativa precisão os pontos visitados e sobre aquela ilha escreveu o nome da mulher, que se chamava Catalina Medrado. O nome pegou e acabou se estendendo à região como um todo. Detalhe curioso: Catalina era um verdadeiro pesadelo na vida do navegador, maltratando-o e sujeitando-o a papéis tão ridículos, que ele passava a maior parte do tempo em expedições, longe de casa.

A ocupação daquele pedaço de costa tinha motivos estratégicos, fáceis de entender para quem pusesse os olhos nos belos e nem sempre precisos mapas do Novo Mundo. É que no dia 7 de junho de 1494, em Tordesilhas, na província de Valladolid, os reis de Espanha e Portugal tinham dividido o mundo com uma linha imaginária no sentido Norte–Sul, desenhada a 380 léguas de distância das ilhas de Cabo Verde, no rumo do poente.

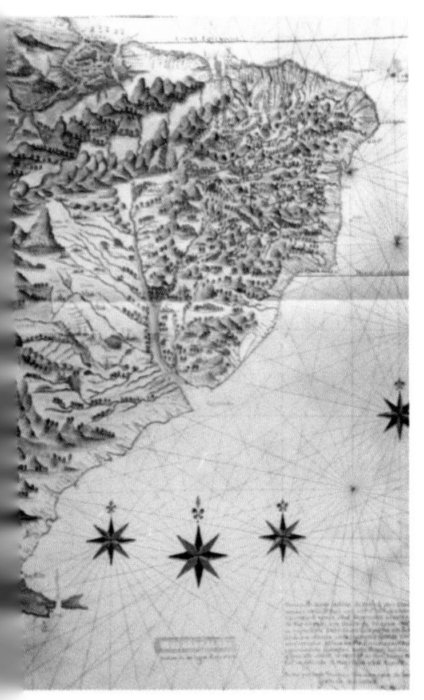
Mapa de João Teixeira Albernás – 1612.

As terras descobertas a leste da linha ficavam para Portugal e a oeste, para a Espanha. Em seu limite meridional, sobre o continente ainda pouco explorado e "descoberto" pouco antes por Colombo, o meridiano cortava Laguna ao meio.

Nas primeiras décadas após a chegada ao Brasil, não houve política alguma de ocupação: somente os náufragos e desterrados foram parar naquelas lonjuras. Em 1535, dom João III designou o pedaço de litoral que ia da barra do Paranaguá a um ponto um tanto incerto do litoral de Santa Catarina, como segunda parte da capitania de Pero Lopes de Sousa, mas a região continuou praticamente inexplorada, salvo pelos remanescentes de expedições espanholas e portuguesas.

O Tratado de Tordesilhas não era um bom documento para se fixarem limites de verdade, pois antes do final do século XVII, quando os cartógrafos e astrônomos holandeses descobriram um método realmente preciso de calcular distâncias na latitude, não se sabia ao certo onde a linha passava: por isso, a Coroa portuguesa passou a defender o princípio do *uti possidetis*. Ou em bom português: seria dono das terras quem as colonizasse.

Domingos de Brito Peixoto, patriarca de uma rica família de São Vicente, litoral de São Paulo, armou uma bandeira e, em 1676, junto com seus dois filhos, instalou a vila de Santo Antônio dos Anjos da Laguna. Povoava assim o terceiro porto no litoral catarinense, ao sul de São Francisco e de Nossa Senhora do Desterro, hoje Florianópolis, fundadas anteriormente por outros bandeirantes.

No primeiro momento, os Brito Peixoto nem esquentaram o chão de Santa Catarina: fundaram a vila e voltaram pouco depois a São Vicente. Só retornariam doze anos mais tarde. Em 1715, encarregado pela coroa portuguesa, Francisco Brito Peixoto, o filho do fundador de Laguna, organizou duas expedições para "examinar e abrir caminho para o Rio Grande de São Pedro* e dali para as campanhas de Buenos Aires".

---

* Rio Grande do Sul (PM).

Para açular o ânimo dos exploradores, havia o sonho da riqueza fácil, que a lenda das minas de prata do Botucaruí embalava. Iludidos pela fantasia, os homens de Brito Peixoto abriram o caminho para o sul, até alcançarem as coxilhas gaúchas. Ali, outra fonte de renda, mais real e menos lucrativa, estava à disposição: legiões de cavalos chucros e bois praticamente selvagens, descendentes dos animais trazidos pelos jesuítas, criados nas missões e dispersados pelo território quando os bandeirantes destruíram as missões para capturar os índios como escravos. Eram rebanhos imensos, que haviam se multiplicado muito em um século, graças ao pasto generoso e às aguadas abundantes.

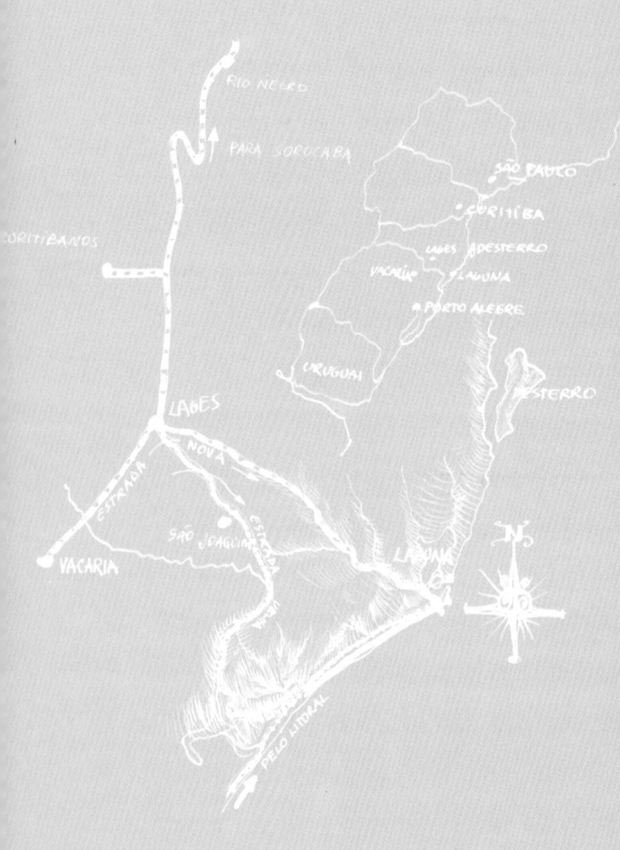

Os caminhos das tropas.

Não era fácil transportar o gado das vacarias gaúchas até Laguna e por isso, em 1720, quando o ouvidor Rafael Pires Pardinho chegou à vila, encontrou apenas "42 casas de pau-a-pique, cobertas de palha e sem arruamento regular, contendo trezentas pessoas de confissão que comerciavam em farinha, peixe seco, carnes salgadas e cordoaria de cipó imbé". Um povoado acanhado, mas ainda assim maior do que a vila de Nossa Senhora do Desterro, com suas 27 casas e 130 habitantes, que continuaria subordinada a Laguna por mais seis anos.

Em 1721, Brito Peixoto, agora capitão-mor, recebeu a incumbência de "facilitar os caminhos daqueles sertões para o Rio Grande de São Pedro, mandando à sua custa explorar a campanha". A intenção tornou-se realidade com a ajuda de alguns castelhanos, interessados em trazer gado para Laguna. Esboçava-se uma nova fase para a vila. A mineração tinha aumentado muito a demanda de carne salgada, couros e cavalos, produtos que havia em abundância nas vacarias do Rio Grande. Levados por terra até Laguna, os bois poderiam ser retalhados e a carne salgada seguiria por mar até São Vicente. A conquista do Sul passou a ser prioridade número um para os homens de Brito Peixoto.

Mas o sonho durou pouco. O governo concluiu que era caro e penoso transportar o gado pela orla da praia, vadeando os rios junto a seus desaguadouros. E, em 1727, incumbiu o sargento-mor da cavalaria Francisco de Sousa Faria de abrir uma estrada ligando o Rio Grande a Curitiba, permitindo assim o acesso do gado em pé a São Paulo e Minas Gerais.

O sargento desembarcou em Laguna com 96 homens, mas não foi recebido de braços abertos: Brito Peixoto logo percebeu que aquilo seria o ponto final em seu sonho de desenvolvimento e lucros. O impasse durou dois meses, até que um tropeiro chegou à cidade.

Sabe-se lá com quais argumentos Cristóvão Pereira de Abreu aparou as arestas entre o chefão de Laguna e o forasteiro empreendedor. E assim, no dia 11 de fevereiro de 1728, foi aberto "o primeiro rasgão na mata, próximo à barra do rio Araranguá, no sítio denominado dos Conventos", ao sul de Laguna. Os homens de Sousa Faria subiram o rio Araranguá, abrindo uma picada que passou por onde hoje está São Joaquim e seguiu até Curitiba. Dali em diante, já havia uma estrada até São Paulo e Minas Gerais.

Em um ano, a picada cortou a chamada Serra Geral e chegou a Curitiba, permitindo ao tropeiro bom de lábia inaugurar o Caminho dos Conventos levando oitocentas cabeças de gado e 3 mil cavalgaduras até São Paulo, em 1731, numa odisséia que durou treze meses e concluiu as obras.

Os tropeiros

Durante mais de dois séculos, tropear o gado foi, ao mesmo tempo, um grande negócio para o financiador e um trabalho duro e mal pago para os tropeiros; só a

Tropeiros – Debret.

camaradagem compensava o longo tempo fora de casa, os pousos ao relento, o risco do ataque de animais ou de índios.

Para levar as tropas, que podiam ter entre quatrocentas e mil cabeças, eram precisos sete a quinze cavaleiros, cada um com pelo menos quatro mulas à sua disposição e devidamente apoiados por bestas de carga. A aparência deles foi registrada em muitos desenhos. Os mais conhecidos, feitos justamente nessa época, são do francês Jean-Baptiste Debret.

Os ginetes da Comarca de Curitiba eram considerados os melhores do Brasil. Nessa Comarca, no começo do século XIX, havia um tropeiro conhecido como Chico Bentão. Bento Ribeiro da Silva passou a ser chamado assim em Lages, por seus colegas tropeiros, pela razão mais óbvia: era forte e corpulento.

Paranaense de São José dos Pinhais, a 15 quilômetros de Curitiba, só se sabe que era filho de Manuel Colaço com Ângela Maria. Bentão passou a maior parte da vida em cima de um cavalo, entre Laguna e Lages, morando ora na vila serrana e de cultura gaúcha, ora no povoado litorâneo, marcado pela colonização açoriana. Entre essas duas cidades diferentes, os tropeiros, como Bentão, é que estabeleciam um traço de união.

Sobre o corpo ele usava um poncho grande que o defendia do frio e da chuva e que à noite lhe permitia improvisar uma tenda. As armas ficavam escondidas debaixo: eram a clavina, a garrucha e a lapeana, a faca predileta da turma. Nos dias mais quentes, usavam uma espécie de poncho mais curto e mais leve, a pala. Na cabeça, um chapéu de abas largas e copa baixa, geralmente de feltro.

Bentão nunca foi rico, mas, naquela época, só a qualidade do tecido e dos acessórios distinguia ricos e pobres entre os tropeiros. Os mais abonados calçavam botas de cano longo e muitas vezes dobrado. Os outros andavam com uma espécie de sandália, cujas tiras prendiam as esporas.

As bombachas só viraram moda no fim do século XIX. No tempo de Bentão, usavam o chiripá, um pedaço de pano de lã passado entre as pernas e amarrado ao redor do corpo, com uma faixa na cintura, que formava bolsos largos onde guardavam o fumo.

No dia 13 de junho de 1815, Bentão se casou com Maria Antônia de Jesus Antunes, que já tinha 27 anos, na igreja matriz de Nossa Senhora dos Prazeres da Vila de Lages.

Ela era filha do segundo casamento de Salvador Antunes, um paulista de Sorocaba que se mudara para Laguna, casando-se ali com Quitéria Maria de Sousa.

O pai de Quitéria veio para Santa Catarina na esteira de um sonho coletivo. Antônio José de Sousa nasceu na ilha de São Miguel, a maior e mais populosa do arquipélago dos Açores – em 1750, tinha 44.415 habitantes distribuídos por 744 quilômetros quadrados. Sua transferência para o Brasil foi o resultado de uma singular conjugação de interesses entre a população local e a coroa portuguesa.

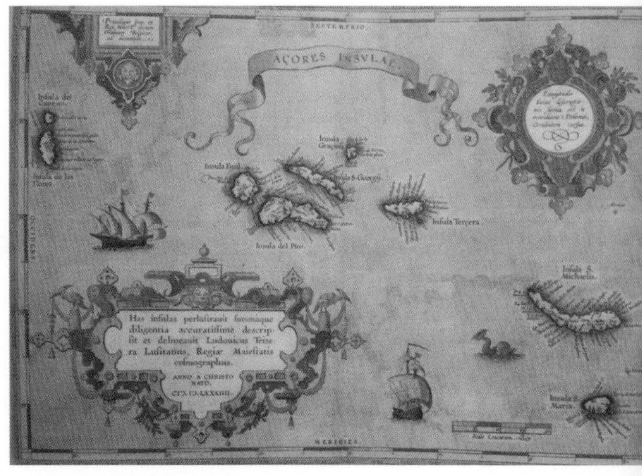

Antigo mapa dos Açores.

Um sonho açoriano

Formado por nove ilhas do Atlântico norte, o arquipélago de origem vulcânica fica a 1.500 quilômetros de Lisboa, 3.900 da América do Norte e 8.000 de Florianópolis. Descoberto em 1427 por Diogo de Silves, foi dividido em donatarias e povoado por flamengos e moradores de Portugal, que estabeleceram uma base de apoio para os navegadores portugueses. Três séculos depois, os Açores tinham gente demais, produção de menos e, ainda por cima, freqüentes tremores sísmicos terrestres e marítimos.

Tudo isso fez com que os açorianos oficiassem ao rei de Portugal, pedindo uma passagem para onde, segundo Pero Vaz de Caminha, "em se plantando tudo dá" – com a vantagem adicional de ter muita terra e nenhum terremoto.

Era tudo o que o rei queria. Assim, em agosto de 1746, o Conselho Ultramarino, oficialmente atendendo a

Fajan: área formada por rochas caídas em terremotos – Açores.

pedidos, mas pensando mesmo na política do *uti possidetis*, mandou afixar nas ilhas o edital que chamou a atenção de Antônio. Quem quisesse ir para o Brasil ganharia transporte gratuito e algum dinheiro: 2$400 réis às mulheres de mais de doze e menos de 25 anos de idade; 1$000 réis para cada filho dos casais; um quarto de légua para estabelecer seu sítio e morada. O edital relacionava outras vantagens que caberiam às famílias interessadas:

> [...] se dará a cada casal uma espingarda, duas enxadas, um machado, uma enxó, um martelo, um facão, duas facas, duas tesouras, duas verrumas, uma serra com sua lima e travadoura, dois alqueires de sementes, duas vacas e uma égua, e, no primeiro ano, se lhes dará a farinha que se entender bastar para o sustento. [...] Os homens que passarem por conta de Sua Majestade ficarão isentos de servir nas tropas pagas [...] se dará a cada casal um quarto de légua em quadra. [...][2]

Ilha de São Miguel, Açores.

Foi um sucesso. Alistaram-se imediatamente 6.939 pessoas e outras 1.030 ficaram na fila. Todos tiveram anotados, "além dos nomes, a naturalidade, a residência, a idade, a profissão, a estatura, a cor dos cabelos, a cor da pele, o formato do rosto, a cor dos olhos, a forma do nariz e da boca, a forma da barba, o estado civil e, se casado, o nome da mulher, a filiação desta, a sua naturalidade e idade, e, caso tivessem filhos, o nome e as respectivas idades".

Na ilha de São Miguel, onde vivia o avô de Anita, se inscreveram 328 pessoas, ou 0,73% da população. Na de São Jorge, 2.822 moradores, ou 24% do total. Destino dessa gente toda, entre 1748 e 1756: o litoral de Santa Catarina. Eles desembarcaram na ilha que hoje é Florianópolis.

---

[2] Paulo José Miguel de Brito, *Memória política sobre a capitania de Santa Catarina* (Florianópolis: Livraria Central, 1932), p. 23.

O governo português imaginava fazer uma ocupação racional do litoral sul, evitando a concentração excessiva em um só local para assegurar o direito à maior extensão de terra possível. Na ilha, alguns açorianos ficaram na cidade do Desterro, mas outros foram levados a fundar as freguesias de Nossa Senhora da Conceição da Lagoa e Nossa Senhora das Necessidades, ao norte, e o Distrito de Ribeirão, ao sul. Outros foram para povoados ao norte e ao sul, chegando até a lagoa dos Patos, e fundaram Porto Alegre.

As regras oficiais definiam o número de casas e seu alinhamento, reservando meia légua em quadra para os logradouros públicos, uma praça e uma igreja.

Mas o sonho colocado no papel não deu lá muito certo na vida real. Muita gente morreu durante a travessia do Atlântico e os que chegaram não encontraram a terra prometida. Faltou equipamento, não havia animais para todas as famílias. Foi assim até a hora em que o recrutamento voluntário teve de se transformar em compulsório.

Nos Açores, festa do Espírito Santo. No Brasil, festa do Divino.

Mesmo a antevisão de Caminha revelou-se otimista demais. A primeira geração comeu o pão que o diabo amassou. Muitas vezes, nem isso, já que o trigo era escasso. No Novo Mundo, as técnicas agrícolas dos açorianos não funcionaram. Eles estranharam inclusive o trato com o mar, porque só tinham prática da pesca embarcada. Mas acabaram aprendendo com os índios. Passaram a pescar a partir das praias e a produzir farinha de mandioca. Também cultivaram cana, fabricando açúcar e cachaça em alambiques rudimentares. Até 1785, quando a coroa proibiu as manufaturas no Brasil, supriam suas necessidades de vestuário com a tecelagem manual.

Deixaram suas marcas em Santa Catarina: a Festa do Divino, cantigas de saudade e de despedida, cantos de trabalho, cantos de reis, desafios, cirandas e cantos religiosos e a arquitetura de algumas localidades.

A marca açoriana não alcançou a região de Lages, onde os pais de Anita começaram a vida em comum. A área foi mencionada pela primeira vez num informe de Francisco de Sousa Faria, o responsável pela abertura da Estrada dos Conventos ao governador de São Paulo. Ele ficou impressionado com a quantidade de gado nos tais "Campos de Lagens". A vila mesma só seria fundada em 1766 pelo bandeirante português Antônio Correia Pinto de Macedo, que mexia com gado nas coxilhas gaúchas.

Na época em que os pais de Anita se casaram, Lages continuava parte da província de São Paulo – só passaria para Santa Catarina em 1820. Em 1815, não tinha mais do que quinhentos habitantes. Era apenas uma aldeia, com duas ou três ruas largas e regulares, a maioria das construções ao rés do chão e nenhuma janela envidraçada, como anotou o viajante alemão Avé Lallemant algum tempo depois. As grandes estâncias ficavam isoladas pelas matas. Seus pastos eram separados por muros de taipa de pedras amontoadas, denominados também "pedra seca", que formavam extensos corredores ao longo dos caminhos dos tropeiros.

Por volta de 1816, Bentão e sua mulher, já conhecida como Maria Bento, foram para Laguna. Era muito maior do que Lages, tinha 4.598 almas (dados de 1818), e um pouco maior do que Desterro, com suas 4.336 almas. Nos quinze anos seguintes, o casal teria dez filhos: seis mulheres e quatro homens. Pela ordem, Felicidade, Manuela, Ana Maria, Manuel, Cecília, Francisco, Bernardina, Antônia, João e Salvador. Cinco foram batizados em Laguna, dois em Lages e mais um dado como "natural de Laguna".

Viveram em várias casas, antes de se fixar no Rincão dos Morrinhos, na margem esquerda do rio Tubarão, na época vinculado a Laguna. Exatamente de Morrinhos saía um caminho de tropa que ia dar em Lages. Era a ligação mais curta entre os dois lugares e por ela iam e vinham os mantimentos, os padres e as famílias de mudança.

Na vizinhança, Ana Maria era conhecida como Aninha do Bentão. Só se tornou Anita em 1839, quando saiu da cidade com Giuseppe Garibaldi para nunca mais voltar.

No ano em que Anita provavelmente nasceu, 1821, um crime brutal movimentou Laguna. Nas vendas e nas tavernas não se falava de outra coisa e houve até motins e manifestações contra os supostos responsáveis.

O juiz ordinário Luís Martins Colaço, que estava cobrando da firma França & Irmãos algumas taxas que tinha arrecadado, simplesmente desapareceu. Cinco dias depois amanheceu boiando nas águas da lagoa, dentro de um saco. A família Tavares, rival dos França no comércio e na política, acusou os desafetos de serem os mandantes do crime, levando-os à prisão. Mas como os acusados eram oficiais da milícia, foram julgados no Rio, absolvidos por falta de provas, e, durante a revolução farroupilha, voltaram à cena, do lado dos imperiais.

Na verdade, só por exclusão é possível determinar o ano de nascimento de Anita como 1821. Dela e de Manuela, pouco mais velha, não existem informações precisas quanto à idade ou local de nascimento. Com certeza, nasceram entre 1820 e 1824, como se explica a seguir.

O pesquisador catarinense Wolfgang Ludwig Rau foi a todos os arquivos do Estado procurar os documentos da família de Anita. Localizou os registros dos outros oito irmãos, certidões de nascimento e óbito de seus antecedentes, e constatou o cuidado com que as dioceses preservavam seus documentos. Rau traçou uma árvore genealógica bastante detalhada e constatou: o "Livro de Registro Episcopal da Diocese de Laguna", que abrange o período de 1820 a 1824, simplesmente sumiu. Pela data do casamento das duas, concluiu que Manuela deve ter sido batizada em 1820. Anita, no ano seguinte, 1821. Com a vivência de maçom e o ciúme de um apaixonado por Anita, levanta a suspeita: o documento teria sido roubado justamente por conter a certidão de batismo de Ana Maria de Jesus Ribeiro.

Monumento a Anita: Tubarão diz que ela nasceu ali.

Sobre Bentão, um documento localizado recentemente e por acaso pelo pesquisador Amadio Vetoretti, de Tubarão, indica que era um homem violento: em 1826, o pai de Anita foi denunciado à Justiça por um vizinho por ter lhe dado uma facada na testa, aparentemente sem motivo. Na querela, Bentão aparece como morador de Morrinhos, hoje ligado a Tubarão e, na época, parte de Laguna.

O registro de óbito do pai dela também não foi encontrado, mas no início de 1833 ele estava vivo: seu nome consta como padrinho na certidão de batismo do seu décimo filho, Salvador, no dia 26 de março. Dois anos depois, no casamento de Anita, já era falecido. Depois da morte de Bentão, a família deslocou-se para o campo da Carniça. Desde então, o local pouco mudou: continua sendo um amontoado de pequenas casas de pau-a-pique, erguidas sobre terras devolutas à margem direita do rio Tubarão.

Na breve biografia escrita por Garibaldi, os primeiros anos da vida de Anita merecem um curto parágrafo:

> Essa incomparável mulher nasceu de família honrada em Morrinhos, um povoado na margem esquerda do rio Tubarão, no distrito de Laguna, em Santa Catarina. Nos seus primeiros anos ela levou a vida de jovem donzela dotada de uma imaginação exuberante, mas bem protegida pela tradição familiar de toda influência mundana sobre sua honrada feminilidade.[3]

Nas atas antenupciais do segundo casamento de Anita, ela é identificada como natural de Laguna. Apesar desses indícios, a polêmica sobre o local de seu nascimento continua. O jornalista e estancieiro Al Neto, de Lages, está convencido de que ela nasceu nas terras da Estância Pinheiro, pertencente à família dele, onde havia um campo conhecido como Morrinhos.

O tema é daqueles apaixonantes e basta reunir mais de um pesquisador para que o debate reacenda.

Em defesa da honra

Pelo menos uma vez Anita realmente teve de defender, por sua própria conta, a "honrada feminilidade" da tal "influência mundana". Um episódio registrado desse modo por Lindolfo Collor em seu *Garibaldi e a Guerra dos Farrapos*:

---

[3] Elpis Melena, *Garibaldi's memoirs*, cit., p. 159.

A primeira infância de Anita decorreu, assim, num ambiente de grandes privações. Maria Bento provia, ela só, a subsistência dos seus com trabalhos domésticos que lhe proporcionavam os magros ganhos indispensáveis. As filhas cresceram viçosas, cheias de seiva. A mais velha, apenas chegada a moça, casava com um calafate da armada e com ele seguia para o Rio de Janeiro. Aninha, a menor das três, revelava desde criança um caráter independente e resoluto. Sabia-se impor pela energia. A pobreza como que lhe aguçava o amor-próprio, que herdara do pai. Muitas vezes, suas atitudes ríspidas criavam dificuldades à atribulada Maria Bento. E foi por uma rixa causada pela menina que a viúva resolveu, afinal, mudar-se de Morrinhos para a Laguna.

Aninha, na verdade, não tivera culpa nenhuma no ocorrido. Pelo contrário, a mãe e a irmã reconheciam que ela agira muito bem, castigando o audacioso que lhe faltara ao respeito. Ocorrera o caso num domingo pela manhã, quando a menina se dirigia ao povoado para assistir à missa. Ia a cavalo, como de costume. Ao atingir um trecho em que a estrada corre entre duas orlas de mato, encontrou o leito impedido por uma carreta e o pasto lateral tomado por uma junta de bois que o carreteiro trazia à soga. Era aquele rapaz um amigo de infância, que vivia a importuná-la com a impertinência de seus cortejos. Mais de uma vez já havia procurado dissuadi-lo. Mas ele insistia, despeitado pela repulsa.

Saudou-o Aninha com afabilidade e pediu que arredasse os animais para dar-lhe passagem. Não se moveu o rapagão, estirado preguiçosamente na grama. Olhou-a com desdém e disse:

– Se quer passar, tire você mesma os bois. Eu daqui não saio.

Não deixaria Aninha que o carreteiro lhe repetisse o alvitre. De rebenque em punho, atirou o cavalo sobre os bois e fê-los arredar do caminho. Não esperava por isso o cortejador infeliz. Irritado, levanta-se de um salto e agarra pela rédea o cavalo, decidido a barrar a passagem à moça. Esta, com a mesma decisão com que vergastara os animais, vibra-lhe algumas chicotadas no rosto, obrigando-o a soltar a brida e a fugir de novos golpes. E sai a galope, rumo da freguesia.

O vilão castigado não encontrou solução melhor do que dar queixa ao subdelegado. Teve Maria Bento aborrecimentos com a questão. E para evitar maiores querelas resolveu mudar-se para a outra margem do Tubarão, depois para o campo da Carniça, a 2 quilômetros da Laguna.[4]

[4] Lindolfo Collor, *Garibaldi e a Guerra dos Farrapos* (Rio de Janeiro: Civilização Brasileira, 1977), p. 242.

Os detalhes da história saíram, certamente, da imaginação de Lindolfo Collor, que se engana ao classificar Aninha como a menor das três irmãs. O episódio todo chegou aos dias de hoje com base na tradição oral, exclusivamente. Apesar de deslizes como esse, o livro de Collor – avô do ex-presidente – é um dos melhores já escritos sobre a Guerra dos Farrapos. Quanto à pendenga com o rapaz, o caso é registrado, com contornos semelhantes, por vários outros autores, alguns dos quais dizem que ela escapou de uma tentativa de estupro.

Um episódio muito mais documentado – e portanto indiscutível – ficou oculto durante longo tempo e chegou mesmo a ser taxativamente negado em muitos livros. No arquivo da Cúria Diocesana de Tubarão, em Santa Catarina, um documento amarelado escrito com uma letra alongada e oblíqua não deixa dúvidas:

Certidão de casamento de Anita e Manuel.

Aos trinta de agosto de mil oitocentos e trinta e cinco, nesta matriz de Santo Antônio dos Anjos da Laguna,
pelas onze horas do dia, depois de feitas as denunciações na forma do Sagrado Concílio Tridentino e Constituição do Bispado, sem impedimento algum canônico, em presença das testemunhas abaixo assinadas João Joaquim Mendes Braga e Antônio Duarte de Aguiar, se receberam em matrimônio na fé da Igreja Manuel Duarte de Aguiar, filho legítimo de Francisco José Duarte, já falecido, e de Joaquina Rosa de Jesus, natural da cidade do Desterro, com Ana Maria de Jesus, filha legítima de Bento Ribeiro da Silva, já falecido, e de Maria Antônia de Jesus, natural da cidade de São Paulo, sendo os contratantes moradores desta Freguesia.
E logo lhes conferi as Bênçãos Nupciais na forma do Ritual Romano.
E para constar mandei fazer este assento, que assinam

Ass. Vigário Manuel Ferreira da Cruz
Ass. João Joaquim Mendes Braga
Ass. Antônio Duarte de Aguiar.

Matriz de Laguna, onde Anita e Manuel se casaram.

A igreja onde Anita se casou já não era a construção humilde dos primeiros tempos de Laguna. Em 1801, a capelinha deu lugar a uma edificação de 28,5 metros de comprimento por 9,70 de largura, com três portas na frente. As portaladas de gnaisse vieram do Rio de barco. O primeiro altar-mor ainda está na igreja, embora deslocado para uma capela lateral. Pintado a ouro, segue o estilo barroco florentino, com quatro grandes colunas de ordem coríntia. A imagem de Santo Antônio diante da qual Anita e o noivo se ajoelharam continua dominando a cena. Esculpida em madeira de Laguna, na Bahia, no século XVIII, tem o olhar alegre, está sorrindo e carrega um Menino Jesus desproporcional no braço esquerdo. Explica-se: o menino era parte da primeira imagem, que se estragou e foi enterrada junto ao altar.

As pessoas que assistiram ao casamento de Anita e Manuel tiveram de ficar o tempo todo em pé: como outras igrejas da época, a matriz de Laguna não tinha bancos, que só foram instalados em 1912. A iluminação era de velas.

Anita não tinha quinze anos quando se casou. Fora prometida pela mãe a Manuel e por isso descartou outro pretendente, o sargento de milícia João Gonçalves Padilha, que o almirante Henrique Boiteux, em seu *A República Catarinense*, descreve como bonitão e querido das moças.

Sobre o primeiro marido pouco mais se sabe. Conhecido como Manuel dos Cachorros, por gostar dos bichos, costumava sair para pescarias noturnas, era caladão e trabalhador. Quanto à profissão, há quem o identifique como marinheiro. Na verdade, teria sido sapateiro – ofício com pouco mercado na cidade, onde a maior parte das pessoas costumava andar de tamancos – antes de ser convocado pela marinha imperial, para combater os farrapos.

Depois que Anita se tornou uma celebridade, os moradores mais antigos de Laguna costumavam recordar detalhes desse primeiro casamento, repetidos com foros de verdade: o vestido da noiva foi alugado pela mãe e Anita saiu da casa de João Joaquim Mendes Braga, que ainda está em pé, caminhando até a igreja. Na escada, ao retornar, tropeçou e perdeu um pé de sapato. A festa foi numa casa muito antiga, ao lado do cemitério da irmandade de Santo Antônio.

Casa onde Anita se vestiu, ao lado da igreja.

Esse primeiro casamento de Anita não é nem ao menos mencionado nos escritos de Garibaldi. Suas referências à situação de Anita eram tão nebulosas e indiretas que, em 1884, Jessie White Mario, mulher de um companheiro de lutas do general, em seu livro *Garibaldi i suoi tempi*, reagiu indignada às insinuações de que Anita fora casada com outro homem: "Anita não foi mulher de outro homem, mas prometida a outro".

Em 1850, na primeira versão de suas memórias, publicada em inglês por Theodore Dwight, o general se recrimina por ter tirado Anita de seu lar, dizendo que lamentava tê-la "levado de sua pacífica cidade natal para cenas de perigo, fadiga e sofrimento". E adiante: "Rezei por perdão, ao refletir que cometera o pecado de tê-la tirado de seu lar". Em outra versão, lançada em 1861 pela escritora Elpis Melena, em alemão, o general é um pouco mais específico:

> Se há culpa, é exclusivamente minha e eu fui certamente culpado pelo amor que uniu nossos corações, quebrando o de uma pobre e inocente pessoa que tinha mais direitos do que eu.[5]

Depois de trabalhar nesse mesmo trecho, Alexandre Dumas o achou obscuro e pediu que Garibaldi esclarecesse a história. Resposta do italiano, com um suspiro: "É preciso que isso fique assim".

As reticências e elipses de Garibaldi não resistiram à persistência do historiador brasileiro Henrique Boiteux. Em 1907, depois de muita pesquisa, ele encontrou no livro quinto dos "Atos Matrimoniais da Diocese de Laguna", que cobre o período de 1832 a 1844, a certidão de casamento de Anita. Mas entre os Garibaldi o assunto continuou a ser um tabu: em 1970, quando esteve em Laguna, Josephina Garibaldi Ziluca, a neta de Anita (filha de Ricciotti), que vivia nos Estados Unidos, ficou espantada ao ser informada por Ludwig Rau de que a avó fora casada com um lagunense, até deixar a cidade para viver com seu avô.

---

[5] Elpis Melena, *op. cit.*, p. 34.

Um tio farroupilha

Anita se envolveu com os republicanos e suas desventuras dois anos antes de conhecer o homem que a faria enfrentar a morte por essa mesma causa. Em 1837, em Lages, Antônio Ribeiro da Silva teve a casa incendiada e precisou se refugiar com a família na mata próxima, para não ser morto. Tio de Anita por parte de pai, era simpatizante dos rebeldes e, por esse motivo, o coronel Manuel dos Santos Loureiro, comandante da tropa imperial na cidade, mandou queimar todas as suas coisas. Antônio não foi a única vítima das arbitrariedades dos soldados imperiais: outro morador foi assassinado. Diante dos abusos, a Câmara Municipal reclamou providências – o que só aumentou a repressão contra a cidade.

É certo que muitos lagianos simpatizavam com o movimento revolucionário. Eles não estavam sozinhos: em novembro de 1835, ao passar o cargo a seu sucessor, José Mariano de Albuquerque Cavalcanti, o presidente da província de Santa Catarina, Nunes Pires, recomendou que ficassem de olho em Laguna, provável alvo dos gaúchos revoltados contra o poder central.

A primeira reação do novo presidente da província foi divulgar um manifesto concitando a população a se manter fiel às instituições monárquicas e a respeitar a legalidade. Não deu em nada. Pouco depois, José Mariano foi a Laguna e constatou que muita gente ali torcia o nariz para o governo.

Famílias gaúchas que fugiam das perseguições e da luta no Rio Grande eram abrigadas por lagunenses e lagianos. A bem da verdade, estes não perguntavam as preferências políticas dos refugiados – recebiam a todos com igual cortesia –, mas a imparcialidade da acolhida não acalmou o governo.

Pouco adiantou o juiz de Laguna, João Tomás de Oliveira, comunicar ao presidente da província que pagaria a conta do próprio bolso, caso condenassem sua decisão de usar dinheiro público para atender às necessidades mais imediatas dos refugiados.

Diante desses indícios e da ineficiência do manifesto, o presidente da província resolveu agir. Mandou o 2º Corpo do Exército para Laguna e determinou que se organizasse um contingente da Guarda Nacional, deixando-o em condições de marchar rumo ao sul à primeira ordem. Outro fracasso: a população recusou-se a atender ao apelo presidencial e a tropa regular parecia pouco disposta a obedecer. Na seqüência, circularam vários boletins subversivos e um motim acabou abortado no último minuto, com a prisão de um major, dois tenentes, um sargento e seis soldados. Até o juiz de paz retirou-se para Desterro, diante da incerteza com que o coronel falava sobre a fidelidade das tropas.

Soldados do Império.

Tudo isso custou caro ao presidente da província. No dia 14 de outubro de 1837, o brigadeiro João Carlos Pardal chegou em Desterro com ordem de evitar desordens a qualquer preço, podendo armar navios, recrutar e reforçar as tropas de todos os portos da província, começando por Laguna.

Pardal era português de nascimento e havia acompanhado Dom Pedro I em sua volta à terra natal. Logo cercou-se de outros *caramurus*, como eram apelidados os partidários do imperador que havia largado o trono, enviando Manuel Loureiro a Lages, para azar do tio de Anita. Os abusos dos caramurus, também chamados de galegos, acabaram cunhando um neologismo que definia a situação política de Santa Catarina entre 1837 e 1838. Ali havia sido instaurada a "galegalidade".

No dia 1º de maio de 1838, o brigadeiro Pardal pintava, com o perdão do trocadilho, um céu de brigadeiro em Santa Catarina. Sua mensagem à Assembléia Provincial dizia o seguinte:

> É lisonjeiro, senhores, ter de informar-vos que a tranqüilidade pública não tem sido alterada nesta província, apesar das sugestões de alguns emigrados da província do Rio Grande do Sul, que, partilhando das idéias dos rebeldes da mesma província, têm vindo fixar a sua residência nesta, desde muito tempo assoalhando por toda parte, malgrado a vigilância que tem permitido às autoridades escrever, segundo a legislação vigente, doutrinas perigosas e contrárias à forma de governo que felizmente nos rege; contudo, o bem pensar dos habitantes desta província os tem conservado sobranceiros de anárquicas maquinações, e até o presente, louvores lhes sejam dados, nenhum ponto da província se acha infectado do contágio da revolução.[1]

Logo em seguida, precedida de um providencial contudo, a mensagem informava que o brigadeiro havia mandado trinta homens do 1º Corpo de Artilharia de posição para manter a ordem pública, cortar o fornecimento de recursos aos rebeldes e pacificar a vila onde Anita morava com seu Manuel dos Cachorros, entregando "ao rigor da lei aqueles que, esquecidos dos bens que esta província lhes franqueia à sombra de nossas sábias instituições, vierem concitar o povo à revolta, alimentando com suas doutrinas desorganizadoras e socorros a revolução que ainda por desgraça assola a nossa convizinha e irmã".[2]

O contudo do brigadeiro se espraiava para Lages também. Sob pretexto de impedir que a cidade fosse ocupada pelos rebeldes, ele mandara para lá 150 guardas nacionais – os mesmos que atearam fogo na casa do tio de Anita.

A insatisfação dos catarinenses era mais antiga do que a família dela na região: remontava a 1742, quando a província passou a ser diretamente controlada pelo governo central, que temia um ataque dos espanhóis.

---

1 Henrique Boiteux, *A república catarinense* (Rio de Janeiro: Xerox, 1985), p. 70.

2 *Ibidem*.

D. Pedro I.

Quando Dom Pedro I resolveu ir para a França lutar pelo trono português, abdicou do trono brasileiro. A partir do dia 7 de abril de 1831, o país passou a viver uma situação provisória, instável do ponto de vista político e que teria reflexos em Santa Catarina e em outras províncias. A Constituição de 1824 instituíra o Poder Moderador a ser exercido pela pessoa "inviolável e sagrada do Imperador". Mas Dom Pedro de Alcântara, o herdeiro do trono, ainda não era o senhor de barbas brancas que ornamentaria cédulas e acabaria sendo por muitos considerado o pai do outro Pedro, sempre jovem nas imagens: tinha apenas cinco anos e quatro meses. Até que atingisse uma precoce maioridade, o país seria governado por regentes. E o resultado dessa equação foram nove anos turbulentos. No mesmo dia da abdicação, a Câmara escolheu três regentes provisórios. A presteza não evitou que o poder passasse a ser disputado por três grupos. Os restauradores simplesmente não aceitavam a decisão do imperador e trabalhavam por seu retorno, imaginando que ele traria na bagagem uma garantia em favor de seus privilégios ameaçados. Portugueses em sua maioria, eram comerciantes, militares e membros da burocracia organizados em torno da sociedade conservadora. Logo passaram a ser chamados pelo nome aplicado pelos tupinambás ao português Diogo Álvares, que deu com os costados na Bahia, em 1510. Os apelidados assumiram o epíteto e lançaram um jornal com o título de *O Caramuru*. A ala oposta, como sempre acontece com os progressistas, estava dividida. Da elite agrária saíram os liberais moderados. Queriam reforçar seu poder político e impedir o ressurgimento do autoritarismo, que a volta de Dom Pedro significaria, mas sem mexer no plano social. Eram chamados de chimangos, uma ave de rapina comum no Sul e que vive de caçar os mais fracos. O jornal deles era o *Aurora Fluminense*. Um terceiro grupo, também formado pela elite, queria reformas políticas mais profundas, como a abolição definitiva do Poder Moderador, a extensão do direito do voto, o fim do Conselho de Estado e da vitaliciedade do Senado e um maior poder para as províncias. Por buscarem apoio entre a população mais pobre, esses liberais exaltados acabaram conhecidos como farroupilhas – maltrapilhos, segundo o dicionário. Divulgavam suas idéias pelos jornais *A República*, *A Malagueta* e *O Sentinela da Liberdade* e se reuniam na Sociedade Federalista. A Regência Trina suspendeu o Poder Moderador e em conseqüência impediu a dissolução da Câmara. A população percebeu que nada ia mudar e reagiu com comícios, muita agitação, ataques aos caramurus e depredações.

D. Pedro II.

Não era só no Brasil que a sociedade andava inquieta. Em toda a Europa, o ano de 1830 foi marcado por uma onda revolucionária liberal. Austríacos, russos, prussianos, poloneses, belgas e italianos manifestavam claras tendências liberais. O movimento começou na França, ainda durante o reinado de Luís XVIII, quando os choques entre os liberais e os ultra-realistas resultaram em massacres em Marselha, Avignon, Toulouse e outras regiões, com um saldo de centenas de mortos ou presos, sempre republicanos, que reagiam promovendo atentados aos ultraconservadores.

Ao assumir o trono, depois da morte do irmão, Carlos X indenizou os nobres expropriados em 1789 (com o dinheiro dos impostos), aumentou o controle sobre a imprensa e acabou com a Guarda Nacional, cujos oficiais eram liberais. Em 1829, quando perdeu as eleições, simplesmente dissolveu a assembléia recém-eleita e convocou um novo escrutínio, restringindo o direito de voto da burguesia.

Os liberais reagiram e, no dia 27 de julho de 1830, operários e pequenos burgueses entraram na briga. Ergueram barricadas, enfrentaram as tropas imperiais e fizeram uma verdadeira revolução que ficou conhecida como "as três Jornadas Gloriosas", ao fim das quais o rei teve de se refugiar na Inglaterra, pondo fim a uma restauração que durara quinze anos. A República chegou a ser cogitada, mas o trono acabou com Luís Filipe d'Orléans, que era nobre mas tinha a confiança da burguesia.

No Rio, São Paulo, Pernambuco e Bahia, festejou-se a derrota do absolutismo de Carlos X como se ele vivesse no Palácio de São Cristóvão e não em Versalhes. Quatro meses depois, ainda sob influência da revolução na França, o próprio Dom Pedro I, em viagem a Minas Gerais, foi recebido com vaias e o dobrar de finados nos sinos da cidade.

As revoltas

A primeira – e a mais violenta – revolta do período da Regência aconteceu onde as notícias de Paris demoravam mais a chegar. Em 1835, a Cabanagem incendiou a província do Grão-Pará, que ocupava a área hoje dividida entre Pará, Amazonas, Roraima, Rondônia e Amapá. O motor dessa grande luta camponesa no Brasil foi o sentimento de nacionalismo, a reação ao domínio dos portugueses, os verdadeiros senhores do Pará – e não apenas da mão-de-obra escrava: quem trabalhava nas roças comuns, mal tinha como comprar comida, vivia en-

Regente Feijó.

dividado nos barracões semifeudais. Esses índios ou mestiços, chamados de cabanos, por morarem nas áreas alagadas, em cabanas, engrossaram a rebelião cujo estopim foi o artigo publicado por um dublê de cônego e jornalista, sem a devida autorização. Por duas vezes Belém caiu nas mãos dos rebeldes. Na primeira delas, portugueses poderosos, entre eles o comandante das armas e o presidente da província, foram mortos. Na segunda, o jogo virou com o desembarque do general Soares Andrea, em abril de 1836. Ele chegou com ordens de reprimir a rebelião ou pacificar o Pará – os termos sempre variam conforme a visão que se tenha do jogo político. Depois de tentar um acordo, sem sucesso, os cabanos saíram da cidade, numa interminável fila de canoas. E os homens de Andrea foram atrás, implacáveis, pacificando a província. Durante três anos os rebeldes resistiram no interior, mas aos poucos foram sendo derrotados. Calcula-se que 40% de uma população de 100 mil habitantes morreram. Na Bahia, em 1837, foi a vez de a classe média ir à luta, liderada pelo médico Francisco Sabino Álvares da Rocha. Com o apoio dos militares, uma república foi proclamada; duraria até a maioridade de Dom Pedro de Alcântara. Em maio de 1838, um violento ataque à capital termina com a derrota da Sabinada e a condenação dos rebelados. No Maranhão, em 1838, 3 mil escravos tiveram importante participação na Balaiada. O irmão do vaqueiro Raimundo Gomes, ligado aos bem-te-vis – liberais –, foi preso por um subprefeito conservador. O vaqueiro não aceitou a prisão e invadiu a cadeia. A revolta dos companheiros de Raimundo Gomes ampliou-se, envolvendo os escravos e adotando o apelido do fabricador e vendedor de balaios Francisco Manuel dos Anjos Ferreira, o Balaio. Os revoltosos só foram derrotados, em 1841, pelo coronel Luís Alves de Lima e Silva, futuro Duque de Caxias.

O mesmo Caxias seria responsável, quatro anos depois, pela vitória final sobre os rebeldes que sensibilizaram o tio de Anita e foram responsáveis pela mais longa e mais bem-sucedida de todas as insurreições do período. Um movimento desse tipo só poderia ter surgido entre os 150 mil habitantes do Rio Grande do Sul (população considerável para a época), com menos escravos e uma elite mais homogênea, de interesses bem-definidos.

O progresso do Rio Grande do Sul foi o resultado da expansão da pecuária e da implantação das charqueadas, a partir de 1780, na região de Pelotas, para atender à demanda crescente de alimento para os escravos dos centros exportadores.

Estancieiros, comerciantes e agricultores enriqueceram e se constituíram em uma nova elite. Seus interesses não combinavam com os dos portugueses, que tinham se tornado latifundiários graças ao apadrinhamento ou à participação nas lutas contra os espanhóis e continuavam nos cargos-chave da administração pública na província. A vinda da corte para o Rio de Janeiro, em 1808, só agravou esse processo. Com o centro de poder mais próximo da região, os portugueses e seus partidários ganharam mais força no Rio Grande. Além disso, para manter sob controle o preço do charque, o governo taxou o produto nacional e reduziu a tarifa de importação. Em condições normais, as charqueadas gaúchas, apoiadas em trabalho escravo, não poderiam competir com a eficiência capitalista de suas similares instaladas no Rio da Prata. E no momento em que a situação se normalizou em Montevidéu e nas províncias argentinas, seus proprietários encontraram uma explicação para os prejuízos: o alto preço do sal e a falta de taxas maiores sobre o charque estrangeiro. Na visão deles, tudo se resumia à insensibilidade das províncias do Norte, mais interessadas em comprar charque barato do que em salvar os produtores nacionais.

Abate de gado – Debret.

O fato de a economia rio-grandense depender do mercado representado pelas outras províncias explica, em parte, a ênfase inicial do movimento, que nasceu bem mais federalista do que republicano. As companhias de guerrilha que iriam manter a luta por dez longos anos eram formadas pelos grandes estancieiros e seus peões. Do outro lado, junto com o exército, ficaram comerciantes e burocratas diretamente vinculados ao Estado. Quando começaram a luta, os rebeldes não podiam prever que,

Charqueada gaúcha – Debret.

para o Rio Grande, a guerra teria um preço salgado como o charque: dez anos depois, eles assinariam uma paz honrosa com os imperiais, mas seus campos estavam devastados, parte do rebanho abatida para alimentar os soldados e a economia reduzida a frangalhos. No comando dos rebeldes estava um homem que completaria 47 anos três dias depois do primeiro combate.

Casa de Bento Gonçalves.

Bento Gonçalves

Se tivesse seguido o conselho dos pais, que viviam em Bom Jesus do Triunfo, uma povoação fundada pelos açorianos, na confluência dos rios Jacuí e Taquari, usaria não uma farda, porém uma batina, como aconteceu com outro de seus nove irmãos. Mas, ainda garoto, Bento Gonçalves foi servir no Uruguai e acabou se apaixonando pelo exército, pelo país vizinho e depois por uma uruguaia. Desligou-se do exército, comprou uma fazenda do lado de lá da fronteira, ganhou dinheiro e casou-se com Caetana Garcia, com quem teve oito filhos. Em 1816 voltou a lutar como capitão de guerrilhas nas tropas enviadas por Dom João VI ao Uruguai para enfrentar os homens de Artigas. Nessa campanha conheceu outros soldados que viriam a ser seus companheiros na Revolução Farroupilha. Depois de três anos de luta, a Banda Oriental foi anexada ao Brasil sob o nome de Província Cisplatina. Artigas, derrotado, exilou-se no Paraguai. A Bento Gonçalves coube governar a vila de Mello.

O coronel Gonçalves.

Como chefe das tropas da fronteira em Jaguarão, comandante da Guarda Nacional da província e líder liberal, tornou-se uma figura popular e uma ameaça para o conservador Sebastião Barreto Pereira Pinto, o marechal comandante das armas, que o acusou de tramar um golpe separatista, em conluio com o uruguaio Lavalleja.

O militar liberal foi ao Rio, defendeu-se e convenceu a regência. Voltou com o nome do novo regente, que deveria servir como mediador entre liberais e conservado-

Porto Alegre – meados do século XIX.

res. Era Antônio Rodrigues Fernandes Braga, que, envolvido pelos conservadores, ressuscitou a tal conspiração separatista e deu o empurrão final para o movimento rebelde.

O francês Arsène Isabelle, que esteve no Rio Grande do Sul nessa época, teve a seguinte impressão:

> Os habitantes de Porto Alegre estão divididos em duas facções: a dos caramurus, compreendendo todos os adeptos do governo monárquico, e a dos farroupilhas ou *sans-cullottes*, partidários do governo republicano. Os últimos dispõem de mais força aqui do que além, mas tal força não a conhecem eles. [...] A província do Rio Grande, podendo dispensar o concurso das outras e lhes sendo muito ao contrário, quer a federação. E daí o protesto das outras, o que faz com que não se possam entender.[3]

Na primeira quinzena de setembro de 1835, Bento Gonçalves deixou sua fazenda e se escondeu numa olaria perto de Porto Alegre. No dia 20, depois que seus homens puseram os legalistas para correr, entrou na capital, sem dar um tiro, sob os aplausos do povo. Sua preocupação inicial era provar aos gaúchos que eles não eram anarquistas e ao governo central que ainda havia espaço para um acordo. Mas a carta que mandou ao regente Feijó já indicava que os rebeldes poderiam ir muito além:

> Exigimos que o governo imperial nos dê um governador de nossa inteira confiança, que olhe pelos nossos interesses, pela nossa dignidade, ou nos separaremos do centro e com a espada na mão saberemos morrer com honra ou viver com liberdade.[4]

A Regência mandou realmente um novo presidente, o gaúcho José de Araújo Ribeiro, mas ele acabou tomando posse fora da capital, diante da Câmara Municipal de Rio Grande e apenas graças ao apoio de Bento Manuel Ribeiro, que largou os rebeldes e formou ao lado do novo presidente, seu amigo.

---

3 *Apud* Lindolfo Collor, *Garibaldi e a Guerra dos Farrapos*, cit., p. 75.

4 Brasil Gerson, *Garibaldi e Anita*, cit., pp. 19-20.

O Rio Grande passava a ser dividido em dois, com um Bento para cada lado. O primeiro combate aconteceu em fevereiro de 1836, em Canapé, vencido pelos homens do Gonçalves. No segundo, as tropas do Ribeiro levaram a melhor.

Gonçalves passou a perseguir Ribeiro pelo pampa afora, sem sucesso. Até que, no dia 15 de junho, o major legalista Marques de Sousa fugiu da prisão onde fora colocado pelos rebeldes e, com a ajuda dos conservadores, reassumiu o controle de Porto Alegre.

Em 11 de setembro, às margens do rio Jaguarão, o coronel Antônio de Sousa Neto, apoiado pelas câmaras de Jaguarão e Piratini, proclamou a República Rio-grandense, que deveria funcionar separada do Brasil, até que outras províncias lhe seguissem o exemplo e se dispusessem a formar com ela uma república federativa. Ao receber a notícia, Bento Gonçalves levantou o cerco de Porto Alegre e se dirigiu para o sul, mas, no dia 4 de outubro de 1836, ao tentar atravessar o rio Jacuí, teve uma surpresa: as tropas de Bento Manuel Ribeiro, com o auxílio da esquadrilha imperial, sob as ordens de John Grenfell, atacaram firme e depois de três dias de luta derrotaram os farrapos no combate de Fanfa.

Coronel Sousa Neto.

Na prisão, saíram os legalistas e entraram os farroupilhas: Bento Gonçalves e outros líderes, como Onofre Pires, o conde italiano Tito Livio Zambeccari, Afonso Corte Real e o jornalista Pedro Boticário, foram levados para o Rio de Janeiro. Na cadeia, Bento lê obras sobre a Federação e a República, pede a ajuda da maçonaria, escreve a Irineu Evangelista de Sousa, o futuro Barão de Mauá, corresponde-se com outros presos e por um dos escravos encarregados da limpeza fica sabendo que é o presidente da nova República. Já planejando a fuga, recebe a visita de dois italianos que, com o aval de Zambeccari, lhe oferecem ajuda: Giuseppe Garibaldi e Luigi Rosseti.

O verdadeiro papel de Garibaldi no plano de fuga de Bento Gonçalves jamais foi totalmente esclarecido. Mas o historiador Romano Ugolini, em *Garibaldi, genesi di un mito,* desenvolve um raciocínio convincente, segundo o qual o plano dos farroupilhas era de libertar todos os detidos e transportá-los no barco comandado por Garibaldi.

No dia 11 de março de 1837, o general limou as grades de sua cela, passou pela seteira e alcançou o lado de fora da Fortaleza da Laje, na entrada da baía de Guanabara. Mas seu companheiro, Pedro Boticário, muito gordo, não conseguiu passar pelo bura-

onde Zambeccari.

co. Boticário ainda insistiu para que ele tomasse o barco que esperava os dois junto às rochas, mas o general voltou para a cela. Do outro lado da baía, na Fortaleza de Santa Cruz, Onofre Pires e Corte Real conseguiram fugir nadando até o barco. Já o conde Zambeccari ficou, porque não sabia nadar.

Boticário foi mandado para Recife e Bento Gonçalves para o Forte do Mar, na baía de Todos os Santos, em frente a Salvador. Quando faltava um dia para completar seis meses da fuga frustrada, o general rebelde fez a segunda tentativa – dessa vez bem-sucedida. Foi uma fuga cinematográfica, mas de filme cômico. Autorizado pelo comandante do forte, o general tomava um banho de mar, diante dos soldados. Lá longe, pescadores jogavam a rede numa canoa. Bento Gonçalves, que tinha 49 anos, foi nadando, nadando e, quando os soldados deram por si, já era tarde. Ainda atiraram na direção do prisioneiro, que acelerou as braçadas até chegar à canoa. A fuga tinha sido armada com a ajuda da maçonaria – o comandante do forte era filiado – e do Dr. Francisco Sabino Vieira da Rocha, um liberal, que meses depois estaria no comando da Sabinada.

Rebeldes e repressores

A ligação entre o Dr. Sabino e Bento Gonçalves não é a única que se estabeleceu entre rebeldes de diversas províncias. Havia uma intensa troca de informações e até mesmo de auxílio – e não apenas entre os revoltosos. O almirante inglês Grenfell, o primeiro imperial encarregado de enfrentar os cabanos, mais tarde atacou Garibaldi no Rio Grande do Sul. Ele não brincava em serviço. Quando viu os paraenses confraternizando com os soldados na rua e exigindo o expurgo total dos galegos, deixou de lado a sutileza: prendeu centenas de pessoas – 250 morreram asfixiadas nos porões do navio *Palhaço* –, mandou fuzilar dois soldados, dois sargentos e um popular e amarrou o padre Campos na boca do canhão, suspendendo a ordem de fogo no último minuto. Seu colega Frederic Mariath, que também lutou no Pará, seria igualmente mandado para o sul, e enfrentou Garibaldi e Anita. Ele viajou ao lado do general Soares Andrea, que assumiria a presidência da província de Santa Catarina com a missão de esmagar a recém-fundada

República Juliana. Caxias liquidou com a Balaiada maranhense antes de pegar os farrapos nos pampas. Em setembro de 1838, alguns soldados que tinham participado da Sabinada no Rio Grande do Norte (que fora derrotada em março) viajavam no **patacho** *Patagônia* para ir servir no Pará quando se rebelaram e mudaram o rumo. Foram para o extremo sul do país, lutar ao lado dos farrapos. Conseguiram desembarcar, mas apenas dez deles encontraram os republicanos. Denunciados pelos oficiais que tinham ficado a bordo, todos os outros acabaram presos. Na Fortaleza de Araçatuba, no sul da ilha de Santa Catarina, uma rebelião rendeu mais alguns reforços para os farrapos. Os presos mataram o comandante, destruíram tudo o que puderam e fugiram em pequenas **baleeiras**, alcançando Laguna.

No finalzinho de 1837, o general Bento Gonçalves chegou ao Rio Grande, tomou posse na cidade de Piratini e divulgou um manifesto.

O Manifesto Farroupilha

O Governo de Sua Majestade Imperial, o Imperador do Brasil, tem consentido que se avilte o Pavilhão Brasileiro, por uma covardia repreensível, pela má escolha dos seus diplomatas, e pela política falsária e indecorosa de que usa para com as nações estrangeiras. Tem feito tratados com potências estrangeiras, contrários aos interesses e dignidade da Nação. Faz pesar sobre o povo gravosos impostos e não zela os dinheiros públicos. Tem contraído dívidas tais e por tal maneira que ameaçam a ruína da Nação. Tem permitido contrabandos vergonhosos e extremamente prejudiciais. Faz leis sem utilidade pública e deixa de fazer outras de vital interesse para o povo. Esgota os cofres nacionais com despesas supérfluas e não cura do melhoramento material do País. Não aproveita nem ao menos sabe conservar as riquezas naturais do subsolo brasileiro. Não administra as províncias imparcialmente. Permite a mais escandalosa impunidade em seus agentes, desprezando as queixas que contra eles se dirigem. Permite um tráfego vergonhoso no pagamento da dívida pública, na distribuição dos cargos públicos, na administração da justiça, e finalmente em todos os atos da pública administração. Tem posto em prática uma política feroz e

> covarde com respeito a estrangeiros e nacionais, que chama rebeldes. Tem desprezado e mesmo punido como a crimes as mais justas e atendíveis representações do povo. Tem invalidado mandados de *habeas corpus* legais. Tem conservado cidadãos longo tempo presos, sem processo de que constem seus crimes. Vilipendiou o espírito nacional, ligando-se a uma facção estrangeira e adversa ao Brasil. Sem o indispensável consentimento legislativo, tem armado estrangeiros para escorar suas arbitrariedades. Estes males, além de outros muitos, nós os temos suportado em comum com as outras províncias da União brasileira; amargamente os deplorávamos em silêncio, sem contudo sentirmos abalada a nossa constância, o nosso espírito de moderação e de ordem. Para que lançássemos mão das armas foi preciso a concorrência de outras causas, outros males que nos dizem respeito particularmente a nós e que nos trouxeram a íntima convicção da impossibilidade de avançarmos na carreira da civilização e prosperidade, sujeitos a um governo que há formado o projeto iníquo de nos submeter à mais abjeta escravidão, ao despotismo mais abominável.

Expulsos de São José do Norte e da cidade de Rio Grande, na entrada da lagoa dos Patos, os farrapos ficaram sem saída para o mar. Só havia uma alternativa: conquistar Laguna, a cidade onde vivia Anita.

Garibaldi no Rio

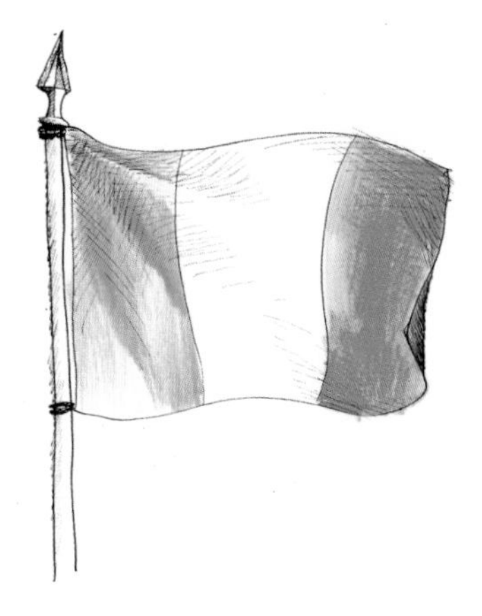

A bandeira tricolor.

Rei Carlos Alberto.

Toda vez que cruzavam com a fragata ancorada na baía de Guanabara, os tripulantes daquelas duas pequenas lanchas erguiam uma bandeira tricolor, faziam gestos obscenos e xingavam o rei Carlos Alberto. No cais, abordavam os homens da marinha real oferecendo-lhes cópias de uma carta malcriada endereçada ao rei – e conseguiram a proeza de vender cinco delas! As bravatas se deram no começo de 1836, quando Anita ainda vivia os primeiros seis meses de seu casamento, quase 1.000 quilômetros ao sul. O comandante do navio *Comte des Geneys*, Giorgio Mameli, ficou tão irritado que pediu autorização ao representante do governo sardo no Brasil para pôr a pique as lanchas dos insolentes.

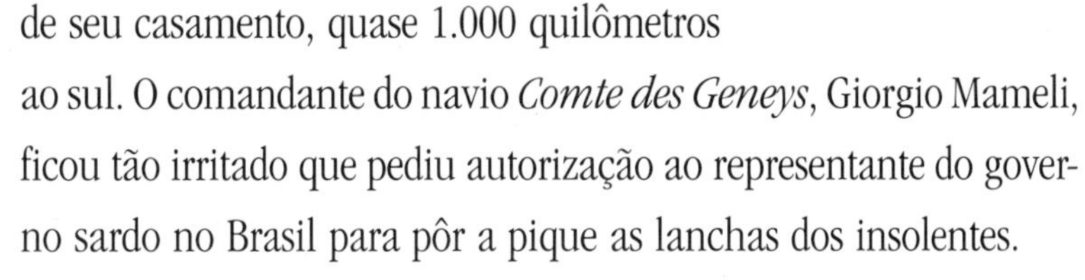

No dia 26 de março, ao informar o que estava acontecendo ao rei, o conde Palma di Borgofranco, representante da Sardenha no Rio, apresentou o plano como uma possibilidade:

Um novo motivo de temor se junta às inquietudes que o comércio sardo experimenta neste país [...]. Dois novos barcos surgiram sobre a superfície deste golfo. Um se chama

Giovine Europa e o outro, *Mazzini*. Não existe ainda nenhuma expedição, mas há muitos dias esses barcos sulcam imponentes as águas deste porto, fazendo exibir à popa a bandeira tricolor da Jovem Itália, navegando ao longo de nossas embarcações, provocando-as e nos insultando. [...] Se a *Giovine Europa* e a *Mazzini* ousarem tomar posição ao largo, com a bandeira que têm hasteada sobre suas embarcações, aproveitarei da boa disposição de dois capitães da nossa marinha mercante, discretamente armada, que se ofereceram para segui-los e lhes dar cabo. É uma pequena liberdade que se pode ter na América, para liberar a nossa navegação dos temores que incute essa nova espécie de piratas.[1]

Algumas semanas antes, o rei Carlos Alberto já havia sido informado, pelo mesmo Borgofranco, que um condenado à morte andava falando mal dele no Rio de Janeiro:

Um certo Garibaldi, súdito de Sua Majestade, tem comemorado sua chegada nesta capital com um artigo contra S.M., publicado no jornal *Paquete do Rio*. [...] A sociedade dos liberais italianos nesta capital tem algumas novas publicações: a primeira, intitulada "Guerra Civil na Itália", vislumbra um plano geral de insurreição nesse país; a segunda é um opúsculo endereçado aos sacerdotes italianos.[2]

Nada disso levou o rei a ordenar um ataque aos impertinentes refugiados. Primeiro, porque os exilados italianos estavam sob a proteção de um governo constitucional e amigo. Segundo, porque, quando não atazanavam a vida do comandante da *Comte des Geneys*, os barcos só eram utilizados para o transporte de carga e passageiros. Um ano depois, a fragata sarda foi simplesmente transferida para Montevidéu.

Desde o final da era napoleônica, muitos italianos buscaram o exílio na América do Sul, espalhando-se entre Buenos Aires, Montevidéu e Rio de Janeiro. Eram todos carbonários.

---

[1] Mino Milani, *Giuseppe Garibaldi, biografia crítica*, cit., p. 27.

[2] *Ibid.*, p. 26.

A partir de 1808, na Itália, os carbonários assumiram o lugar dos maçons, cuja organização havia sido proibida. Conquistaram adeptos entre nobres, estudantes, soldados, burgueses e padres e estenderam suas ramificações por toda a península.

A origem do nome é controvertida. Para não serem descobertos, reuniam-se em carvoarias – seria essa a razão do apelido. Mas há quem atribua a denominação a uma receita hoje encontrada nos quatro cantos do mundo: o macarrão à *carbonara*. Originalmente, informa o especialista Sílvio Lancellotti, usavam o *bucatini*, um espaguete furado:

> Esses revolucionários eram, basicamente, sicilianos e calabreses, que tinham uma história de resistência às invasões estrangeiras e dos aristocratas do Norte. Reuniam-se em lugares protegidos, camufladíssimos, mas, como todos os bons italianos, gostavam muito de comer. Na pressa e para não correr riscos desnecessários, desenvolveram uma receita em que o molho podia ser feito nos poucos minutos em que o macarrão cozinhava. Sobre ele, espargiam pimenta-do-reino generosamente, o que dava ao prato a aparência de algo polvilhado por carvão em pó; daí viria o *carbonara* da história.
>
> A receita
>
> (Para uma porção)
>
> 1 colher de sopa de azeite de oliva; 1 colher de sobremesa de manteiga; ½ xícara de chá de *pancetta,* a barriguinha do porco, cortada em tirinhas bem delgadas; 1 colher de mesa de queijo do tipo *pecorino*, de leite de ovelhas, finamente ralado; 1 gema de ovo, dissolvida numa colher de mesa de creme de leite. Sal. Pimenta-do-reino, preferivelmente aquela moidinha no momento.
>
> Modo de fazer: aqueço o azeite e, nele, bronzeio as tiras de *pancetta.* Agrego a manteiga. Espero que comece a escurecer. Retiro do calor. Fora do fogo, salteio a massa, pré-cozida *al dente*, nas gorduras da panela. Incorporo o queijo. Misturo e remisturo. Enfim, agrego a gema e o creme, já temperados com o sal. Por cima, pulverizo a pimenta-do-reino. Como no caso do prato *all'amatriciana*, em hipótese nenhuma se deve utilizar, no posto da *pancetta,* o bacon defumado. Tal intrusão imporá um paladar desnecessariamente forte a uma iguaria de intenções suaves. No máximo se admite a inserção de toucinho fresco.[3]

---

[3] Sílvio Lancellotti, *Cozinha clássica* (Porto Alegre: LP&M Editores), p. 81.

Há ainda os que encontram uma explicação mais poética para a designação – o carvão em brasa, quando assoprado, pode provocar um grande incêndio. Mas o primeiro sopro, dado em Maserata, um dos estados sob controle do papa, em 1817, não causou fogo algum – só queimou seus líderes. Vários foram condenados à prisão perpétua. Quem não foi preso, partiu para o exílio.

Mas nem só exilados políticos vieram para a América do Sul naquela época. A emigração italiana para a região chegou a 1 milhão de pessoas por ano. Aldeias inteiras da costa genovesa se despovoaram com a saída em massa dos que fugiam do desemprego e iam em busca de trabalho no Novo Mundo.

Garibaldi saiu de Marselha no dia 1º de setembro de 1835, no barco francês *Nautonnier*. Não era um desempregado, nem seguia para o desconhecido: antes de embarcar, Luigi Canessa, o responsável pela Jovem Itália na cidade, lhe garantiu que a revolução italiana deveria começar no final de 1836, ou, na pior das hipóteses, no início do ano seguinte. E entregou-lhe uma carta onde era identificado como Giuseppe Borel, encarregado de comandar a organização da Jovem Itália em toda a América do Sul.

Canessa foi classificado por seus contemporâneos como arrogante e falastrão, o que levanta a suspeita de que a missão atribuída a Garibaldi fosse tão fantasiosa quanto a data por ele estabelecida para o início da revolução. De qualquer modo, com a carta e algumas cópias da "Instrução Geral da Jovem Europa" na bagagem, Garibaldi desembarcou, pronto para a luta, entre novembro e dezembro de 1835, no porto do Rio de Janeiro.

A cidade era quase africana: mais de um terço de seus quase 200 mil habitantes era de escravos – a maior concentração urbana de cativos do mundo desde o final do Império Romano.

A partir da vinda da corte, em 1808, o Rio vinha adquirindo hábitos de consumo europeizados, mas eles coexistiam com córregos contaminados, nuvens de mosquito, mofo e cupins. Pelas ruas, havia um vaivém de escravos levando dejetos domésticos para jogá-los na praia, já que não existia nenhuma rede de esgotos – a primeira começou a ser construída em 1860.

Figuras da corte – Debret.

Escravos no Rio de Janeiro – Debret.

O centro da cidade não tinha mais sinais do comércio de escravos, embora entre 1825 e 1850 tenha desembarcado em terra fluminense a maior parte dos 250 mil moçambicanos vendidos para o Brasil. Mas quem, como Garibaldi, caminhava pelas principais ruas, tinha que desviar da sujeira espalhada por todo canto, dos fardos e barris amontoados diante das lojas, prestando atenção no ir-e-vir de carregadores.

Duas décadas antes de Garibaldi, integrando a Missão Francesa, o famoso pintor parisiense Jean-Baptiste Debret tinha vindo ao Brasil curar a depressão provocada

Ateliê – Debret.

pela morte de seu filho único. Como um meticuloso repórter, retratou o cotidiano dos portugueses ricos e dos escravos, trabalhadores, marinheiros, em pequenas aquarelas e textos sucintos, posteriormente reunidos no livro *Voyage pittoresque et historique au Brésil*. Um deles descreve o cenário exato onde o proscrito italiano encontraria seu primeiro amigo no país:

> Percorrendo as ruas do Rio de Janeiro obstruídas por uma turba de negros carregados e de negras vendedoras de frutas, sentimo-nos estranhamente impressionados pelo fato de não vermos nenhuma senhora, nem nos balcões, nem nos passeios. É somente nos dias de festa ou domingos que as encontramos nas igrejas. Aí se apresentam vestidas de maneira rebuscada, nas cores mais alegres e brilhantes, obedecendo a uma moda anglo-portuguesa importada da corte de Lisboa.
> Quanto ao homem, levanta-se antes do sol, percorre com a fresca uma parte da cidade, entra na primeira igreja aberta, reza ou ouve missa e continua o seu passeio até as seis horas da manhã. Volta então, despe-se, almoça, descansa, janta ao meio-dia, faz a sesta até duas ou três horas da tarde e torna a fazer *toilette*, e sai de novo às quatro da tarde. É a essa hora que se pode ver esses homens chegarem de todas as ruas adjacentes ao Largo do Palácio a fim de se sentarem nos parapeitos do cais onde têm por costume respirar o ar fresco; aí ficam eles conversando em grupos ou passeando aos pares, até o cair da noite.[4]

Centro do Rio de Janeiro – Debret.

Foi num desses fins de tarde, junto ao cais, que Garibaldi encontrou um parceiro para conversas, passeios – e futuras aventuras:

---

[4] Jean-Baptiste Debret, *Viagem pitoresca e histórica ao Brasil* (Belo Horizonte/São Paulo: Itatiaia/Edusp, 1989), tomo 2, p. 23.

> Sem querer, descobri um amigo. Rosseti, que eu nunca tinha visto antes, encontrou-se comigo no Largo dos Passos. Nossos olhares se cruzaram e parecia que não era pela primeira vez. Sorrimos um para o outro e nos tornamos irmãos, inseparáveis e pela vida toda![5]

Luigi Rosseti ganhava a vida como jornalista e morava num albergue no próprio Largo dos Passos, onde conseguiu uma vaga para o novo amigo. Ele estava no Rio desde 1827, quando deixou a Faculdade de Direito de Gênova, perseguido por suas atividades políticas. Foi o primeiro a aderir ao sonho de Garibaldi: armar uma frota e levar os exilados para a Itália, como soldados da Jovem Itália. E fez a ponte com outros homens que poderiam embarcar no mesmo projeto.

Até então, eles tinham como líder político Giuseppe Stefano Grondone, um maçom que já havia sido expulso do Brasil e que voltara com a anistia. Havia dois anos, Grondone criara a Società Filantropica, de inspiração maçônica.

No dia 15 de janeiro de 1836, a Società mudou de nome e de objetivo, tornando-se a União da Jovem Itália para a América Latina, com filiais em Montevidéu e Buenos Aires. Grondone ficou com a presidência, mas quem mandava era Garibaldi.

Todos os domingos eles se reuniam na casa de Luigi Dalecazi, na Rua Fresca, onde em dias de festa hasteavam uma grande bandeira da Jovem Itália, para irritação do conde Borgofranco, que correu a informar ao rei. Engenheiro formado na Suíça, onde se refugiara da repressão aos carbonários, Dalecazi foi parar na Bahia, e ali se casou, passando a trabalhar como capitão marítimo na rota para o Rio, até mudar-se para a capital. Era com as filhas dele que Garibaldi costumava brincar no meio das reuniões, chamando a atenção da mais nova, Anita, que acabou fascinada por aquele italiano capaz de se desligar do vozerio para atender aos pedidos da menina, que pulava sobre suas pernas, revistava seus bolsos e enrolava sua barba.

Para as coisas da política, Garibaldi tinha menos paciência. Duas semanas depois de criada a União, escreveu a Mazzini, dando conta da filiação de outros italianos ao movimento. Colocara Rosseti como seu lugar-tenente e, no Estado-Maior da Jovem Itália no Rio, o parceiro de Taganrog, Giovanni Battista Cuneo, Giacomo Picasso, Domenico Terrizzano e Dalecazi, que imediatamente rebatizou seu barco como *Giovine Italia*.

---

[5] Giuseppe Garibaldi, *Memorie di Garibaldi: In una delle redazioni anteriori alla definitiva del 1872* (Bolonha: Capelli Editori, 1932), p. 13.

No dia 24 de janeiro de 1836, Garibaldi escreveu a Luigi Canessa, em Marselha, informando as novidades:

> Hoje soube que a Jovem Itália comprou um barco de 20 toneladas e que colocou nele o nome de Mazzini; é o começo de empresas maiores e que ninguém impedirá que sejam em benefício da grande causa italiana.[6]

Mazzini era apenas uma garoupeira de 20 toneladas, comprada com o dinheiro de origem duvidosa de Giacomo Picasso, um cabeleireiro que cuidava de uma casa de comércio na Rua do Ouvidor. Ali havia uma pequena orquestra e moças importadas de Paris, oficialmente chamadas de vendedoras. Mas a pouca envergadura do barco não impediu que Garibaldi pintasse um quadro otimista da situação em carta a Mazzini: "Já temos uma ponte para cruzar o oceano e a aumentaremos. O cavalo-marinho está empinado."

Quem completou a frota rebelde foi Terrizzano, um capitão marítimo sem antecedentes políticos, que trocou o nome de sua embarcação para *Giovine Europa* e garantiu estar pronto a cruzar o Atlântico. O que eles não sabiam é que barcos e homens eram vigiados de perto pelos representantes diplomáticos italianos, que relatavam os seus movimentos às autoridades. Algumas cartas de Garibaldi a Mazzini sobreviveram até hoje graças ao zelo burocrático dos policiais que as interceptaram.

Para garantir que a mensagem alcançasse seu destino, ele fazia várias cópias e as entregava a marinheiros e comandantes de navios italianos. Quando não eram jogadas ao mar, elas acabavam nas mãos das autoridades. Além disso, Garibaldi não tinha aprendido muito com a fracassada conspiração de Gênova e caiu em nova armadilha.

Gennaro Merolla, cônsul do Reino das Duas Sicílias no Rio, fazia um jogo duplo. Dizendo-se simpatizante do movimento, ofereceu seu endereço para figurar como remetente nas cartas dos mazzinistas. Na verdade, era leal ao governo bourbônico e foi quem preparou a lista completa dos inscritos na Jovem Europa, com os respectivos nomes de guerra, fornecendo uma cópia a seu colega Fabbrini, representante do Estado pontifício, que a enviou a Roma. O diretor de polícia de Milão também foi informado e comunicou a seu colega em Turim – que guardou a relação, hoje conser-

[6] Salvatore Candido, *Giuseppe Garibaldi: dall'avventura marinara al comando riograndense della flota in Uruguay* (Roma: Ministerio di Defesa, 1982), pp. 176-177.

vada no Arquivo do Estado. O documento comprova que a Jovem Itália nunca teve mais do que vinte militantes no Rio, mesmo contando com recém-chegados como Eduardo Mutru, que saíra da prisão e viera atrás do companheiro de desventuras na Praça Sarzano.

Eram poucos, mas agitavam. Nos primeiros meses de 1836, Garibaldi publicou o tal artigo contra o rei Carlos Alberto, no *Paquete do Rio*, até hoje não localizado. Rosseti, Picasso e Cuneo fizeram duzentas cópias da carta a Carlos Alberto e litografias com a imagem do monumento aos mártires do mazzinismo.

Mas de que adiantava agitação e uma flotilha revolucionária sem ação revolucionária? Foi isso que Garibaldi tentou dizer a Mazzini, quando lhe pediu "uma ou mais cartas de corso ou mesmo uma autorização para atacar os barcos de bandeira inimiga, sarda e austríaca".

A diferença entre corsários e piratas sempre foi sutil. Em 1719, ancorado diante da ilha de Santa Catarina e contratado como corsário para lutar pela Inglaterra contra a Espanha nos mares do Sul, o inglês George Shelvocke recebeu uma carta de sua tripulação, que acabou reproduzindo no livro em que registrou suas peripécias. A carta dizia o seguinte:

> Honorável senhor
>
> A razão por que o incomodamos, neste momento, com as cláusulas que estão no verso desta folha, são principalmente estas: nós temos boas razões para crer que, se tivermos a sorte de angariar algum dinheiro nesta viagem, essa quantia será levada a Londres e nós lá não receberemos nem metade dela; pois é fato conhecido de nós todos o modo como foram tratados os tripulantes dos navios *Duke* e *Duchesse* e se nós levarmos nosso dinheiro a Londres não poderemos esperar melhor tratamento. Em segundo lugar, os artigos com que concordamos e assinamos em Plymouth nunca foram lidos em nossa presença, nem o Sr. Godfrey permitiu que os lêssemos. Ele nos disse que eram os mesmos que estavam afixados na porta da cabina, mas agora estamos seguros que isso não era verdade. Uma coisa que nós vimos neles era que havia três vezes mais texto do que o que nos foi dado conhecer. E também que foram escritos com diversas caligrafias diferentes, com muitas observações nas entrelinhas, o que não pudemos entender. E, finalmente, o quanto é perigoso a homens pobres confiarem suas fortunas às mãos de homens ricos?[7]

---

[7] Martim Afonso Palma de Haro (org.), *Ilha de Santa Catarina: relatos de viajantes dos séculos XVIII e XIX* (Florianópolis: UFSC/Lunardelli, 1990), p. 38.

A carta, assinada por nove oficiais, todos os suboficiais e 36 marinheiros com posições importantes, estabelecia normas precisas sobre como, quando e onde deveria ser feita a divisão do que fosse pilhado. Coisas desse gênero:

> [...] os anéis de ouro encontrados em qualquer lugar, exceto as ourivesarias, devem ser considerados objetos de pilhagem; todas as armas, livros de bordo e instrumentos, todos os artigos de vestuário e móveis, geralmente usados pelos prisioneiros (exceto brincos de mulher, de ouro ou prata, não trabalhados, diamantes soltos, pérolas e dinheiro), toda louça em uso a bordo dos navios, mas não em terra (exceto quando apresada junto com as pessoas), devem ser considerados artigos de pilhagem; todos os tipos de roupas feitas, encontrados no convés superior, ou entre conveses, pertencentes à tripulação do navio e aos passageiros, são também artigos de pilhagem.[8]

Depois de tentar ganhar tempo, o capitão terminou assinando o documento – e acabou na cadeia ao voltar para a Inglaterra, acusado de desvio de dinheiro, entre outros crimes.

Garibaldi queria ser outro tipo de corsário. Mas as coisas não iam bem: Mazzini jamais respondeu à carta, outra das que foram parar nas mãos da polícia. A *Giovine Europa* de Terrizzano parou no porto e foi desativada, por ser velha demais. A *Giovine Italia* acabou ancorada pelo mesmo motivo. Eram barcos de pequena tonelagem, comprados muito barato, em fim de carreira.

Garibaldi se torna um corsário.

Quanto à *Mazzini*, em melhores condições, passou a transportar macarrão até Cabo Frio. No início, Garibaldi imaginou que poderia ganhar dinheiro para financiar sua esquadra, mas logo percebeu que o comércio era muito complicado. No campo político, enfrentava os ciúmes de Grondone, que não se contentou com o cargo honorífico e acabou torpedeando o empreendimento comercial do líder emergente.

---

8 *Ibid.*, p. 39.

Em pouco tempo, com medo de perder o emprego, os militantes foram se dispersando e desistiram da atividade política. Além de Garibaldi e Rosseti, só Cuneo persistia. Ele emigrara para o Rio depois que seu nome foi citado em confissão durante o processo sobre a conspiração mazziniana de 1833. Ao voltar à atividade política, com a chegada de Garibaldi, arrecadou dinheiro e lançou a primeira edição do jornal *Giovine Italia*, em torno do qual esperava reunir os exilados. A publicação deveria ser quinzenal, com três páginas, e o primeiro número saiu em abril.

O jornal pregava "uma tremenda aliança dos oprimidos contra os opressores, que aspira a reunir todos os povos no mesmo alto conceito de desenvolvimento e promete outro destino à raça humana". Seu lema era o seguinte:

> Liberdade, Igualdade, Humanidade
> Um só Deus
> Um só Soberano: a sua lei.
> Um só intérprete desta lei: a Humanidade.
>
> Mazzini

Mas o segundo número do *Giovine Italia* só saiu em dezembro e Cuneo acabou desistindo: foi para Montevidéu, cuidar da filial. Quanto a Garibaldi, suas cartas indicam que o desânimo também estava ganhando a batalha. Em outubro de 1836, ao voltar de uma viagem a Cabo Frio, ele tem ainda algum otimismo: espera conseguir o dinheiro, comprar um barco maior e seguir para a Itália. Dois meses depois, escrevendo a Cuneo, seu ânimo piora:

> De mim te digo só que sou pouco feliz, que me faz bem mais falta a tempestade que a calma. Estou cansado, por Deus, de arrastar uma existência tão inútil para a nossa terra. Estamos fora do nosso elemento. Tenha a certeza de que estamos destinados a coisas maiores.[9]

Em fevereiro, nova carta, ainda mais desesperada. A União do Rio foi dissolvida, não havia nem sinal de revolução na Itália e, desde dezembro, ele e Rosseti só

---

[9] Romano Ugolini, *Garibaldi, genesi di un mito* (Roma: Edizione Dell'Ateneo, 1982), pp. 88-89.

conseguiam uns trocados transportando farinha para Macaé e Campos, a serviço de uma empresa que detinha o monopólio do produto.

Cuneo responde e propõe que Garibaldi o encontre em Montevidéu. É aí que acontece o inesperado. Dia 22 de abril, Garibaldi envia uma carta aparentemente incompreensível:

> Eu teria partido para Montevidéu, abandonando tudo; estou, porém, mais do que nunca na impossibilidade de fazê-lo. [...] O motivo principal não te posso explicar sem perigo [...] só te direi que me disponho a uma nova existência, tendente a nossos princípios. [...][10]

O mistério todo era resultado de um encontro entre Luigi Rosseti e o cérebro por trás da Revolução Farroupilha, em fevereiro de 1837, o conde Tito Livio Zambeccari, um bolonhês preso na Fortaleza Santa Cruz, subúrbio do Rio de Janeiro. Era um homem de poucas palavras e tinha vivido em Sevilha, Londres, Montevidéu e Buenos Aires, onde participou de alguns combates ao lado dos republicanos. Com a vitória de Rosas, foi para o Rio Grande, aproximando-se dos revoltosos.

Rosseti entregou-lhe a documentação sobre a União da Jovem Itália no Rio e a carta que Garibaldi tinha enviado a Mazzini. Ela fez com que Zambeccari se convencesse de que estavam ali os homens capazes de iniciar uma luta corsária da República de Piratini contra o império brasileiro. Se quisesse justificar sua atitude, bastaria a Garibaldi invocar o artigo 14 das "Instruções da Jovem Europa", que dizia: "Onde quer que o privilégio, o arbítrio, o egoísmo se introduzam na constituição social, é dever de cada homem que tem consciência de sua própria missão combatê-lo com todos os meios que estejam à mão."

A carta de corso que recebeu dias mais tarde permitia a seu barco "navegar livremente pelo mar e pelos rios onde operam os navios de guerra ou mercantis do governo brasileiro e de seus súditos para capturá-los pela força das armas, considerando-se a nave capturada como 'boa presa', sendo a patente revestida de uma autoridade legítima e competente".

---

[10] Gustavo Sacerdote, *La vita di Giuseppe Garibaldi* (Milão: Rizzoli E. C., 1933), p. 124.

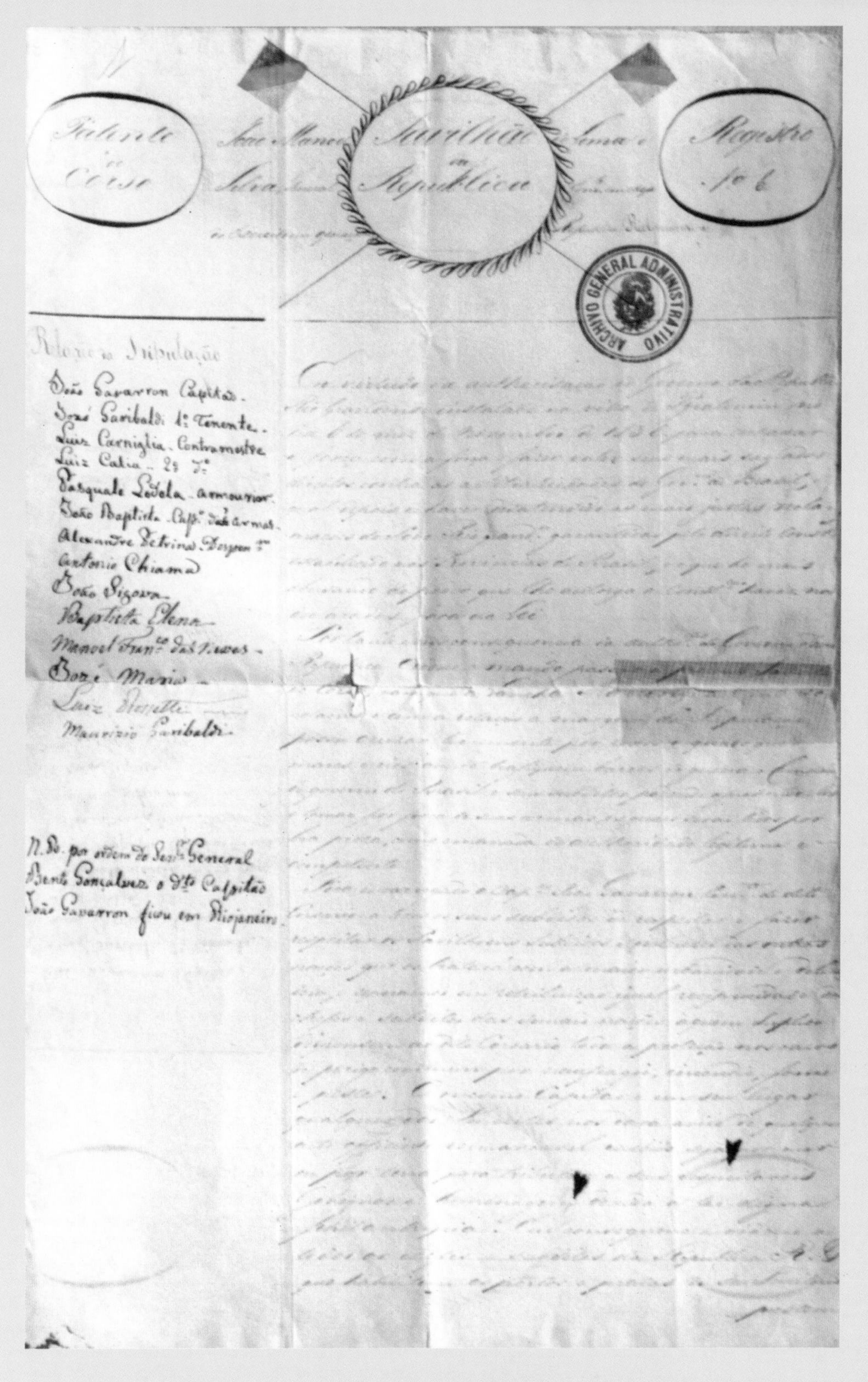

Patente de Corso

Registro Nº 6

ARCHIVO GENERAL ADMINISTRATIVO

Relação da Tripulação

João Gavarron Capitão.
José Garibaldi 1º Tenente.
Luiz Carniglia. Contramestre
Luiz Catia. 2º Dº
Pasquale Lodola. armourior.
João Baptista. Capº das armas.
Alexandre Detrino. Despen. tº
Antonio Chiama
João Sigora.
Baptista Elena
Manoel Franᶜᵒ das Neves.
José Maria.
Luiz Dorelle
Maurizio Garibaldi.

N.B. por ordem do Senr. General Bento Gonçalves o Dto Capitão João Gavarron ficou em Riojaneiro

Carta de corso de Garibaldi.

É isso que está escrito na patente número 6, com o pavilhão da República Farroupilha e a assinatura do general João Manuel de Lima e Silva, guardado hoje no Archivo General de La Nación, em Montevidéu. O capitão do barco não era Garibaldi, mas um certo João Gavaron.

Depois de um segundo encontro com Zambeccari, em maio de 1837, Garibaldi recebe 8 mil liras em dinheiro dos italianos para comprar armas e víveres, assume a identidade de Cipriano Alves e registra seu barco como saindo para Campos, com um carregamento de carne. A tripulação corsária é composta pelos doze homens: Luigi Rosseti, de Gênova (sem função a bordo); Luigi Carniglia, de Deiva, mestre; Luigi Calia, de Malta, segundo-mestre; Pasquale Lodola, de Gênova, piloto; João Batista, brasileiro, capitão de armas; Antonio Illam, de Capreia, de Gênova, marinheiro; Giovanni Fiorentino, de Madalena, timoneiro; Gianbattista Caruana, de Malta, marinheiro; Mauricio Garibaldi, de Gênova, marinheiro; José Maria, português, marinheiro; Giovanni Lamberti, marinheiro; e um marinheiro não identificado por motivos estratégicos.

Nas suas memórias, com seu estilo inconfundível, ele relembra a emoção do momento:

> Abri os braços com um sentimento de bem-estar e de orgulho e dei um grito semelhante àqueles da águia no momento em que corta o ar sobre a montanha mais alta. [...] Corsário! Lançado sobre o oceano, com doze companheiros, a bordo de uma garoupeira, eu desafiava um império! E fazia tremular, livre e pela primeira vez naquela costa, uma bandeira da emancipação! A bandeira republicana do Rio Grande!

Corsário

A última coisa que ele viu foi o marinheiro Fiorentino largar do timão para folgar a vela direita, tentando afastá-los do barco que os abordara. Quando o marinheiro caiu, mortalmente ferido, Garibaldi deixou o fuzil e foi assumir o comando. Nesse instante, uma bala atravessou seu pescoço. Ficou desmaiado por mais de uma hora, enquanto seus homens continuaram a lutar, até conseguirem se distanciar do inimigo. Ao acordar, a situação continuava difícil:

Garibaldi é ferido.

> Estava mortalmente ferido e, portanto, incapaz de me mover. Não havia a bordo ninguém que tivesse qualquer noção geográfica e, por isso, trouxeram o mapa de bordo para que eu o examinasse com meus olhos moribundos, indicando algum ponto como meta. Apontei para Santa Fé, no rio Paraná, que vi escrito com letras maiores do que o resto.[1]

---

[1] Giuseppe Garibaldi, *Memorie di Garibaldi: In una delle redazioni anteriori alla definitiva del 1872*, cit., p. 21.

Isso foi no dia 15 de junho de 1837. Garibaldi estava próximo à ponta de Jesús-María, cerca de 40 milhas a leste de Montevidéu, do outro lado do Rio da Prata, e Santa Fé, a quase 800 quilômetros de distância. Parecia o fim da louca aventura que se iniciara havia um mês e onze dias, quando a *Mazzini* deixou o porto do Rio de Janeiro.

Três dias depois de receber a carta de corso da República Farroupilha, Garibaldi e seus homens saíram da baía de Guanabara. Próximo à ilha de Maricá, abordou o primeiro alvo que apareceu, uma pequena lancha chamada *Marimbondo*. A presa tinha tão pouco valor que a dispensou, apoderando-se apenas de uma bomba-d'água e libertando um negro chamado Antônio, que seguiu com ele. Num país movido por escravos, era um gesto de grande valor simbólico. Dali em diante, Garibaldi teria sempre a seu lado negros libertos, que se mostraram guerreiros valorosíssimos em Santa Catarina, no Rio Grande, no Uruguai e na Itália.

Depois da primeira abordagem, Garibaldi ficou à capa, isto é, com as velas arriadas, durante quatro dias, aguardando um encontro que não aconteceu. Provavelmente, esperava a chegada de Bento Gonçalves e outros figurões da Farroupilha que estavam presos no Rio e pretendiam fugir. Havia outro navio corsário pelo litoral carioca na mesma época, cuja presença chegou a ser noticiada pelos jornais, mas o encontro fracassou.

No dia 11 de maio, 70 milhas a sudoeste do Rio, já perto da ilha Grande, a *Mazzini* fez seu segundo ataque. O alvo era a sumaca *Luísa*, com nove pessoas a bordo: o comandante, três marinheiros, um passageiro doente e quatro escravos. O dono, de origem austríaca, contratara o barco para levar seus pertences para a corte, depois de ter vendido sua fazenda no Sul do país. Além de mobília e louça, a *Luísa* levava quase 26 toneladas de café, para vender no Rio. Por dois dias, os barcos andaram um ao lado do outro, até Garibaldi afundar a *Mazzini* e ocupar a embarcação capturada, rebatizada *Farroupilha*. O passageiro doente ofereceu ouro e jóias em troca de sua vida, mas o novo corsário republicano recusou, garantindo que não tocariam em ninguém. Seis dias depois, chegaram a São Francisco do Sul, no litoral catarinense. Ali Garibaldi liberou os prisioneiros, mandando com eles o único tripulante brasileiro da *Mazzini*, que tinha se revelado um estorvo.

Litoral onde Garibaldi agiu como corsário.

Com um marinheiro a menos e cinco escravos libertos a mais, costearam São Paulo, Paraná, Santa Catarina e Rio Grande do Sul, chegando até o Rio da Prata, em território uruguaio. A viagem durou três semanas, bem mais do que o normal, e suspeita-se que Garibaldi continuasse esperando pelo outro barco, que não apareceu.

No dia 28 de maio entraram em triunfo no porto uruguaio de Maldonado, perto de Punta del Este, no limite setentrional extremo do Rio da Prata. Garibaldi apresentou sua carta de corso, que foi encaminhada ao Ministério das Relações Exteriores e dali acabou chegando ao arquivo onde ainda está guardada. Visitou e foi visitado pelos comandantes de um barco da marinha e de uma baleeira francesa. Teve a colaboração do comandante do porto e do prefeito da cidade, graças à influência de um imigrante italiano poderoso, Domenico Gollero.

A *Mazzini* ataca a *Luísa*.

Quem não gostou nem um pouco da farra dos italianos foi o vice-cônsul brasileiro. Ele mexeu seus pauzinhos e o governo brasileiro enviou para Maldonado o brigue *Pedro*, para apreender o corsário. A ordem não foi cumprida. Com a cooperação das autoridades locais, Garibaldi deixou o porto em surdina, de madrugada. Diante das chamadas Pedras Negras quase afundaram e só um bando de lobos marinhos foi testemunha silenciosa da luta dos marinheiros. Mais tarde descobriram que a bússola os havia enganado: todos os fuzis tinham sido colocados num compartimento vizinho, formando uma massa de ferro que afetou o comportamento da agulha magnética.

Seguiram rumo à ponta de Jesús-María, mas resolveram parar no meio do caminho para arrumar comida. Acontece então um episódio que revela bem o caráter romântico incorrigível do futuro marido de Anita. Ele viu uma estância perto da costa, parou o barco e, como não tinha escaler, improvisou uma balsa com uma mesa e alguns barris e foi remando com um arpão, junto com Mauricio, outro Garibaldi, que não era seu parente, até chegar à costa. Na sua versão das memórias, Alexandre Dumas adiciona ao episódio os mesmos temperos que utilizou em *Os três mosqueteiros* e *O conde de Monte-cristo*, entre outros sucessos da época. A descrição dos pampas gaúchos feita pela dupla Garibaldi/Dumas está cheia de grandiloqüências como esta:

Costa do Rio Grande e Bacia do Prata.

> Diante de mim, diversamente, apenas a obra de Deus: a terra vive ainda hoje tal como saiu das mãos do Senhor, no dia da Criação. Uma vasta, uma imensa, uma inabarcável pradaria, cujo aspecto, delineado como um tapete de verdura e de flores, ressaindo lá e acolá, só se altera às

margens do rio Arroga, onde, ao vento, desponta e oscila um belo arvoredo de folhagem viçosa.[2]

Pois nesse cenário deslumbrante, depois de deixar o outro Garibaldi na praia, nosso herói encontra uma gentil senhora que, durante a ausência do estancieiro, o delicia com o conhecimento da língua italiana, recitando poemas de Dante, Petrarca e Tasso. Garibaldi pergunta se ela mesma não fazia versos e a resposta, conveniente, ajeitada por Dumas, é perfeita:

> – Mas como não se fazer poeta, diante de uma tal natureza?
> Foi quando, sem fazer-se rogar, ela recitou-me vários trechos que pareciam-me de uma grande sensibilidade e de uma admirável harmonia. Eu teria passado o entardecer e a noite toda a ouvi-la, sem lembrar que o meu pobre Mauricio me esperava guardando a nossa mesa-jangada, mas seu marido, ao chegar, pôs fim ao viés poético da tarde, remetendo-me ao objetivo concreto da minha visita.[3]

E os Garibaldi voltaram a bordo com um boi devidamente carneado. Enquanto isso, em Montevidéu, a pedido do representante do governo, Giovanni Battista Cuneo foi preso, quando preparava uma lancha para ir ao encontro dos corsários. Cuneo negou todas as acusações e acabou liberado, mas a vigilância ao longo da costa aumentou. No dia 14 de junho, a lancha armada *María*, com 24 soldados, seguiu em direção à ponta de Jesús-María, acompanhada pela goleta de guerra *Loba*.

Foi quando o *Jornal do Commercio* do Rio, com o atraso normal da época, registrou suas andanças:

> No dia 17 do corrente, aportou em Itapocuruí o escaler de um navio com sua tripulação que diz ter sido assaltada por piratas na altura do porto do Rio de Janeiro. [...] Os ladrões fizeram submergir o lanchão e navegaram com a goleta. Depois de seis dias de viagem, diante daquela terra, ordenaram que as pessoas desembarcassem e, com a ajuda de Deus, foram salvas.

---

[2] Alexandre Dumas, *Memórias de José Garibaldi*, cit., p. 44.

[3] *Ibid.*, p. 46.

Perto da ponta de Jesús-María, os uruguaios atacaram, ferindo Garibaldi. Durante a viagem em direção a Santa Fé, a morte esteve ao lado: não havia médico, nem remédios a bordo. A salvação despontou no horizonte, na forma da goleta *Pintoresca,* que fazia o transporte regular de passageiros e carga entre Buenos Aires e o mais ativo porto do Sul da província argentina de Entre Rios, Gualeguay.

Quando subiu a bordo da *Farroupilha*, Lucas Tartabull, o comandante da goleta, encontrou vários marinheiros feridos entre os onze italianos e cinco escravos libertados. Numa cabine pequena, sobre um beliche em desordem e manchado de sangue, delirando, estava Giuseppe Garibaldi.

Junto com Tartabull veio o comerciante catalão Jacinto Andreu, outro maçom. Foi ele quem preparou o terreno para a chegada de Garibaldi em Gualeguay, acionando a irmandade. Na casa de Andreu, Garibaldi foi operado por um médico, com autorização do próprio governador de Entre Rios, general Pascual Echagüe, que visitava a cidade.

A ordem de prisão que havia contra ele foi desconsiderada. Garibaldi recuperou-se em curto tempo e na fazenda de outro italiano aprendeu a montar, fazendo cavalgadas pela região. Nessa época escreveu a Cuneo em Montevidéu, dando conta de sua rotina doce mas entediante:

> Passo a maior parte do dia lendo livros que a incansável bondade de meu hospitaleiro me provê; às vezes, na tarde de um belo dia, vou a passeio, visito qualquer conhecido e observo melancolicamente a beleza dos pampas, depois volto com o coração na Itália. Falando com despeito, eu grito: "Eu a verei deserta. E os seus palácios quebrados".[4]

Em janeiro ou fevereiro de 1838 fugiu e foi outra vez enganado por quem deveria estar do seu lado. O guia denunciou-o à polícia, antes mesmo de deixar a cidade. Os dois ficaram dando voltas pelas imediações a noite inteira, até serem presos pelo comissário e cinco soldados. Voltou amarrado sobre o cavalo e foi torturado no escritório do coronel Leonardo Millan, para denunciar quem o ajudara. Passou horas pendurado numa trave do teto por uma das mãos e não falou. Só o baixaram quando desmaiou. A tortura parou quando o *irmão* Andreu confessou ser o responsável pela ajuda.

---

[4] Mino Milani, *Giuseppe Garibaldi: biografia crítica*, cit., p. 47.

Vinte dias depois, o governador entrou na história, repreendeu Millan e mandou que Garibaldi fosse levado a Entre Rios. Ao ser libertado, Garibaldi seguiu num barco italiano até a cidade de Guaçu e dali para Montevidéu, onde reencontrou amigos e companheiros: Cuneo, Napoleone, Castellini, Luigi Carniglia e Rosseti.

Garibaldi torturado em Galeguay.

Ainda não estava em plena liberdade: tinha contas a acertar com a justiça local, por causa do combate em que pelo menos um tripulante uruguaio saiu ferido. E por isso ficou escondido na casa de um italiano até Rosseti voltar ao Rio Grande do Sul, para editar *O Povo,* jornal oficial da República Farroupilha. Garibaldi foi junto, com a missão de reorganizar a frota republicana.

Com as comunicações marítimas cortadas, viajaram à escoteira, como se dizia. Um jeito rápido, mas cansativo: os cavaleiros levam uma tropa inteira de montarias e, quando uma se cansa, trocam de animal, fazendo com que o anterior se recupere trotando atrás dos outros.

O destino da dupla era Piratini, uma das mais atrasadas vilas do Rio Grande até a revolução. Como Porto Alegre estava em poder dos imperiais, Piratini transformou-se na capital dos rebeldes, por sua localização privilegiada, do ponto de vista militar, sob a proteção da serra das Asperezas, por um lado, e por outro do rio Jaguarão, que permitia aos farrapos passar para o Uruguai no caso de um ataque mais poderoso.

Apesar das casas de pau-a-pique e dos carros de boi, a vila tinha uma efervescência. E ninguém melhor para resumi-la do que Domingos José de Almeida.

Tinha tudo para ser um conservador. Mineiro de nascimento, fez fortuna em São Francisco de Paula, mandando gado para ser vendido em Sorocaba, no interior de São Paulo, e depois diversificou suas atividades: casa de comércio, uma das melhores charqueadas do Estado, veleiros que iam para o norte, mais de cinqüenta escravos.

Piratini, sede da República Farroupilha.

Junto com outros três empreendedores, construiu o primeiro navio a vapor a cruzar as águas internas do Rio Grande. O casco de madeira, com o apropriado nome de *Liberal I*, foi feito em Pelotas. O motor veio dos Estados Unidos.

Era realmente uma novidade. Embora essa forma de energia tenha sido descoberta por cientistas gregos, no século I depois de Cristo, só em 1712 foi criado um motor a vapor em condições de ser usado.

O primeiro navio a cruzar o Atlântico com auxílio de um motor a vapor foi o *Savannah*, em 1819, mas ele usava velas também e demorou 21 dias. O primeiro navio exclusivamente a vapor foi o *Sirius*, que cruzou o canal da Mancha em 1838.

Eleito para a Assembléia Provincial, Almeida tornou-se um conspirador. Ao contrário de Bento Gonçalves, queria mais do que uma troca de governadores: achava indispensável a mudança completa do sistema político, com o surgimento de uma federação e a substituição da Monarquia pela República. Não ficou na teoria: por trás do gesto simbólico do general Antônio de Sousa Neto, que no dia 11 de setembro proclamou a República diante de suas tropas, estava o dedo de Domingos José de Almeida.

Quando Garibaldi e Rosseti o conheceram, era ministro do Interior. Mais do que isso, funcionava como um trator dentro de um governo sem dinheiro, experiência, estrutura burocrática, regras do jogo. O dinheiro que amealhara já estava sendo posto a serviço da revolução farroupilha. E sua capacidade de organizador, também. Criou impostos, confiscou bens dos inimigos da República, fundou escolas, orientou professores, cuidou da parte espiritual, estabeleceu o Vicariato Apostólico da República.

No Rio Grande dos farrapos não havia bancos. Isso disseminou o hábito de enterrar panelas repletas de moedas de ouro e prata, escasseando ainda mais o meio circulante. Almeida deu um jeito na coisa: admitiu o pagamento de impostos em espécie e restabeleceu o escambo, passando a entregar couros e gado para os uruguaios, em troca de munição. Mas não se pense que fazia as coisas ao léu. Como as requisições de guerra eram malvistas, determinou que nenhum membro ou agente do governo lançasse mão de objetos de qualquer natureza sem entregar previamente ao proprietário um documento da coisa recebida e sem que nele se declarasse o preço ajustado e a força ou repartição a que pertencia.

Foi Domingos José de Almeida que detalhou para Giuseppe Garibaldi a missão que o levaria até Anita.

Navegando em terra

Quando Garibaldi pôs o pé para fora do galpão, uma lança furou seu poncho. Os primeiros cavaleiros estavam a poucos passos de distância. Os outros, mais de uma centena, vinham logo atrás, a galope, cercados por uma nuvem de poeira. Ele fechou a porta, correu para as armas ensarilhadas, apanhou uma delas e deu um tiro, sem ter tempo nem de fazer pontaria.

No galpão, uma antiga charqueada, onde só havia dois barcos em construção, Garibaldi tomava um mate, enquanto o cozinheiro lavava as panelas. Os outros setenta homens tinham saído logo depois do almoço, naquele 17 de abril de 1839.

Todos comiam e dormiam ali mesmo, no estaleiro improvisado. Durante o dia, apanhavam ou cortavam madeira, moldavam peças de metal numa pequena forja, construíam, enfim, os barcos que deveriam recolocar em pé as Forças Navais da República Rio-grandense, agora chefiadas por Garibaldi.

Trabalhavam numa estância chamada Brejó, pertencente a dona Antônia, irmã do presidente Bento Gonçalves. Outra irmã, dona Ana, vivia perto dali, diante do rio Camaquã, que nasce nas coxilhas do Tabuleiro e de São Sebastião, perto de onde fica hoje a cidade de Bagé, e percorre 180 quilômetros por um vale largo e viçoso, até chegar à sua foz na lagoa dos Patos, entre Pelotas e Ararambé.

No dia anterior, Garibaldi fora informado de que o major Chico Pedro, o Moringue, desembarcara a uns 20 quilômetros, com setenta cavaleiros e oitenta praças de infantaria.

Chico Pedro, na realidade Francisco Pedro de Abreu, era o terror dos republicanos. Conhecia a área como a palma da mão. Ali nascera e se tornara, segundo a voz corrente, o homem mais feio das redondezas. A cabeça enorme e as orelhas salientes levaram o povo a lhe dar o apelido de Moringue – no dicionário, uma variação de moringa, "vasilha de barro para água, bilha", com duas alças. Moringue era beato, audaz e impiedoso. Foi considerado por Garibaldi "o melhor chefe militar dos imperiais, insuperável nas expedições de surpresa".

Justamente por isso, o italiano tomou todas as precauções. Mandou vasculhar as redondezas e ficou com cinqüenta companheiros esperando o ataque. Nada. À noite, voltaram os espias com a informação: nem sinal de Moringue. Na manhã, olhou os cavalos, que costumam se inquietar diante de qualquer movimento estranho. Estavam calmos. Garibaldi então liberou seus homens para o trabalho.

Era preciso terminá-lo depressa, já que, quando os barcos ficassem prontos, os farrapos poderiam atuar novamente na lagoa dos Patos, quase um mar interno, com 270 quilômetros de comprimento e 50 de largura, que os imperiais controlavam desde o final de 1836.

Nos primeiros momentos, logo após a tomada de Porto Alegre, os rebeldes conseguiram uma certa vantagem, em termos de forças navais. No momento em que estourou a revolta, havia apenas uma embarcação armada do império nas águas interiores do Rio Grande – e destinada a combater o contrabando. Em seguida, usando o arsenal de Porto Alegre, os rebeldes armaram cinco pequenos vasos de guerra que receberam como doação ou tomaram de particulares.

Mas barcos não funcionam sem tripulação. E na legião de incompetentes que os farrapos colocaram a bordo, só se destacaram um português conhecido como Menino Diabo e o brasileiro Tobias dos Santos.

Cinco meses depois da tomada da capital, chegaram à lagoa dos Patos a escuna *Bella-Americana*, o patacho *Vênus* e o lugre *Caboclo*. Em poucas semanas eram já dezesseis as naves de guerra imperiais, todas comandadas por oficiais de carreira. Entre eles, o *Liberal I*, construído pelo farroupilha Domingos José de Almeida e que acabou se tornando o primeiro barco a vapor a participar de uma operação de guerra no Brasil – lutando contra seu fabricante.

O primeiro combate entre as duas forças acabou de modo trágico, em fevereiro de 1836. Foi na lagoa dos Patos, entre a canhoneira imperial *Oceano*, de 37 praças de guarnição, e o *cutter* farroupilha *Minuano*, que só tinha um canhão. No comando deste, o tenente Tobias Antônio dos Santos, de 31 anos. A bordo, sua mulher Isabel Inácia de Jesus e três filhos.

Diante da derrota inevitável, o comandante farrapo desceu ao paiol de pólvora e explodiu o navio. Dezoito pessoas morreram, incluindo sua mulher e seus filhos. O único sobrevivente teve poucas horas de vida, o suficiente para contar a história. O gesto de Tobias virou poesia de Aurélio Porto: "Adeus, esposa, filhos – disse o bravo. Ou vencedor ou morto, nunca escravo".

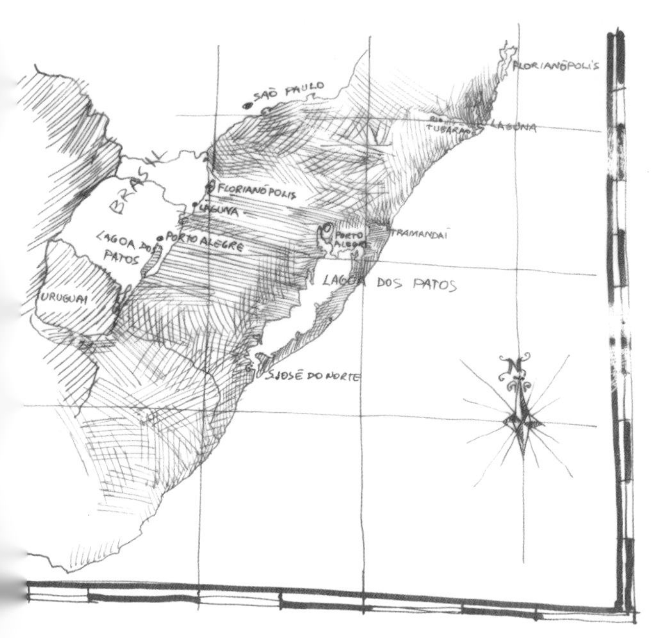

Costa do Rio Grande do Sul.

Dias mais tarde, os rebeldes atacaram o passo de São Gonçalo. Destruíram completamente uma canhoneira e atingiram a *Oceano*, que se retirou rebocada pelo barco a vapor. Foi então que John Pascoe Grenfell, um inglês de 36 anos que perdera o braço direito num combate, assumiu o comando da marinha imperial, com ordens bem claras:

> Sustentar o governo legal, proteger os cidadãos pacíficos contra as tentativas dos sediciosos, procurando imprimir em todos os indivíduos que compõem as referidas forças (navais) entusiasmo e energia tão necessários em semelhantes ocasiões e conservando a disciplina, de cuja inteira observância depende sempre o resultado de todas as operações.[1]

---

[1] Lucas Alexandre Boiteux, *A marinha imperial na Revolução Farroupilha* (Rio de Janeiro, Imprensa Naval, 1935), p. 31.

A falta de disciplina da marinha brasileira espantara o suíço Heinrich Trachsler. Ele chegou ao Rio de Janeiro em 1828 e foi engajado no 28º Batalhão de Caçadores. Depois de alguns meses na corte, seguiu com a tropa, no navio *D. Pedro I*, para Santa Catarina. Ainda na baía de Guanabara, ficou horrorizado com o comportamento de oficiais e marinheiros brasileiros:

> É difícil imaginar a brutalidade e imoralidade dos marinheiros, saindo do camarote, sem pejo, conduzindo ordinariamente em cada mão um jovem com os quais circulava gravitante ao redor como um pavão, tornando-se espetáculo para os homens do Norte em cuja pátria tais vícios sequer pelo nome são conhecidos. Que respeito pode merecer tal comandante e que ação gloriosa podemos esperar de tal nação que, em maior ou menor medida, pratica tal vergonheira como a deste comandante que, sem pudor, põe à mostra com deboche seu vício preferido, proclamando-o pelo nome. Gente miserável e vil, não és digna de possuir a bela terra em que habitais. Nosso chefe, um velho inglês, toda vez que via o afeminado sorriso do comandante, cuspia de lado e amaldiçoava com seu "*God damm!*".[2]

Um soldado alemão chegou a ser apalpado por um marinheiro brasileiro que, em troca, levou uma coronhada no nariz. Depois disso, as relações entre nacionais e estrangeiros azedaram de vez. Os brasileiros cantavam o Hino da Independência, composto por Dom Pedro I, mudando a letra de Evaristo da Veiga: "Brava gente brasileira, filhos das putas estrangeiras". E os estrangeiros invertiam tudo: "Brava gente estrangeira, filhos das putas os brasileiros". Recrutamento e seleção de pessoal eram feitos na galega, como se diz:

> Para quem tinha um pouco de sensibilidade, era de constranger o coração a visão dos infelizes sendo conduzidos a bordo, dos quais muitos estavam bêbados e neste estado de inconsciência foram apanhados. Passadas algumas horas, seu despertar era horrível, quando então se davam conta que, em vez da bodega, encontravam-se em um navio de guerra; atordoados, esfregavam os olhos e puxavam os cabelos e, apenas um pouco recuperados do espanto, já eram saudados com bordoadas dos contramestres e forçados a trabalhar no convés do navio.[3]

---

[2] Martim Afonso Palma de Haro (org.), *Ilha de Santa Catarina: relatos de viajantes estrangeiros nos séculos XVIII e XIX*, cit., p. 314.

[3] *Ibid.*, p. 315.

No campo oposto, o farroupilha, o recrutamento de marinheiros incluía verdadeiros bandidos, como mostra um ofício enviado ao comandante da esquadrilha, o coronel F. P. Sarmento Menna:

> Sendo geralmente o estado de marinheiro olhado como um castigo cruel para os campônios deste país, e achando-me conjuntamente autorizado por S. Ex. o Sr. Comandante Supremo para mandar para a Marinha desta província os perpetradores de crimes capitais, envio-lhe três criminosos, um para cumprir a pena de três anos e dois a de seis meses.[4]

A partir de julho de 1836, acossados por Grenfell, os rebeldes passaram a colecionar derrotas. Em março do ano seguinte, senhor das águas gaúchas, o inglês já estava pronto para voltar ao Rio, como anunciou ao novo presidente da província, sem rodeios: "O que a marinha tinha de fazer está feito. Se V. Exa. não achar indispensável a minha continuação neste comando, estarei muito à ordem para me retirar para a corte".

Era verdade. Controlando Rio Grande, São José do Norte e o canal de São Gonçalo, o fim dos farrapos era só uma questão de tempo. E o próprio Grenfell fez várias tentativas de estabelecer a negociação com os rebeldes, procurando mostrar-lhes que a luta estava perdida. Mas as tratativas fracassaram. Só que, para infelicidade dos rebeldes, o inglês não foi dispensado.

Em abril de 1838, os farroupilhas conseguem uma grande vitória na importante vila do Rio Pardo, às margens do rio Jacuí. No embalo, resolvem reiniciar o cerco a Porto Alegre. Um dos passos seguintes foi montar o estaleiro na estância da irmã do presidente, onde as coisas iam bem até Moringue aparecer.

Vendo-se numa situação extrema – dois homens contra 150 – Garibaldi agiu por instinto. Diante da fileira de armas carregadas, passou a atirar como um autômato, apenas disparando uma após a outra, apontando para a massa de inimigos que vinham correndo e que começaram a ser atingidos. O cozinheiro recarregava as armas e Moringue achou mais prudente retardar a invasão do galpão, sem imaginar que aquela fuzilaria toda partia de apenas duas pessoas.

Os outros farrapos ouviram o tiroteio e voltaram apressados. Primeiro Luigi Carniglia, que Garibaldi mandara buscar em Montevidéu para ajudá-lo, depois o

---

[4] Lucas Alexandre Boiteux, *op. cit.*, p. 38.

biscaíno Ignacio Bilbao, o genovês Lorenzo, Eduardo Mutru (aquele de Gênova, que chegara de surpresa), o mulato Rafael, o negro Procópio... doze ao todo.

A situação melhora, mas ainda são catorze contra 150. O inimigo se entrincheira nas outras construções do local e tome tiro contra o galpão. Alguns imperiais sobem no telhado do prédio, abrem buracos, lançam tochas de fogo. E assim segue o combate, dificílimo para os republicanos, até o meio da tarde. É quando o negro Procópio identifica as orelhas enormes e a cabeçorra de Moringue. Demora-se na mira e dispara, ferindo o comandante dos imperiais. Fim de jogo para seus homens, que batem em retirada, perseguidos pelos farrapos.

No mesmo dia, Garibaldi comunicou o episódio a seu superior:

> Ilmo. Sr. Serafim Inácio, comandante de Polícia.
> Hoje fomos acometidos por um grupo de mais de cem homens, segundo cálculo: entre cavalaria e infantaria montada. Passando a noite em contínuo alarme, logo que o sol dissipou a cerração e não ocorreu novidade, mandei recolher as sentinelas e piquetes avançados a fim de principiar o trabalho nos lanchões; mas como tornasse a cerração, o inimigo apareceu de repente, quase a meio tiro de pistola, saindo de um mato que flanqueia o quartel, no qual existiam onze homens somente; o que posto, depois de um vivo fogo por espaço de algumas horas, essa horda de escravos e assassinos se retirou, deixando no campo seis mortos e levando muitos, entre os quais o mesmo Francisco Pedro, baleado no peito e em uma mão. Nós temos seis homens levemente feridos, e lastimamos a morte de um camarada. Cumpre-me notar que, estando a gente da guarnição espalhada, não lhe foi possível reunir no calor do combate, cabendo por isso toda a glória aos onze bravos de que acima fiz menção, cujos nomes levarei à presença do governo, para que sejam devidamente premiados, vista a bizarria com que se votaram à morte na defesa da nascente República Rio-grandense, contra inimigos em número tão desigual, o que ainda uma vez prova que um livre é para doze cativos.
> No campo achamos algumas armas, arreios, patronas e outras miudezas A minha mala e todos os papéis de contabilidade foram pelo inimigo roubados. É necessário que V. S. faça marchar alguma cavalaria para este ponto, porque ainda podem ser visitados por aquela canalha, se bem que não a tememos.
> Deus guarde a V. S.
>
> Brejó em Camaquã, 17 de abril de 1839
> José Garibaldi
> Comandante da esquadrilha da República.[5]

---

[5] Gustavo Sacerdote, *La vita di Giuseppe Garibaldi*, cit., p. 169.

Pela valentia, Garibaldi recebeu elogios do comando. Mas o que lhe interessou mesmo foi a reação registrada na estância vizinha, da outra irmã de Bento Gonçalves, que visitava com freqüência:

> Nós celebrávamos a vitória, gozando o fato de termos sido salvos de uma tempestade havia poucos momentos. Na estância, a 12 milhas, uma virgem empalidecia e rezava pela minha vida; mais doce do que a vitória me surpreendia a notícia. Sim, belíssima filha do Continente, eu era orgulhoso e feliz de lhe pertencer, fosse como fosse: tu, destinada a ser mulher de outro! A mim, a sorte reservava outra brasileira!!![6]

Essa outra brasileira ainda se chamava Ana Maria de Jesus Ribeiro e levava a vida comum de casada em Laguna, a 430 quilômetros ao norte dali. Quanto à virgem que empalidecia, Garibaldi a conhecera meses antes, na casa de Bento Gonçalves. Foi paixão à primeira vista. Semanas mais tarde, ele estava resolvido a se casar, como revela uma carta de Luigi Rosseti a Giovanni Battista Cuneo e até hoje ignorada por seus biógrafos:

> 19 de janeiro, 1839, Piratini.
> Fratello:
> [...] Garibaldi esteve gravemente doente. Mas restabeleceu-se e ameaça se casar. Me escreveu pedindo que eu lhe sirva de mentor. Imagine se o farei. Depois de amanhã, como o governo me pediu para ir acompanhar o trabalho dos marinheiros, partirei para vê-lo e farei com ele aquilo que um amigo faria na mesma circunstância. Se for adiante, então não terei remédio e eu mesmo o forçarei a cumprir com seu dever. Não sei quem seja a tirana.[7]

Quase um mês depois, outra mensagem de Rosseti a Cuneo, datada de 7 de fevereiro de 1839, retoma o assunto:

> Mutru andou mal. Agora vai melhor. Garibaldi está apaixonado e ameaça se casar. Mas não vai fazê-lo, de jeito nenhum. Ele me prometeu. A propósito, Garibaldi vai lhe escre-

---

6 Giuseppe Garibaldi, *Memorie di Garibaldi: In una delle redazioni anteriori alla definitiva del 1872*, cit., p. 38.

7 Salvatore Candido, *La rivoluzione riograndense nel carteggio inedito di due giornaliste mazziniani: Luigi Rosseti e G. B. Cuneo, 1837-1840* (Florença: Valmartine Editora, 1973), pp. 75-76.

ver, mas você não deve humilhá-lo. Ele é seu amigo, o estima e o ama. É preciso retomar a antiga amizade, pensar seriamente em não se separar por coisa de nenhuma monta. Uma mulher não deve perturbar a boa harmonia e a confiança que existia entre vocês. Você conhece o coração de Garibaldi. Asseguro que nada mudou a seu respeito. Eu lhe imploro que seja igualmente bom com ele. Use sua generosidade e aceite a paz que ele te oferece. Ele é digno de você. Vocês têm por que se amarem.[8]

As cartas foram encontradas por um dos maiores estudiosos de Garibaldi, Salvatore Candido, e estão em seu livro pouco difundido *La rivoluzione riograndense nel carteggio inedito di due giornaliste mazziniani: Luigi Rosseti e G. B. Cuneo*. Elas indicam que Rosseti foi quem fez Garibaldi mudar de idéia, mas não revelam quem era, afinal de contas, a tal tirana.

O próprio Garibaldi mata a charada. Na estância de dona Ana, diz, havia três moças, "uma mais graciosa do que a outra", filhas de dona Maria Manuela, a terceira irmã de Bento Gonçalves. A família estava temporariamente alojada ali, porque os soldados imperiais tinham ocupado Pelotas, onde moravam. Entre as três, o italiano tinha sua preferida: "Uma delas, Manuela, dominava absolutamente a minha alma. Não deixei de amá-la, embora sem esperança, porque estava prometida a um filho do presidente".[9]

Um descendente de Bento Gonçalves confirmou ao historiador Otelo Rosa que os dois tinham se conhecido na casa do presidente farroupilha e ficaram noivos. Pode ter sido durante o baile organizado por dona Ana em homenagem ao irmão presidente, que era um pé-de-valsa dos melhores, só comparado ao general Antônio Neto.

Em dias de baile, o jantar era servido às quatro da tarde. O ambiente era de respeito, como nos estatutos da gafieira de um samba famoso. Avançar o sinal era falta gravíssima, mas moça nenhuma recusava um convite de um cavalheiro.

Todos dançavam, inclusive senhoras e chefes de família. Os ritmos tinham nomes que nos soam estranhos: anu, caranguejo, *pericón*, fieira à meia-cancha, chimarrita e outros mais próximos dos nossos ouvidos, como a quadrilha, a polca paraguaia e os lanceiros. Lindolfo Collor, em seu *Garibaldi e a Guerra dos Farrapos*, descreve as principais coreografias:

---

8 *Ibidem*.

9 Giuseppe Garibaldi, *op. cit.*, p. 31.

WOLFGANG LUDWIG RAU
CAIXA POSTAL, 387
FLORIANÓPOLIS – S. C.

Coletânea Garibaldina
Anita Garibaldi
WOLFGANG LUDWIG RAU
CAIXA POSTAL, 387
FLORIANÓPOLIS S. C.
BRASIL

Estimadíssima Senhora

(Cidadã Dona Anna Joaquina da Silva Santos)

Agradecido da consideração que V.S. me concede; tenho um sentimento inexprimível de não poder passar por cima dos jirirás, quando fôra por mais alto ainda, seria sempre com um verdadeiro prazer que voltaria a ver aquêle lugar querido, donde o meu pensamento não sairá nunca, e as encantadoras pessoas que o formoseam –.– Sim, amável Dª Anna, eu protesto a V.S. que se talvêz; livre dos cuidados em que me acho envolvido, eu possa passar algum dia de sossêgo, em um lugar de minha simpatia – a margine do Arroio Grande, terão a minha justa preferência, quando mesmo V.S. me destinasse o telhado para morada. – Recebi os sapatos. – Não sei nada da Brígida. Os oficiais todos lhe beijam a mão, e eu sou tudo o que se pode ser de V.S., e das suas amáveis companheiras.

Camaquã , 3 Fevereiro 18 ..

JOSÉ GARIBALDI

x-x-x-x-x-x-x-x-x-x-x-x

A carta acima, em seu original, é propriedade do Sr. Desembargador Dr. Belisário Nogueira Ramos, residente a Rua São Jorge nº 19 em Florianopolis, que m'a emprestou para reprodução em fotocopia, em 10/11/1970.

Dr. Belisario Nogueira Ramos é neto do Almirante João Antonio Alves Nogueira, casado com d. Tereza dos Santos Abreu Nogueira que é neta de d. Anna Joaquina Silva Santos, destinataria da carta supra, e viuva fazendeira em Camaquã e na Ilha dos Marinheiros,– a época de J. Garibaldi, então da esquadra dos Farrapos na Lagoa dos Patos (antes de sua expedição a Laguna).

A data danificada constante da mesma carta, deve ser do período de 1837 – 38 – e talvêz começo de 1839. José Garibaldi contaria então pelos 28 a 30 anos de idade.

Carta de Garibaldi a d. Ana Joaquina de Silva Santos, irmã do presidente Bento Gonçalves, em cuja estância vivia Manuela.

A quadrilha imperial, muito usada na corte ao tempo de Pedro I, não chegara a vulgarizar-se na província, pela excessiva dificuldade de movimentos. Nunca a dançariam, por certo, em reuniões de republicanos. Com os lanceiros, vistoso desfile de pares em tom de marcha, se iniciava o baile. Vinha depois o caranguejo, colocados os cavalheiros em frente às damas, em roda, batendo palmas, tocando depois o soalho com o pé direito: e a um sinal de quem estivesse mandando a dança, juntavam-se os pares e saíam bailando. A meia-cancha gozava das predileções gerais. Um dançarino, de lenço na mão, fazia sinal a uma senhorita que se levantava, ia para o meio da sala e também com um lenço repetia o sinal a um moço; e assim sucessivamente, até que todos quantos quisessem dançar houvessem sido tirados. Depois formava-se a roda, enquanto a música iniciava os compassos de uma polca. O rapaz que iniciara a chamada dos pares saía, em passos de dança, para o meio da roda e tornava a fazer sinal à moça da sua predileção, que ia juntar-se a ele. Andava a roda para um lado; e o par, no centro, em sentido contrário. Depois de muitos requebros e negaças, mandava o moço parar a música. E defronte à dama, recitava o seu verso:

"Eu plantei a sempre-viva,
sempre-viva não nasceu.
Tomara que sempre viva
O teu coração com o meu".

Respondia a moça:

"Tu plantaste a sempre-viva,
sempre-viva não nasceu.
É porque teu coração
Não quer viver com o meu".[10]

A partir dessa descrição, um romancista poderia construir a cena toda, com Garibaldi e Manuela nos papéis principais, sob os olhares preocupados da mãe, de Bento Gonçalves e, quem sabe, com a discreta anuência de dona Ana.

Garibaldi chamava a atenção das moças – disso não há dúvida. Em 1910, morreu no Rio Grande do Sul um negro de olhos azuis que diziam ser filho do general italiano que, montado num belo cavalo, arrancou suspiros das gaúchas, catarinenses,

---

[10] Lindolfo Collor, *Garibaldi e a Guerra dos Farrapos*, cit., p. 75.

uruguaias e italianas. Caminhando, no entanto, era desengonçado, gingava como todo marinheiro. Se dançava ou não, ninguém sabe.

O certo é que, com a ajuda de Rosseti, o caso de amor entre ele e a moça naufragou. Segundo Garibaldi, o próprio presidente lhe teria dito que a sobrinha estava prometida a um de seus filhos. Era mentira. O presidente recebia o italiano em sua casa, mas no fundo achava-o um aventureiro e inventou o tal compromisso. Manuela de Paula Ferreira morreu solteira, aos 84 anos, em Pelotas. Era chamada por todos de "a noiva de Garibaldi" e guardava consigo cartas e poemas do italiano por quem fora apaixonada.

E assim Manuela sai de cena, deixando espaço para Anita.

Mas nem só de suspiros e combates era feito o cotidiano de Garibaldi na estância do Brejó. Ele armou os barcos e organizou sua tripulação, com a ajuda de um sujeito muito forte e grande, que os brasileiros chamavam de João Grandão, o irlandês John Griggs.

As duas lanchas foram batizadas com nomes que evocavam vitórias farroupilhas: a maior, *Rio Pardo*, era destinada a Garibaldi, enquanto o *Seival* ficaria com Griggs. Cada uma delas tinha dois pequenos canhões de bronze. Em termos bélicos, isso significava que só a destreza dos marinheiros, a pequena profundidade das águas do Camaquã e uma dose extra de sorte impediriam um fracasso logo na primeira saída. Setenta homens, sendo sete italianos, compunham a tripulação, assim descrita pelo chefe das Forças Navais da República:

> Uma verdadeira chusma cosmopolita composta de tudo, tanto na cor quanto na nacionalidade. Americanos em sua maioria, e na maior parte constituídos de negros e mulatos libertos e, no geral, os melhores e mais fiéis. Entre os europeus, eu contava italianos, dentre os quais o meu Luigi e Eduardo Mutru, meu companheiro de infância – ao todo, sete com quem podia contar. O resto compunha-se daquela classe de marujos aventureiros conhecidos nas ribas americanas do Atlântico e do Pacífico pelo nome de Irmãos da Costa, classe que certamente havia fornecido as equipagens dos flibusteiros, dos bucaneiros e que ainda hoje fornece seu contingente ao tráfico de negros.[11]

[11] Giuseppe Garibaldi, *op. cit.*, p. 30.

Na primeira quinzena de maio, os lanchões farroupilhas entraram na lagoa dos Patos pela primeira vez. Circularam por ali durante nove dias, procurando uma presa. Finalmente surgiram duas, no rumo de Porto Alegre, sem escolta e com a bandeira do império hasteada.

A *Rio Pardo* se aproximou, seguida pelo *Seival*. Depois de dispararem um único tiro de canhão, abordaram a desguarnecida sumaca *Mineira*, cujos tripulantes fugiram num batelão, para serem presos em terra, não longe dali, enquanto outro veleiro, o patacho *Novo Acordo*, escapava, indo rumo ao Rio Grande, levando a notícia do ataque.

Essa primeira captura virou uma festa: a sumaca acabou inutilizada, ao encalhar na margem, mas tudo o que havia dentro foi aproveitado. Cordas, velas e equipamentos seriam usados em outros lanchões. A maior parte da carga – quinhentas barricas de farinha – foi entregue ao governo, que as distribuiu por várias cidades, incluindo a capital, Piratini. Os marinheiros receberam parte do butim, incluindo uniformes.

Como resposta, o almirante Grenfell mandou para a lagoa quatro navios de guerra. Mas não era fácil apanhar barcos pequenos e de pouco calado, cujos tripulantes agiam como guerrilheiros. Só atacavam quando o inimigo era mais fraco, conheciam todos os meandros daquelas águas e vez por outra desembarcavam com seus cavalos – havia sete a bordo – mostrando a mesma competência exibida minutos antes nas escotas e adriças com rédeas e arreios.

Almirante Grenfell.

Sempre que havia um baixio pela frente, os lanchões, perseguidos pelos imperiais, corriam o risco de encalhar. Nesse momento, Garibaldi gritava: "À água, patos".

Os marinheiros obedeciam com alegria. Seguravam o barco sobre os ombros – Garibaldi entre eles – e o carregavam para o outro lado da ponta, desnorteando o inimigo. Muitas vezes, tiveram de ficar horas dentro da água fria da lagoa e o bom humor desaparecia, mas bastava surgir nova situação de risco e lá iam os *patos* de Garibaldi para dentro da água.

Mas essa brincadeira de esconde-esconde terminou quando a cúpula farroupilha concluiu que era indispensável conquistar o porto de Laguna – com a ajuda daquele arremedo de força naval.

O projeto não era segredo, como mostra esta notícia publicada no Rio de Janeiro pelo *Jornal do Commercio* de 8 de junho de 1839:

> Os insurgentes têm o propósito de mandar, por estes dias, uma expedição a Santa Catarina, sob a direção do coronel Onofre Pires, com o fim de sublevarem os pacíficos habitantes daquela província e os obrigarem a separarem-se da comunhão brasileira. Esta notícia, que a muitos não merece peso, julgamos que deve merecer toda a atenção da parte do governo; pois não há dúvida que se têm preparado os ânimos em Santa Catarina para a revolta; e que muitos dos nossos revolucionários se foram abrigar naquela província; e por isso ali existem os elementos necessários e só falta quem lhe dê começo.

General Davi Canabarro.

Esse alguém foi Davi José Martins, ou melhor, o general Davi Canabarro. No desastre de Rincón de las Gallinas, em que as tropas imperiais foram derrotadas, ganhara o galardão de tenente e a fama de bravo, ao enfrentar o inimigo de forma desesperada, para permitir que os outros recuassem. Nos tempos de paz, ao trabalhar com seu tio, Antônio Ferreira Canabarro, conquistara o sobrenome com que passaria à história.

Quando a Farroupilha começou, estava quieto no seu canto. Tempos depois, cingiu novamente a espada e apresentou-se como voluntário.

Seis meses antes de a expedição farroupilha virar manchete no *Jornal do Commercio*, o governo republicano tinha mandado uma comissão de especialistas até a parte norte da lagoa dos Patos. Quem consulta um simples atlas geográfico escolar vê uma linha escura demarcando a costa gaúcha desde Torres até São José do Norte. Nenhuma barra de rio, nenhuma baía, nada. Mas ali existe um acesso. Tão pequeno que foi ignorado pelos primeiros navegadores e cartógrafos.

É a barra do rio Tramandaí. Segundo os entendidos, um acidente geográfico completamente inútil, para fins de navegação. Garibaldi e o general Canabarro estiveram no local e concluíram que era possível utilizá-la para alcançar o Atlântico. Mas como chegar do rio Capivari até as lagoas que levariam a essa barra quase impossível?

Garibaldi tinha um plano. Apresentou-o ao governo e obteve o indispensável sinal verde, certamente com o aval de Canabarro.

Outros já tinham usado o mesmo expediente: Marco Antônio, o imperador romano, Mohamed II, o sultão, bem como os venezianos e, mais recentemente, não muito distante do Tramandaí, corsários a soldo da Confederação. Charles Fournier, um francês a serviço dos uruguaios, teve seu navio *Profeta Bandarra* aprisionado pela escuna *Leal Paulistana*. Como vingança, atacou a base de Maldonado, transportando sobre carretas e com a força de juntas de bois um lanchão e dez baleeiras.

Do mesmo jeito, sobre rodas, pensava Garibaldi, os barcos republicanos chegariam às pequenas lagoas e dali, para o Atlântico. O primeiro passo foi levar lanchões 2 léguas acima da foz do Capivari, escondendo-os e camuflando seus mastros com folhagens, para que se confundissem com as árvores. Dali até a lagoa de Tomás José seria preciso atravessar 54 milhas ou 86 quilômetros de planície alagadiça, coberta por uma relva rasa. Aqui e acolá, aroeiras, pitangueiras e outras árvores. Região deser-

O transporte dos lanchões.

ta e atrasada, cortada pelo vento gelado durante o inverno, por onde o gado vagueava solto.

Enquanto o general Canabarro requisitava em segredo duzentos bois na região e os enviava para o local junto com a cordoalha retirada de navios apresados, Garibaldi mandou construir duas grandes carretas, com dois eixos muito próximos e quatro rodas de 3,20 metros de altura e 40 centímetros de largura.

Colocar os barcos em cima dessa traquitana demorou dois dias. Parte das carretas foi terminada debaixo d'água. Um dos lanchões quase virou, mas no fim tudo deu certo. No dia 5 de setembro de 1839 começava a longa e estranha viagem. Chovia muito e o comboio atolou várias vezes, mas seis dias depois chegou à lagoa.

Então foi preciso construir pranchas para fazer deslizar sobre elas as lanchas, recolocar equipamentos e armas que tinham sido transportadas à parte e preparar a partida. Finalmente, no terceiro dia, Garibaldi mandou subir âncoras. Os lanchões da República entraram no mar e tomaram o rumo de Laguna.

Réplica do *Seival* em Osório. Inauguração do parque de Osório.

Encontro de amor

Garibaldi estava no alto do mastro da vela de proa quando a onda chegou. Um segundo depois, o comandante da *Rio Pardo* era apenas mais um entre os trinta náufragos lançados ao mar a 28º 43' de latitude sul, perto da Pedra do Campo Bom, no litoral gaúcho. A *Rio Pardo* e o *Seival* saíram juntos da barra do Tramandaí, mas o barco de John Griggs, mais leve e mais rápido, enfrentou a correnteza adversa e o fortíssimo vento sul que tornam aquele trecho da costa brasileira um transtorno para as embarcações e seguiu adiante.

Minutos antes do desastre, quando subiu no mastro para localizar um abrigo contra o mau tempo, Garibaldi viu seus tripulantes espalhados pelo convés e derreados pelo enjôo. Por isso, logo após o naufrágio, valeu-se de seus dotes de nadador e aproximou-se do casco emborcado, arrastando consigo remos e outros objetos leves, que pudessem manter seus companheiros à tona.

O primeiro que descobriu, agarrado a uma corda, foi Eduardo Mutru, a quem passou um pedaço de escotilha, recomendando que não a largasse. Em seguida, foi ao encontro de Luigi Carniglia, que se segurava no casco, quase imóvel por causa do jaquetão pesado. No instante em que livrou o amigo da roupa encharcada, uma

O naufrágio de Garibaldi, na saída da barra do Tramandaí.

onda mais forte levou-os para o fundo. Garibaldi voltou logo. Não viu nem sinal de Carniglia.

Nadou em direção à praia e, ao chegar, notou Mutru já exausto e sem a bóia improvisada, tentando fazer o mesmo. Gritou para estimular o parceiro das aventuras em Gênova e mergulhou em sua direção, mas era tarde demais. Quando contou seus marujos, deu por falta de dezesseis. Entre eles, os sete italianos que estavam a bordo.

Para enfrentar o vento frio que congelava a todos, correram de um lado a outro da praia. Depois, conseguiram abrigo numa estância e dali seguiram a pé até a barra do Camacho, onde encontrariam as tropas do general Canabarro. John Griggs e o *Seival* já estavam ali. Garibaldi retomou sua missão. Chegar ao destino era difícil; derrotar o inimigo, mais ainda.

No alto do morro da Glória, 126 metros acima de Laguna, os imperiais mantinham sentinelas dia e noite. Apesar da visão panorâmica, o foco de atenção era apenas a barra, por onde entravam todos os barcos. Do outro lado, pelo rio Tubarão, não seria possível vir nenhuma embarcação de porte. Mas foi exatamente assim, usando um caminho improvável, que Garibaldi surpreendeu o inimigo.

Barra da Laguna em 1839

Laguna em 1938.

Para ir da barra do Camacho ao rio Tubarão usaram canais tortuosos e rasos que só permitem a passagem de baleeiras. A sorte dos farrapos – e de Garibaldi – foi a chuva. O vento do oceano retardou sua dispersão nas águas do mar, provocando a enchente que tornaria a ligação navegável.

Um prático local conseguiu levar o *Seival* adiante. Não sem tropeços: o barco encalhou num baixio e teve de ser puxado por seus tripulantes, a começar pelo comandante.

Em Laguna, o coronel Villas Boas tinha conseguido reforços para a flotilha imperial. Além da *Sant'Anna* e da *Lagunense* e de dois lanchões, chegaram dois barcos obsoletos, mas armados: a escuna *Itaparica,* já condenada para a navegação, e o brigue *Cometa,* usado apenas para transporte.

O ataque dos farrapos começou por terra, com duas colunas, uma vinda do Sul, outra de Lages, sob o comando de Teixeira Nunes e seus lanceiros negros, mas foi a surpreendente ação naval que virou o jogo. No dia 20 de julho, o *Seival* atacou a *Sant'Anna* no rio Tubarão. Seus tripulantes pediram socorro à *Itaparica* e à *Imperial Catarinense* e o pânico se instalou entre os imperiais. José de Jesus, o comandante desta última, reconheceu a derrota e incendiou seu navio, aumentando a confusão entre os governistas.

Numa decisão que o levaria à corte marcial, o coronel Villas Boas concluiu que era impossível enfrentar o inimigo e ordenou a retirada. Seus soldados abandonaram a vila e o *Co-*

Entrada dos farrapos em Laguna.

meta também se foi, levando a má notícia para Desterro. Dois dias mais tarde, os farroupilhas entravam na vila.

Desterro – Debret.

A barra da Laguna – 1999.

Festa farroupilha em Laguna

O povo foi para as ruas e os sinos da igreja repicaram quando os farrapos entraram em Laguna. Em destaque, Canabarro, Teixeira Nunes e Garibaldi. Do meio da multidão, destaca-se a bela lagunense Maria da Glória Garcia, filha do antigo patrão-mor daquele porto e mãe do futuro capitão de navio José Rodrigues Pinheiro Cavalcanti. Ela arrebatou da mão de um dos lanceiros de Nunes o pavilhão tricolor farroupilha e, montada num cavalo, foi à frente do cortejo, arrancando muitos vivas e frenéticos aplausos do povo.

Atrás dela vinham os farrapos. Tinham feito 77 prisioneiros, matado dezessete imperiais, perdido um homem e arrebanhado quatro escunas da marinha, catorze veleiros de pequeno porte, quinze canhões, 463 carabinas e 30.620 cartuchos. É bem provável que Anita estivesse vendo a cena. Terminada a festa, Davi Canabarro, Rosseti e os outros líderes foram organizar o novo governo. Garibaldi ficou sem função. A bordo da *Itaparica*, transformada em comando da esquadra republicana, pôs-se a pensar na vida. E tomou uma decisão:

Com a perda de Luigi, Eduardo e de meus outros conterrâneos, caí num isolamento desolador; parecia estar só neste mundo. Não via mais os amigos que quase preenchiam a ausência da minha pátria, naquela região longínqua. Nenhuma intimidade com

meus novos companheiros que apenas conhecia e nem um amigo de quem sempre tinha sentido necessidade em minha vida.

Essa mudança de condição me atingiu de modo inesperado e senti-me golpeado profundamente. Rosseti, o único que poderia preencher o vazio do meu coração, estava longe, ocu-

Praia do Mar Grosso, em Laguna.

pado pelo governo do novo Estado republicano. Eu não podia gozar essa fraterna união. Precisava muito de alguém que me amasse e logo! Ter essa pessoa por perto, sem o que minha existência se tornaria insuportável.

Embora não fosse velho, eu conhecia suficientemente os homens para saber como era difícil encontrar um verdadeiro amigo. Uma mulher! Sim, uma mulher! Sempre achei a mulher a mais perfeita das criaturas e, por que não dizer, infinitamente mais fácil encontrar um coração amante entre elas.[1]

Mas que tipo de mulher Garibaldi poderia encontrar no Brasil, em 1839? As sinhazinhas, como sua ex-noiva Manuela, eram minoria. A professora Eni Mesquita Samara, diretora do Centro de Estudos de Demografia Histórica da América Latina, estuda a condição feminina no século XIX desde 1975. E chegou a conclusões surpreendentes. Analisando recenseamentos manuscritos realizados em várias cidades em São Paulo, Minas, Goiás e Norte do Paraná, constatou que 70% da população feminina trabalhava. Boa parte delas respondia, inclusive, pela chefia do domicílio. Nas áreas de onde a população masculina migrava – e Laguna se encaixa no perfil –, as mulheres assumiam o espaço. Foi assim em 1804, na cidade de Vila Rica do Ouro Preto, onde

---

[1] Giuseppe Garibaldi, *Memorie di Garibaldi: In una delle redazioni anteriori alla definitiva del 1872*, cit., pp. 44-45.

Escravas e madames – Debret.

a exploração do ouro estava em decadência: 45% dos lares eram comandados por mulheres. Em 1836, em São Paulo, esse índice chegava aos 30%. As mulheres realizavam todo tipo de atividade de suporte à economia de exportação. Trabalhavam na agricultura de subsistência, eram louceiras, tecelãs, fiandeiras, pequenas comerciantes. "Ocupavam o mercado de trabalho que os homens não queriam", resume a historiadora. "A imagem da mulher submissa e servil não corresponde à realidade. Elas reclamavam, defendiam seus direitos e até enfrentavam as autoridades locais. E a casa não era apenas o local de moradia, mas o de trabalho também."[2]

Era esse tipo de mulher que Garibaldi encontraria em Laguna: a mãe de Anita trabalhava como costureira antes mesmo de se tornar viúva e as filhas passaram a ajudá-la assim que chegaram à idade de aprender um ofício. Mas, mesmo que estivesse na corte, Garibaldi dificilmente encontraria a cultura e a erudição das heroínas de romance. Em 1816, só havia dois colégios particulares para moças no Rio. Moçoilas capazes de conversar fluentemente em outra língua surpreendiam por ser exceções.

---

[2] Eni de Mesquita Samara, *As idéias e os números do gênero – Argentina, Brasil e Chile no século XIX* (São Paulo: Hucitec-Cedhal/USP, Fundação Vitae, 1997), p. 25 e ss.

Era o caso da filha de dona Ana Francisca Maciel da Costa, a baronesa de São Salvador de Campos. A mocinha encantou a viajante britânica Maria Graham, conversando em inglês e francês.

Dez anos antes, em 1813, John Luccock, compatriota de Graham, esteve no Rio e queixou-se da falta de educação e instrução das poucas mulheres com quem teve contato. Quando liam, dizia, era o livro de reza.

Pouco íntimas das letras, as brasileiras desenvolveram todo um sistema de códigos em que a cada tipo de flor correspondia uma ordem ou expressão de pensamento. A partir disso – e de uma enorme habilidade para se comunicarem através de sinais das mãos e dos dedos – burlavam a vigilância paterna e conseguiam namorar.

Ano novo no Rio de Janeiro – Debret.

Acontecimentos culturais eram raros e a monotonia imperava, mesmo depois da inauguração do Real Teatro de São João, onde se exibiam artistas como a graciosa Baratinha ou as madames Sabine e Toussaint. A vida social ia um pouco melhor, como relata a professora Mary dal Priore, que preparou especialmente para este livro um ensaio sobre a situação da mulher na época:

> É no Rio de Janeiro que vamos encontrar os "primeiros salões freqüentados por damas". Elas se entretinham em serões e partidas noturnas de jogos (o *whist*), simples entretenimentos ou bailes e recepções. Alguns dos concertos em torno dos quais se reuniam eram animados pelo famoso músico padre José Maurício. As danças se aperfeiçoavam com mestres entendidos, responsáveis pela capacidade das alunas em exibir passos e passe, além de coreografias estudadas. Além do professor de dança, um outro modismo da época eram os cabeleireiros, franceses de preferência, responsáveis por penteados ousados e cabeleiras ou perucas. É interessante observar que, nesse ambiente, as crianças eram comumente levadas aos bailes por seus pais, engrossando um espaço de sociabilidade no qual criadas antigas e escravas conversavam com convidadas conhecidas.

Na Bahia, o viajante Lindley observou, entre horrorizado e divertido, as mulheres de elite executando "danças de negros", os sensuais e malemolentes lundus e fandangos. Em 1817, Tollenare as viu igualmente bailar com animação durante a inauguração da Praça do Comércio, em Recife. Graham deslumbrou-se com o teatro em Salvador, que considerou lindo e onde regalou-se observando as senhoras de elite que petiscavam e tomavam café durante o espetáculo. Outra forma de lazer já praticado pelas mulheres eram os banhos de mar: escravas acompanhavam-nas com barracas, enquanto as sinhazinhas em roupas de banho escuras e compridas soltavam suas tranças para nadar. Senhoras e mucamas entravam, juntas, na água onde passavam horas a espadanar. Gilberto Freyre conta que desde o período colonial eram comuns tais banhos nos remansos do Capiberibe.

Uma sinhazinha – Debret.

Uma família nobre – Debret.

As mulheres de elite eram "aparentemente" muito bem vigiadas. Namoros se faziam na igreja, entre beliscões e pisadelas, ou às janelas, sob as quais os aspirantes a namorado colocavam-se rentes – era o chamado "namoro de espeque" – murmurando palavras de amor pelas rótulas. Observador, o viajante Carl Seidler dizia que "a igreja é o teatro habitual de todas as aventuras amorosas na fase inicial [...] só aí é possível ver damas, sem embaraços, aproximar-se discretamente e até cochichar algumas palavras. A religião encobre tudo; enquanto se faz devotamente o sinal da cruz, pronuncia-se com igual fervor uma declaração de amor". Escravas encarregavam-se de levar e trazer recados dos amantes depois da missa.

As mulheres dos fazendeiros passavam o tempo entretidas com reuniões voltadas para atividades de benemerência, participação nas irmandades e no auxílio aos pobres. Apesar do poder econômico que possuíam, sua marca de distinção era o discreto uso de alguns poucos adereços franceses, o padrão do vestido negro, geralmente com detalhes de miçangas, rendas ou pregas e jóias simples, tipo broche ou brincos pequenos, poucos leques, mantilhas ou xales. Traziam os cabelos em coques presos para trás e tranças presas, nas quais o laçarote era uma opção possível. As feições, daquelas que se pode observar nos quadros do pintor Barandier, não traziam marcas de cosméticos. Costumavam sentar-se com simplicidade no chão, à turca. Ao sair de casa, eram transportadas por negros em cadeirinhas pintadas e douradas ou redes ornamentadas. À noite dedicavam meia hora obrigatória, ou mais, à oração.

Na pequena vila no litoral catarinense, Giuseppe Garibaldi dificilmente encontraria uma dessas cadeirinhas pintadas e douradas pelas ruas. Mas as catarinenses já haviam encantado outros viajantes. Em 1804, Langsdorff classificou os moradores de Desterro como atenciosos, cordiais e expansivos – e adorou as moradoras:

> À noite, reúnem-se em grupos de pequenas famílias onde, segundo o costume bem português, dançam, riem, fazem gracejos, cantam e brincam. Os instrumentos mais comuns são a guitarra e o saltério. A música é expressiva, agradável e contagiante, as canções, por seu conteúdo, são as costumeiras e falam geralmente do amor e da moça, das saudades e suspiros do coração. As representantes do sexo feminino não são feias e entre as mulheres de classe mais alta estão algumas que, mesmo na Europa, teriam motivos para se firmarem como beldades. Na maioria são de estatura média, bem constituídas, de cor castanha, se bem que algumas são muito claras, têm fortes cabelos pretos e olhos escuros e sensuais; acresce-se que o belo sexo recebe com muita gentileza os hóspedes e, em geral, não vive retraído ou confinado como na própria terra natal, Portugal, onde as damas vivem, durante o ano inteiro, enclausuradas, ou se escondem por detrás da porta e espiam o visitante pelo buraco da fechadura ou pela fenda da porta. Tão sem importância que possa parecer tal observação, não faltam pequenas intrigas de amor que se espalham por aqui. Presentes europeus, mesmo os mais insignificantes, como fitas, brincos, etc., são gratuitamente recebidos.[3]

A estrada de ferro chega a Laguna.

[3] Martim Afonso Palma de Haro (org.), *Ilha de Santa Catarina: relatos de viajantes estrangeiros nos séculos XVIII e XIX*, cit., p. 163.

Louis Isidore Duperrey, famoso navegador francês, também se encantou com as catarinenses, em 1822:

> Elas têm formas graciosas e às suas figuras não faltam encantos, nem expressão. Embora ponham um certo esmero em seus adornos, usam vestimentas simples de uma limpeza notável. Um vestido leve de chita que desenha uma estatura bem apanhada, algumas flores colocadas com arte sobre a bela cabeleira, lhes dão um ar provocante. Elas possuem aquela coqueteria tão comum ao seu sexo e, nas colônias, tão atraente para os estrangeiros; mas existe em seus costumes algo que pareceria contraditório com a vida retirada que elas levam no campo, pois que freqüentemente fazem amizade com os marinheiros que aportam em suas costas.
>
> Outra coisa, digna de nota, é que o ciúme parece ser endêmico entre os maridos, o que, se é um tanto tirânico, é pelo menos desculpável.[4]

David Porter, oficial norte-americano, esteve em Santa Catarina em 1812 e informou:

> A gente das aldeias é bem-vestida, agradável e jovial no aspecto; as mulheres são bonitas e graciosas em suas maneiras; os homens são extremamente ciumentos e creio que, para isso, tenham suficiente motivo.[5]

O suíço Heinrich Trachsler – o mesmo que se espantara com a indisciplina da marinha – ficou entusiasmado com Laguna, ou mais exatamente, com uma moça que sacudia pela janela a poeira de um tapete:

> Debruçada a meio corpo fora da janela, avistamos, tomados de encanto e dignos de inveja, um opulento e ondeante colo, cuja brancura e volume harmonioso transparecia velado, traiçoeiramente, por um simples e leve vestido de trabalho caseiro; por aí chegava-se à conclusão dos ricos e viçosos encantos desta Psiquê tropical.[6]

---

[4] *Ibid.*, p. 258.

[5] *Ibid.*, p. 219.

[6] *Ibid.*, p. 324.

Laguna – Debret.

Trachsler e o amigo foram cumprimentados por ela, que se retirou. Bateram à porta, sob o pretexto de comprar algo para comer, e foram recebidos pela mãe da moça. Não tinha nada para vender, mas convidou-os a tomar uma xícara de café. Não uma, mas duas moças – acompanhadas pela mãe, claro –, sentaram-se sobre um tapete estendido no chão de uma saleta e compartilharam o café e a conversa. Acabaram jantando ali, discutindo "a nossa pátria, usos e costumes, etc., passando finalmente ao capítulo do amor, assunto que suas admiráveis filhas tratavam com toda a naturalidade e discreta modéstia, trocando amabilidades".

Beberam vinho – que as moças provaram –, mais um cafezinho, tocaram violão, cantaram algumas canções, dançaram o fandango, que o suíço define como "maldita batucada". Mas a história não foi muito longe:

> Nós, pobres-diabos, éramos ainda muito verdes neste mundo e, principalmente, na arte do amor, para nos permitir dar a entender a estes anjos, pelos olhares, que as desejávamos e esperávamos por elas. Basta; éramos acanhados e as moças mui respeitáveis para justificar, pelos seus comportamentos, alguma esperança e que elas talvez não nos achassem capazes.[7]

À saída, Trachsler ainda roubou um beijo de sua deusa, na hora de voltar para o batalhão, marchando feliz pelas ruas de Laguna, com uma caneca de vinho nas mãos.

---

[7] *Ibid.*, pp. 327-328.

O encontro que não existiu: Anita e Garibaldi na fonte de Laguna.

Garibaldi encontrou uma mulher em Laguna, apaixonou-se por ela e a levou consigo. Sobre o episódio em si, muito se escreveu e existem versões baseadas em depoimentos orais que contestam a deixada pelo protagonista em suas memórias.

Uma delas diz que os dois se encontraram no hospital onde estavam sendo cuidados os feridos nos combates. Outra, que eles se conheceram na famosa fonte de água da cidade – existe inclusive um quadro que idealiza esse momento. Mas a única versão consistente é a de Garibaldi em suas memórias. Com pequenas variações e algumas omissões deliberadas, ele conta assim o que se passou:

O general Canabarro decidira que eu deveria deixar Laguna com três barcos armados para atacar a bandeira imperial na costa do Brasil e me lancei à obra, recolhendo todos os elementos necessários ao armamento. Eu jamais tinha pensado em casamento e me achava inadequado, pela independência de índole e propensão à carreira aventuresca. Ter mulher e filhos me parecia coisa inadequada a quem era absolutamente consagrado a um princípio, que, embora excelente, não tinha permitido, por ser propugnado com todo o fervor de que eu me sentia capaz, ter a quietude e a estabilidade necessárias a um pai de família. O destino resolveu de outro modo.

Eu passeava pelo convés da *Itaparica* revolvendo esses meus tétricos pensamentos e depois de muito raciocinar decidi finalmente me aproximar de uma mulher, para tirar-me daquela entediante e insuportável condição.

Olhei ao acaso para as casas da Barra – assim se chamava uma colina à entrada de Laguna, na parte meridional, e sobre a qual se erguiam algumas simples e pitorescas habitações. Lá, com a ajuda da luneta que tinha habitualmente à mão, descobri uma jovem. Ordenei que me transportassem à terra na direção dela. Desembarquei e, me dirigindo à casa onde deveria encontrar-se o objeto de minha viagem, não consegui revê-lo. Foi quando cruzei com um indivíduo do lugar, que tinha conhecido logo que

cheguei. Ele convidou-me a tomar café em sua casa: entramos e a primeira pessoa que me apareceu era aquela cujo aspecto me tinha feito desembarcar.
Era Anita! A mãe dos meus filhos! A companheira da minha vida, nos bons e nos maus momentos! A mulher cuja coragem tantas vezes ambiciono. Ficamos os dois estáticos e silenciosos, olhando-nos reciprocamente como duas pessoas que não estão se vendo pela primeira vez, que identificam na fisionomia do outro qualquer coisa que desperta uma reminiscência.
Saudei-a finalmente e lhe disse: "Tu devi esser mia". Falava pouco o português e disse essas palavras em italiano. De todo modo, fui magnético em minha insolência. Tinha estabelecido um vínculo, pronunciado uma sentença que só a morte poderia romper. Tinha encontrado um tesouro proibido, mas um tesouro de grande valor!!!
Se houve culpa, foi inteiramente minha. E... houve culpa! Sim! Se uniam dois corações com amor intenso e se destruía a existência de um inocente! Ela está morta, eu, infeliz, e ele, vingado. Sim, vingado! Conheci o grande mal que fiz quando, esperando ainda fazê-la voltar à vida, tomava o pulso de um cadáver e chorava o pranto da angústia. Errei grandemente e errei sozinho![8]

Hoje em dia é impossível reviver a cena do encontro, que deve ter ocorrido em julho ou agosto de 1839. A barra da Laguna sofreu grandes alterações. Parte de seu contorno foi aterrada, dando lugar a um bairro que esconde o local para onde mirou sua luneta.

O altar diante do qual aconteceu o *Te Deum* para os farrapos.

Anita e a mãe tinham se mudado para aquela área depois de terem vivido na cidade, no número 42 da rua do Rincão, hoje Fernando Machado, numa pequena casa que continua em pé. Ela pode ter visto Garibaldi pela primeira vez durante o *Te Deum* rezado pelo padre Vilela de Araújo, poucos dias depois da entrada dos rebeldes na cidade, mas Garibaldi não menciona o fato.

Sobre os primeiros tempos de Garibaldi e Anita em Laguna também existem histórias

[8] Giuseppe Garibaldi, *Memorie di Garibaldi* (Roma: Real Comissão Editora, 1872), pp. 54-55.

apoiadas na lembrança de antigos lagunenses. Nada confirmado. Mas, no dia 21 de setembro de 1839, os dois foram padrinhos do menino Eduardo Ferreira, como atesta a certidão de batismo arquivada pelos padres. Naquele momento, onde estava o marido de Anita? Mistério. Teria sido preso e morto pelos homens de Garibaldi. Saíra da cidade com as tropas imperiais. Abandonara Anita. Estava entrevado no hospital de campanha. Cada história tem seus defensores e seus críticos, sem que haja qualquer informação documentada sobre o paradeiro de Manuel Duarte de Aguiar.

O pesquisador Wolfgang Ludwig Rau pesquisou livros de óbitos da Enseada do Brito, Desterro, Ribeirão da Ilha, Santo Antônio de Lisboa, São José, Barra da Lagoa, Canasvieiras, Palhoça, Lagoa da Conceição e Garopaba do Norte, entre 1839 e 1884, e não achou o registro da morte. Seja como for, um mês depois de ter batizado o garoto, Anita deu suas tesouras de costura para a amiga Maria Fortunata e mudou-se para bordo.

As armas dos farrapos

O mais completo trabalho sobre as ações militares da Revolução Farroupilha foi feito pelo coronel Cláudio Moreira Bento, presidente da Academia de História Militar Terrestre do Brasil, em seus livros *O exército farrapo e os seus chefes*, *A grande festa dos lanceiros* e *Porto Alegre – Memória dos sítios farrapos e da administração de Caxias*. As descrições de algumas das armas usadas pelos companheiros de Anita baseiam-se nesse levantamento.

Carabina

As carabinas se diferenciam dos mosquetões – mais antigos e menos eficientes – pelo fato de terem estrias nos canos. Mas elas só se tornaram realmente práticas quando passaram a ser carregadas pela culatra, que o exército francês, por exemplo, só passou a usar em 1840. Durante a Farroupilha, a Infantaria usava vários tipos de carabinas e o mais recente era o modelo 1822, de carregar pela boca, de 1 metro de comprimento, sem contar a baioneta que normalmente era colocada em sua ponta.
O disparo era provocado pela faísca produzida pelo impacto de um cão de sílex, uma pedra de fogo como a que se usa nos isqueiros, contra a caçoleta, uma ponta de ferro. Essa fagulha incendiava a pólvora colocada numa concha externa, o fogão, que por

sua vez transmitia o fogo à pólvora da câmara de detonação, onde estava um projétil esférico de chumbo moldado.

A pólvora e a bala vinham acondicionadas em cartuchos, uma invenção do rei Gustavo Adolfo, da Suécia, que facilitava o carregamento e protegia a pólvora de seu maior inimigo, a umidade. O soldado abria o cartucho com os dentes, colocava parte da pólvora no fogão, cobria com a caçoleta e virava o cartucho no cano, com a parte aberta para baixo, empurrando-o com uma vareta.

O alcance da carabina era de 250 a 300 metros.

A Cavalaria usava mosquetões e clavinas, uma carabina com o cano mais curto, também carregada pela boca com os cartuchos.

Pistolão

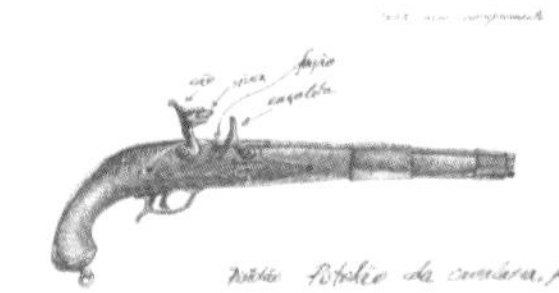

O sistema de acionamento e o modo de carregar eram iguais aos da carabina, mas os pistolões só funcionavam à queima-roupa.

Armas brancas

Os farrapos usavam principalmente sabres, adagas, espadas e punhais em seus combates. Oficiais da Infantaria e da Cavalaria preferiam as espadas retas. Nos terrenos mais fofos, as espadas eram enterradas de modo a servir como palanque para amarrar os cavalos. A improvisação era a regra, a ponto de terem sido feitos punhais e espadas com costelas de vaca.

Lanças

Muitas batalhas foram decididas pelos lanceiros negros comandados por Joaquim Teixeira Nunes. As lanças eram fabricadas em qualquer ferraria, até mesmo a partir de facas, tesouras e ferramentas agrícolas. A cruzeta, uma pequena peça de ferro, colocada transversalmente, logo depois da ponta, impedia que a lança atravessasse o corpo do inimigo, facilitando sua remoção e permitindo novo ataque imediatamente depois do primeiro. Os gaúchos preferiam as lanças com cruzeta em meia-lua, que não podiam ser seguradas pelo adversário, como as cruzetas retas.

Boleadeiras

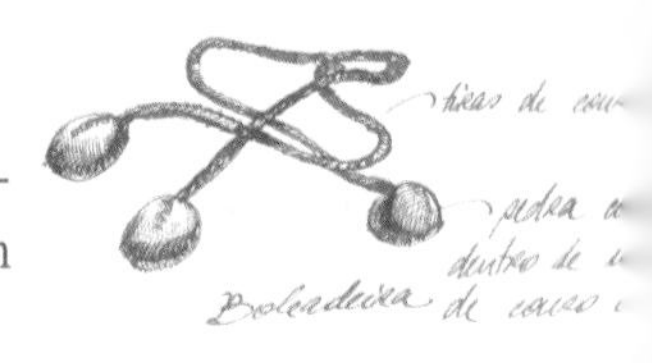

Imperiais e republicanos usavam essas armas de arremesso. O famoso Teixeira Nunes teve seu cavalo boleado, caiu e foi morto com um tiro de pistola.

Canhões

Os farrapos só usaram uns poucos canhões que tomaram aos imperiais. Eram peças difíceis de ser transportadas na ação guerrilheira baseada em movimentação intensa. Garibaldi e Anita encontraram alguns canhões durante a retirada através da Picada das Antas, mas não puderam levá-los.

Lua-de-mel a bordo

Os primeiros momentos de Anita a bordo tiveram sabor de lua-de-mel, embora não fosse um cruzeiro, mas a atribulada viagem de uma flotilha corsária. Postado na entrada da barra de Laguna, o patacho imperial *Desterro*, sob o comando do capitão-tenente Jorge Broom, impedia qualquer movimento dos farroupilhas. E foi com esse intuito que ele saiu atrás da lancha que parecia ir em direção à capital, depois de disparar dois tiros de canhão como advertência.

Ao alcançarem a lancha, os imperiais perceberam que haviam sido enganados: enquanto perseguiam o suposto inimigo, o *Seival*, a *Caçapava* e a *Rio Pardo**, com Anita a bordo, deixavam o porto em direção a sudeste. Os republicanos navegaram a noite toda, se afastaram bem da costa e só então tomaram o rumo do litoral de São Paulo. Na altura de Santos, passaram dois dias em torno das ilhas Queimadas, em busca de presas. Não deram sorte e com a mudança do vento retomaram o rumo sul.

Quando o governador militar de Santa Catarina ficou sabendo do engano, suspendeu o comandante do *Desterro* de suas funções e o mandou para o Rio de Janeiro, a fim de responder a conselho de guerra. Encontrar os piratas passou a ser questão de honra. A corveta *Regeneração*, que policiava a costa, vasculhou a área entre Paranaguá e Santos sem descobrir os corsários. Finalmente, às quatro e

---

* A *Itaparica*, supõe-se, passa a ser chamada *Rio Pardo*, o nome do lanchão que naufragou na saída da barra do Tramandaí (PM).

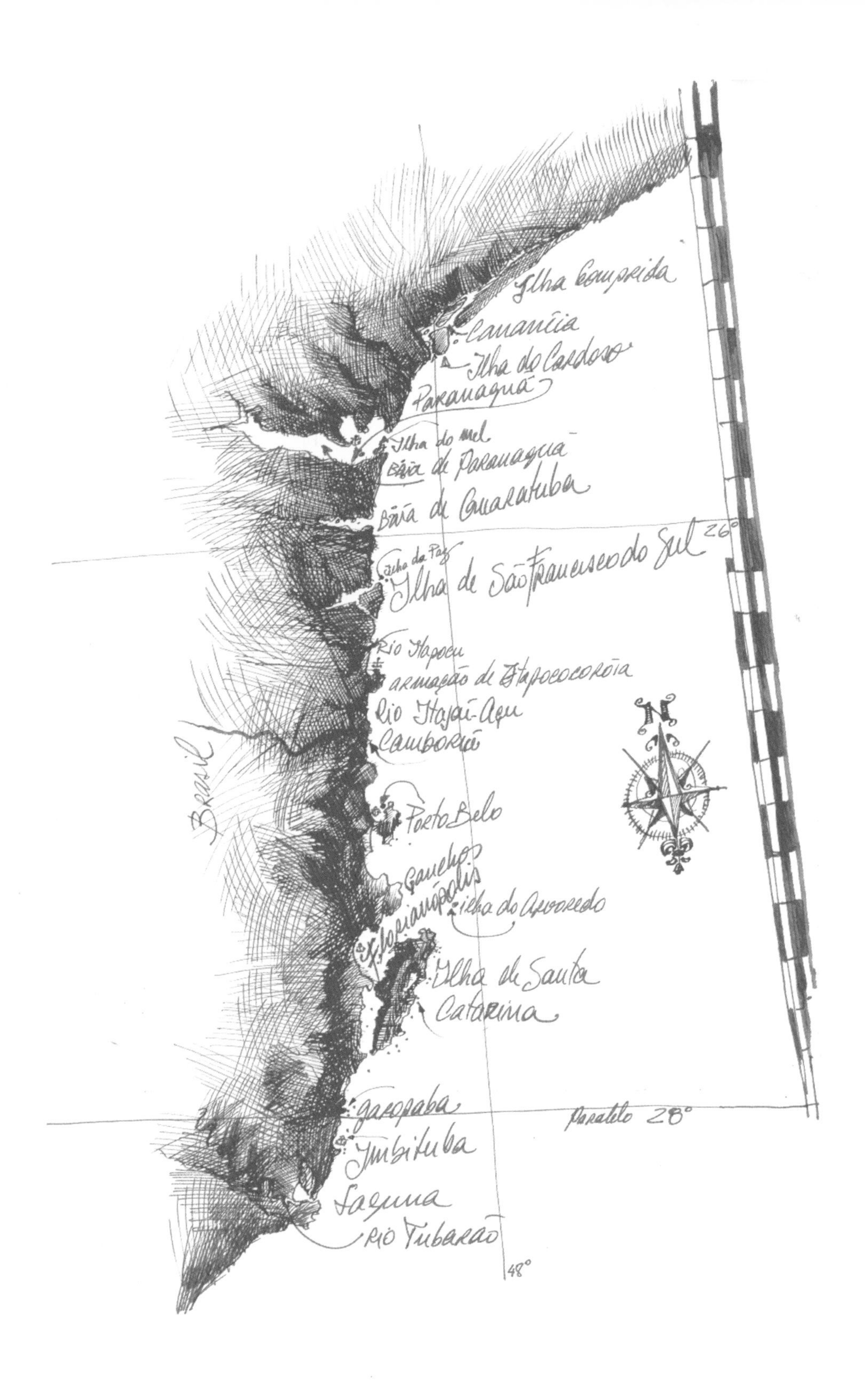

Litoral sul do Brasil – São Paulo a Santa Catarina.

meia da tarde do dia 28 de outubro, perto da ponta da Juréia, litoral sul de São Paulo, foram avistadas três embarcações próximas à costa.

A escuna, a sumaca e o iate se aproximaram ainda mais da costa e o barco imperial passou a persegui-los, disparando, sem sucesso, seus canhões de proa contra o retardatário. À noite, o barco da marinha ficou ao largo, para evitar as pedras, e na manhã seguinte retomou a perseguição, mas os republicanos deram sorte. Uma inesperada rajada de sudoeste rasgou duas velas da corveta imperial e durante a ventania a *Regeneração* acabou perdendo o inimigo de vista. Voltou a Santos para ver se obtinham notícias dos farrapos. Estes já estavam na ilha do Bom Abrigo. Ali os 115 tripulantes do comboio se apropriaram das plantações existentes para reforçar suas provisões e Anita teve um dia menos emocionante do que os anteriores.

Depois de um breve descanso, voltaram a navegar, capturando a sumaca *Elisa*, que saíra de Cananéia para o Rio de Janeiro carregada de arroz. No dia seguinte, dominaram o iate *Formiga*. No trajeto de volta, Garibaldi ancorou os navios em Paranaguá, perto do morro das Conchas, e enviou uma lancha à terra, em busca de água. O comandante da fortaleza identificou os republicanos e intimou-os a arriar a bandeira, se não quisessem ir a pique. Os rebeldes não se mexeram e os imperiais dispararam o único canhão, que atingiu a lancha. Foi o último tiro: a peça estava tão malconservada que seu suporte desmontou.

Quando algumas canoas armadas saíram da fortaleza e abordaram a lancha, só encontraram quatro armas, uma espada e vinte cartuchos. Os tripulantes haviam sido resgatados a tempo e seguiram viagem até Camboriú, onde apresaram o iate *Monte Real*.

Ao amanhecer do dia 2 de novembro, navegavam com bom vento de popa em direção a Laguna. Na altura da ilha de Santa Catarina, onde hoje fica Florianópolis, encontraram à proa um patacho inimigo, espécie de goleta grande de proa quadrada. Era a *Andorinha*. Tinha sete peças de artilharia – e a *Rio Pardo*, apenas um canhão pequeno.

Garibaldi mandou os outros barcos irem para Imbituba, uma enseada próxima, e avançou rumo ao patacho, atacando-o com o canhão. A troca de tiros durou duas horas, num mar tão batido que os imperiais não conseguiram mais do que furar algumas velas da *Rio Pardo*.

Os farrapos perderam duas sumacas – uma foi dar na costa e o capitão da outra, apavorado, rendeu-se. O *Andorinha* seguiu para a ilha de Santa Catarina e avisou a marinha imperial.

Durante a noite, o vento mudou de nordeste para sul e aumentou de intensidade, impossibilitando Garibaldi, Anita e seus companheiros de voltarem a Laguna. A *Rio Pardo* estava com o costado avariado, o canhão quebrado e perdera contato com a *Caçapava*. Decidiu então refugiar-se em Imbituba, onde havia uma antiga armação de caça à baleia, desativada.

Caça à baleia

A armação de Imbituba foi a última a ser construída no litoral catarinense, em 1796. Instaladas junto às baías onde as baleias davam cria durante o inverno, as armações tinham casa-grande, casa dos baleeiros, senzalas, casa dos feitores, hospital e botica, capela, casa do capelão, ferraria, armazéns, engenho de frigir baleias, casa dos tanques de salgamento, armazém para as lanchas, além de engenhos de açúcar e farinha para subsistência.

Ruínas de uma armação de baleias.

A caça à baleia era monopólio estatal, mas as armações foram montadas com base em concessões, por comerciantes ricos, que exploravam o azeite e as barbatanas das baleias. No fim do prazo, as instalações reverteriam para o governo.

A primeira autorização legal foi dada na Bahia, em 1602. Em Santa Catarina, a atividade começou em 1742, quando Tomé Gomes Moreira pôs para funcionar a armação da Piedade, próximo à ilha de Santa Catarina. O último contratante foi Pedro Quintela, que construiu a armação de Imbituba, quando as baleias já começavam a escassear. Terminado o contrato, em 1801, o monopólio foi extinto, por falta de interesse dos particulares em contratá-lo. A pesca ficou na mão de particulares em Pernambuco e na Paraíba; mas em Santa Catarina as tentativas posteriores de reativar as armações deram errado por causa da atuação de ingleses, norte-americanos, fran-

ceses e holandeses, cujos navios trabalhavam ilegalmente no litoral catarinense e alcançavam as baleias mais longe, em alto-mar. Além disso, eles pescavam em outros mares, com muito maior rendimento.

Nesse curto período – cerca de cinqüenta anos – as baleias foram dizimadas no litoral sul do Brasil.

Em 1804, quando esteve em Santa Catarina, o barão Langsdorff já encontrou uma atividade em declínio:

> No último inverno de 1803 foram abatidos apenas dez cachalotes (*Physeter macrocephalus Linn*) e o intendente me assegurou que nunca foram caçadas aqui outras espécies de baleia. A pesca é bem estabelecida: pela manhã partem lanchas de duas em duas e à noite retornam ao estabelecimento; não vão nunca além da ilha do Arvoredo; às vezes, as baleias se aproximam até o estreito. No início dessa pesca aqui, dizem que matavam até quatrocentos cachalotes em cada inverno e o número maior foi de quinhentos. Imaginando que eles fossem capazes de derreter tamanha quantidade de óleo em cada inverno, pode-se ter uma idéia do número de caldeirões, fornos e depósitos existentes aqui. O lucro de um arsenal que abate quinhentas baleias está em torno de 346 mil táleres do reino. O número de baleias abatidas diminui a cada ano, principalmente depois que os ingleses e o espírito especulativo dos americanos do Norte começaram a caçar as baleias destas costas, principalmente nas ilhas Falklands.[1]

Um cachalote.

Carl Friedrich Gustav Seidler, um suíço alemão, chegou à ilha de Santa Catarina em 1825. Ele e a tropa onde servia ficaram numa armação de baleia desativada, semelhante à que abrigou Anita. Um lugar detestável:

---

[1] Martim Afonso Palma de Haro (org.), *Ilha de Santa Catarina: relatos de viajantes estrangeiros nos séculos XVIII e XIX*, cit., p. 179.

Caçadas em massa, as baleias...

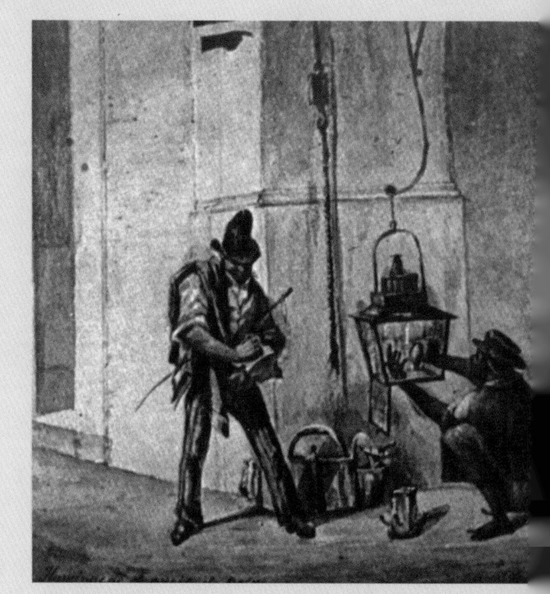

...forneceram óleo para iluminação...

...até serem dizimadas.

> Há oito ou dez anos o azeite podre, com espessura de um pé, restava ali e se espalhava através das juntas abertas aquele cheiro repugnante que empesteava toda a redondeza. Até o tanque, onde deixavam os peixes a apodrecer para depois separar facilmente a carne do esqueleto, não fora limpo e desenvolvia como relaxada estrumeira os mais deletérios gases.[2]

Na armação de Imbituba, Garibaldi e Anita não tinham escolha: era preciso preparar tudo para um combate desigual. Os farrapos transportaram o canhão desmontado do *Seival* para um morro que domina a baía e trabalharam a noite toda, improvisando um parapeito com pedras. Quando clareou, Anita pôde ver três barcos imperiais vindo em direção a ela. Eram o brigue-escuna *Andorinha*, comandado pelo capitão-tenente Romano, o patacho *Patagônia*, pelo primeiro-tenente João Ottoni, e a escuna *Bella-Americana*, do primeiro-tenente d'Houdain.

O vento fraco que soprava da terra para o mar permitia aos imperiais movimentarem-se com bordos pequenos e canhonearem furiosamente, atacando a *Rio Pardo* de vários ângulos. As carabinas atiravam de parte a parte. O convés se encheu de cadáveres e de feridos, o casco foi perfurado e os equipamentos da mastreação, destruídos.

Foi nesse combate que Anita começou a construir a reputação de heroísmo e valentia. Em 1932, no estilo rebuscado da época, o almirante Henrique Boiteux floreou a performance da lagunense que jamais tinha navegado ou combatido:

> Quem ousaria fraquejar vendo na tolda da *Rio Pardo* a valorosa Anita, de carabina em punho, desprezando a morte, batendo-se como o mais valente, emprestando valor aos que desfaleciam, animada, com as faces purpureadas, o olhar em chamas, os cabelos soltos ao vento percorrendo a bateria com febril atividade a animar a todos na defesa do estandarte, símbolo do ideal pelo qual se batiam?
>
> No mais aceso do combate, eis que, de repente, certeira bala dando de encontro à amurada fá-la em estilhaços, um dos quais arroja Anita ao convés e com ela dois marinheiros, que ficaram estendidos, mortos. Ouviu-se um grito geral, precipitando-se todos para erguê-la; antes, porém, que a acudissem, lépida levantou-se tinta do sangue de seus infelizes companheiros e seu único pensamento foi o de fazer novo apelo à bravura dos combatentes, rareada a cada nova bordada do inimigo que mais a mais se aproximava.

---

[2] *Ibid.*, p. 285.

A estréia de Anita.

Instada por todos e, muito principalmente, por Garibaldi para que se recolhesse à coberta, respondeu: "Sim, vou descer, mas para enxotar os poltrões que lá se foram esconder". E momentos após regressava, trazendo à sua frente três deles que no porão haviam se refugiado.[3]

O americano John Griggs também forjou sua legenda nessa batalha. Aí nasceu a história que o aponta como um *quaker*. A religião proibiria o uso de armas brancas e de fogo e, para cumprir seus deveres de fiel e de soldado, Griggs usava um bastão enorme com uma bola de ferro na ponta. Antes de despachar o vivente desta para melhor, dizia, em latim: "*Accipe adhuc illum, Domine*". Ou seja, "Senhor, recebe mais este em tua misericórdia".

Isso jamais ficou provado. Igualmente nebulosa é a razão que levou os imperiais a desistirem repentinamente do combate, quando estavam em nítida vantagem. Anita, Garibaldi e os farrapos viram com surpresa os barcos caçarem as velas e irem embora, sem mais nem por quê. Há quem afirme que o recuo deveu-se ao ferimento de um oficial, mas ninguém confirma.

Em vários episódios, os marinheiros demonstraram pouca disposição de enfrentar os republicanos. Em parte, porque o governo costumava punir dissidentes ou suspeitos de simpatizar com os liberais, mandando-os lutar a favor do Império em outro canto do país. Catarinenses e gaúchos foram parar nos confins do Pará e de lá – ou de Salvador – vieram prisioneiros republicanos e liberais obrigados a lutar no Rio Grande e em Santa Catarina contra os republicanos do Sul.

Em setembro de 1838, aquele mesmo *Patagônia* estava levando revolucionários do Rio Grande e da Bahia para o Norte, onde outras revoltas agitavam as províncias. Depois de deixarem Salvador para trás, os prisioneiros conseguiram o apoio de nove praças, amotinaram-se, prenderam o comandante e deram uma volta de 180 graus no leme, rumando para a costa do Rio Grande.

Depois de muita conversa, o comandante convenceu-os a se aproximarem da costa catarinense na altura de Ganchos, 30 quilômetros ao norte de Desterro, hoje

---

[3] Henrique Boiteux, *Anita Garibaldi* (Rio de Janeiro: Imprensa Naval, 1935), p. 67.

Florianópolis. Trinta e cinco rebeldes desceram, levando armas, lonas, etc. Vinte acabaram presos novamente e os outros juntaram-se aos farrapos.

Seja lá por que motivo, os imperiais não voltaram no dia seguinte. Garibaldi tornou a colocar o canhão no *Seival*, despachou os feridos por terra e saiu à noite com os dois barcos. Só foram descobertos pelos imperiais quando ele, Anita e seus companheiros já tinham entrado na barra da Laguna.

Adeus, Laguna

Quando Anita voltou a Laguna, no dia 4 de novembro de 1839, seu "rapto pelo pirata italiano", comentado em todas as rodas, era mais um indício de que a República Juliana estava com seus dias contados. Três meses depois de terem recebido os farrapos como heróis, os catarinenses mal suportavam a presença dos rebeldes.

No dia 27 de julho, com um ofício, o general Davi Canabarro tinha mandado reunir a Câmara Municipal de Laguna. A cidade estava em festa e o tom entusiasta e imperativo do comandante das forças republicanas não parecia exagerado:

> Que deveremos praticar em um nexo vitorioso, quando os fatos procuram os homens e não estes àqueles? Quais os embaraços que faltam apurar? Nem um só resta, para declarar já e já, solenemente, à Nação Catarinense, livre e independente, formando um Estado Republicano constitucional. Esse dia de grandeza nacional pertence hoje à representação municipal dessa fila que deverá servir de capital interinamente, visto que o município da cidade do Desterro, único onde um limitado número de baionetas se conserva – ainda que por um curto espaço de tempo –, está privado de partilhar da glória de elevar com os demais concidadãos a pátria ao nível das nações do globo.[1]

Pouco depois da proclamação da República Juliana, as forças do Império cuidaram de reforçar suas defesas, por sinal nem tão limitadas assim. A queda de Laguna

[1] Lindolfo Collor, *Garibaldi e a Guerra dos Farrapos*, cit., p. 225.

repercutira em todo o país e a regência escalou um português adesista e implacável para reverter o quadro: o marechal Francisco José de Sousa Soares Andrea, deputado e futuro barão de Caçapava, que já mostrara eficiência ao reprimir a Cabanagem no Pará. Ele chegou a Desterro junto com o almirante Frederico Mariath no dia 15 de agosto, trazendo tropas e navios. Já estivera ali, entre julho de 1829 e abril de 1830, como comandante de armas e ganhara o apelido de *Tio Chico*.

Desembarcou sem ser anunciado e, no caminho para o palácio, interrompia quem passava, dizendo: "Tire o chapéu. Eu sou o marechal Andrea, presidente da província!".

Agregando habilidade à sua fama de enérgico e atrabiliário, não perdeu tempo. Mandou chamar ao palácio o tenente-coronel Joaquim Xavier das Neves, que formava

Desterro – Debret.

entre os liberais exaltados. Ao receber o recém-eleito presidente da República Juliana, Andrea lhe disse:

> Mandei buscá-lo para transmitir um abraço que lhe envia o regente em nome de Sua Majestade, o imperador... E agora que já recebeu o abraço, ouça o que eu tenho a dizer-lhe. Sua cabeça responderá por qualquer tentativa de subversão que houver na capital. Dou-lhe a cidade por menagem*. Pode retirar-se.[2]

* Menagem, s.f. Prisão fora do cárcere ou sob a palavra do preso; (ant.) homenagem. *Dicionário Brasileiro da Língua Portuguesa*, p. 475 (PM).

[2] Brasil Gerson, *Garibaldi e Anita*, *op. cit.*, pp. 69-70.

Humilhando ainda mais o vacilante opositor, nomeou-o para a Guarda Nacional e passou a chamá-lo de colega. Neves, que tivera dezessete dos 22 votos dos vereadores de Laguna, não assumiu a presidência, mas ganhou uns versinhos:

Conheceu o presidente
A certeza do ditador
Fazer de ladrão fiel
É de ótimo resultado.

Da eleição da Laguna
O presidente avisado
Desde logo com astúcia
Fez do Neves delegado.

É certo coisa de valia
Um abraço do regente
Pois faz virar, num momento,
A casaca a muita gente.

Transmitido em palácio
O abraço memorável,
Ficou do Neves então
A cabeça responsável.

Assim deu fim o *Tio Chico*
À trama da capital,
Todos à ordem chamando
Sem ser preciso edital.[3]

Tio Chico soube ser curto e grosso também com os bajuladores, como Joaquim Coelho. O chamado *Pé-Leve* (tinha pés enormes) se ofereceu para denunciar os republicanos. Andrea encarregou-o de fazer a lista de todos os farroupilhas, "de forma que não escape um único". *Pé-Leve* voltou depressa com a relação. O presidente pediu ao ordenança uma vela acesa e convocou o delator: "Agora, ajude-me o patrício a queimar todos os farrapos".

---

[3] Lindolfo Collor, *op. cit.*, p. 230.

Assim que o papel virou cinza, despachou *Pé-Leve*: "Já que estão queimados todos os farrapos e deles não havendo mais a temer, raspe-se o meu patrício e não me tome mais o tempo".

Davi Canabarro não tinha o mesmo jogo de cintura. Promovido a general do Exército Catarinense em setembro, por um dos primeiros decretos da República Juliana, só pensava na guerra. Rapidamente decepcionou-se com Laguna: para ele, a cidade não tinha gente capaz de lutar nem de cuidar dos negócios do Estado. E para as operações militares lhe faltavam homens, armas e dinheiro. Até os amigos do Rio de Janeiro, que haviam prometido enviar recursos, só lhe mandavam notícias.

A parte administrativa da República ficou a cargo de Luigi Rosseti, nomeado secretário de governo. Foi ele quem redigiu os atos elevando Laguna à categoria de cidade, estabelecendo a bandeira juliana, incorporando Lages ao novo Estado, abolindo os impostos sobre o comércio do gado e a indústria pastoril.

Todos os decretos começavam com *Liberdade, Igualdade, Humanidade*, mas os soldados farroupilhas, na sua maioria peões das estâncias gaúchas, desprezaram as três partes do lema. Agiam como os donos da cidade, botando lenha na fogueira da rivalidade entre catarinenses e gaúchos, que perdura até hoje.

O exército republicano começou a ser empurrado de volta para Laguna no dia 27 de setembro, quando foi expulso de Garopaba e Massiambu pelos imperiais. Isso só multiplicou os atos de vandalismo contra os catarinenses e fez surgir, por todo lado, descontentes e queixosos.

O próprio Garibaldi reconheceria em suas memórias a mudança no ânimo da população local: "Os habitantes nos trataram como irmãos e libertadores, título que, desgraçadamente, não soubemos justificar enquanto estivemos nessa povoação amiga".

Durante uns poucos dias, ele e Anita tiveram uma vida quase normal. Francisca Fernandes Viana, que mais tarde cuidaria dos sobrinhos dela, ouviu da mãe relatos sobre as alegres noitadas do casal na casa da família de Anita, embaladas por modinhas e canções.

Um baile em Laguna

Nessas festinhas, era comum dançar, como se vê na interessante e mordaz descrição de um baile representativo dos hábitos da gente catarinense nessa mesma época, final da década de 1830, na cidade de Desterro. A descrição é de Carl Seidler:

> Não decorrera meia hora, começaram a aparecer homens, mulheres e raparigas, todos em traje noturno, com muitas fitas multicolores e todos ao que parece muito contentes com a nossa visita noturna. Por fim regressou também o dono da casa, acompanhado dumas dez raparigas levianas e levemente vestidas e um espanhol desgarrado, no qual bem se adivinhava, pelos olhos a nadarem num luar escuro, o alcoviteiro e bandido. Trazia ele um velho bandolim francês, muito remendado, com o qual pretendia depois acompanhar o canto, ou antes o choro das mulheres velhas, durante as danças.
>
> A princípio tudo estava meio rígido e cerimonioso, somente nós alemães palestrávamos e nos distraíamos desembaraçadamente com o sexo às vezes não belo; os brasileiros se conservavam como se não soubessem abrir a boca e não quisessem dar palavra ao próximo. Mas depois de esvaziadas diversas garrafas de cachaça, repentinamente desembaraçou-se a língua aos homens e às mulheres, de tal maneira que ao mais calmo observador pareceria que queriam depressa ressarcir o tempo perdido. [...] A fala em voz alta, exultantes, os convivas se dispõem em duas fileiras e começa o baile mais indecente que jamais eu tive a honra de ver, ao som harmonioso daquele infernal moinho de café, acompanhado por palminhas das damas e seu cantante vozerio. As mais repugnantes contrações musculares, obscenidades murmuradas em voz baixa ou cantadas alto ao compasso da música, contatos cadenciados e nojentas concretizações de atitudes dos mais lúbricos desejos caracterizavam todos os movimentos. Uma européia teria corado de vergonha à contemplação de tais cenas, mas as nossas belas, divertidas filhas de pescadores parece que não achavam, apenas sentiam extraordinárias cócegas e grande prazer naquele folguedo reles; [...] o louco escândalo continuou até que fosse servido o almoço, que, como o jantar e a ceia, era constituído unicamente de peixe.[4]

De todo modo, a dupla teve pouco tempo para festas. Cinco dias depois de desembarcar, Garibaldi foi novamente convocado pelo general Canabarro. A vizinha

---

[4] Carl Seidler, *Dez anos de Brasil* (São Paulo/Belo Horizonte: Edusp/Itatiaia, 1980), pp. 247-248.

vila de Imaruí hasteara a bandeira do Império, demonstrando sua rejeição ao novo regime. E o comandante dos farrapos resolveu aplicar uma punição exemplar.

Garibaldi atravessou a laguna e desembarcou a 3 milhas do povoado, pegando seus defensores de surpresa. Na seqüência, os farrapos fizeram um estrago em Imaruí:

> Creio que, por mais que existam prolixos relatos de fatos como esse, é impossível narrar em detalhes toda a sordidez e a infâmia. Nunca vi uma jornada de tanto desgosto e tanta náusea para a família humana. Meu esforço e incômodo para refrear pelo menos a violência contra as pessoas naquele dia nefasto foram imensos e consegui isso, à força de golpes de sabre, e sem cuidar da minha vida. Mas em relação ao roubo de toda espécie não pude evitar uma terrível desordem. Não adiantou a autoridade de comando, nem os ferimentos usados por mim e pelos poucos oficiais conseguiram domar a desenfreada cupidez. Deus me perdoe, mas não tive em toda a minha existência acontecimentos que me deixassem tão amarga recordação como o saque de Imaruí.[5]

O único fato relatado por Garibaldi já mostra o tipo de gente que ele comandou nesse dia: um soldado alemão corpulento e querido da tropa morreu em combate. Ao invés de enterrá-lo na vila, os soldados pediram para levar o cadáver, de modo que tivesse uma sepultura digna em Laguna. Garibaldi concordou. Caminhava pelo convés quando viu luz no porão; desceu e encontrou o defunto estendido sobre uma mesa, cercado de bêbados, que jogavam, sobre o corpo, o resultado do butim.

No mesmo dia, 9 de novembro de 1839, Canabarro escreveu uma carta ao general Antônio Neto, um dos chefes da República de Piratini. O documento, que acabou interceptado pelos imperiais, era uma coleção de queixas:

> As fileiras desta República contam com um diminuto número de catarinenses: na vanguarda, sete lagianos, de cento e tantos, e trinta lagunenses; o batalhão de guardas nacionais desta cidade anteontem contava trezentos homens e ontem cento e tantos. Onde irá fazer termo a falta de brio e desalento desses homens? Não tem limites: nasceram para escravos, salvo honrosas exceções.[6]

---

5 Giuseppe Garilbaldi, *Memorie de Garibaldi*, cit., p. 61.

6 Lindolfo Collor, *op. cit.*, p. 272.

Em Laguna, o padre Vilela de Araújo – o mesmo que havia celebrado o *Te Deum* em homenagem aos farrapos – e o major Francisco Gonçalves Barreiros lideravam os insatisfeitos. Canabarro e seus homens bateram pesado: prenderam setenta pessoas, entre elas os chefes. Quando os imperiais recuperaram Laguna encontraram o cadáver do padre na barra junto à fortaleza, com os olhos arrancados e cheio de punhaladas. O major Barreiros também foi executado – e castrado.

A situação se deteriorou rapidamente. Parte da população abandonou a cidade, e Garibaldi começou a preparar a defesa e, ao mesmo tempo, a transportar algumas tropas para o lado sul do canal. O forte estava em condições tão precárias que seus seis canhões foram deslocados para a encosta próxima ao canal da barra. Debaixo deles, foi montada uma linha com 1.200 atiradores, protegidos pelas pedras. Os seis barcos republicanos receberam ordens de formar um semicírculo.

Almirante Mariath.

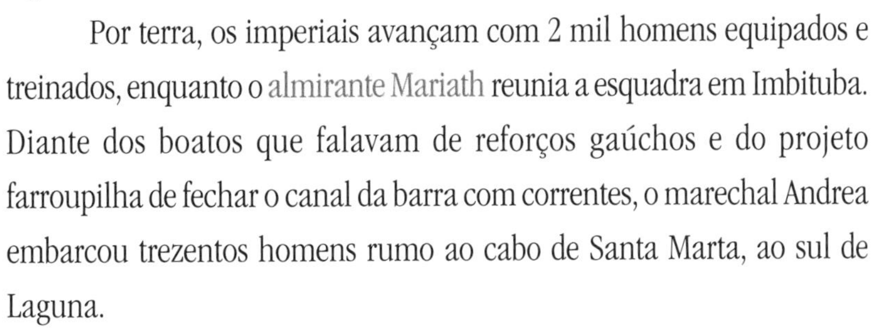

Por terra, os imperiais avançam com 2 mil homens equipados e treinados, enquanto o almirante Mariath reunia a esquadra em Imbituba. Diante dos boatos que falavam de reforços gaúchos e do projeto farroupilha de fechar o canal da barra com correntes, o marechal Andrea embarcou trezentos homens rumo ao cabo de Santa Marta, ao sul de Laguna.

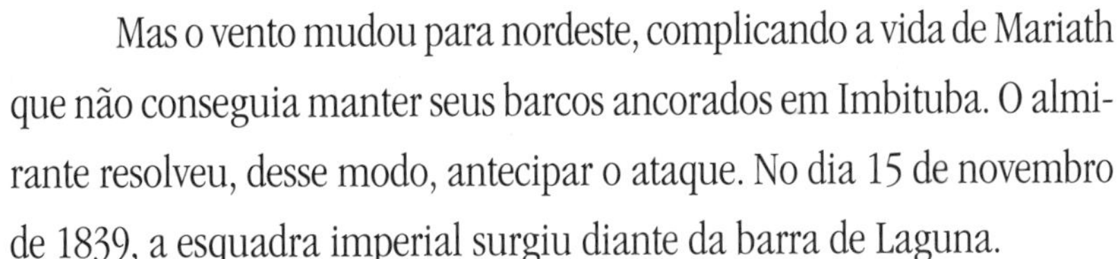

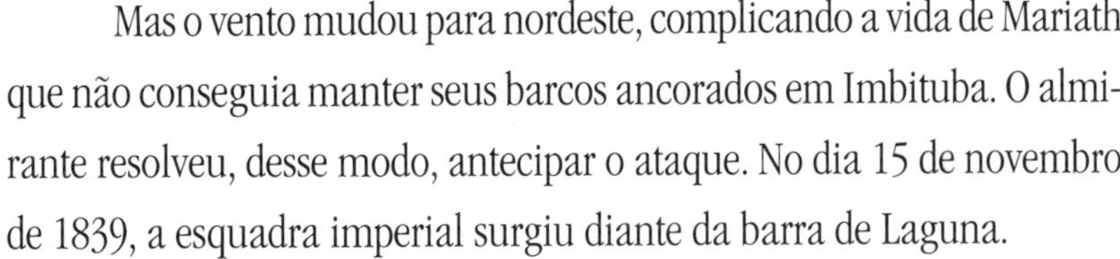

Mas o vento mudou para nordeste, complicando a vida de Mariath que não conseguia manter seus barcos ancorados em Imbituba. O almirante resolveu, desse modo, antecipar o ataque. No dia 15 de novembro de 1839, a esquadra imperial surgiu diante da barra de Laguna.

Enquanto isso, a vanguarda dos farrapos se retirava da cidade, transportada pelos barcos de Garibaldi. Do amanhecer até o meio-dia, ele usou todos os barcos possíveis nessa tarefa. Depois subiu num morro para ver por onde andavam os barcos imperiais.

Comandados por Mariath, eles apareceram por volta das duas da tarde. Passaram a 30 metros do forte erguido sobre a Pedra Alta, na boca da barra, apesar do ataque dos canhões, e demoraram quinze minutos cada um para cruzar a linha de tiro armada por Garibaldi. Vinham em dois grupos: na frente, três canhoneiras e quatro lanchões. Atrás, os brigues-escuna *Eolo* e *Cometa*, os patachos *Desterro* e *São José* e as escunas *Bellico* e *Bella-Americana*. Os brigues-escuna *Callíope* e *Patagônia* haviam sido mandados para o cabo Santa Marta, para simular um desembarque.

Antes de sair da montanha, Garibaldi advertiu Canabarro que o inimigo ia forçar a entrada da barra e insistiu para que agissem rápido. Seja por indecisão, seja porque as tropas precisavam comer e descansar um pouco, o general não armou a defesa, confiando apenas na bateria de canhões situada na boca oriental da barra – que não deu conta do recado.

Quando Garibaldi chegou ao *Rio Pardo*, o combate já havia começado:

> Eu desci a montanha e fui celeremente para o meu posto a bordo do *Rio Pardo* e soube que a minha incomparável Anita, com intrepidez solitária, havia disparado, tendo feito ela mesma a pontaria, e animava com a voz a tripulação desanimada.[7]

Favorecidos pelo vento e pela corrente, os imperiais ancoraram à distância de um tiro de canhão e continuaram a disparar sobre os republicanos. Garibaldi resolveu mandar Anita procurar o general Canabarro em busca de reforços e determinou que ela ficasse por lá. Pouco depois, viu o bote com dois remadores cruzando a barra de volta e sua mulher na proa, em pé, afrontando as balas. Anita assumiu pessoalmente a tarefa de transportar os feridos e as munições dos barcos republicanos para terra e fez doze viagens.

Três horas depois do início da luta, Garibaldi constatou que tudo estava perdido. Em cada barco, só encontrava pilhas de cadáveres. João Henrique, um morador de Laguna que comandava o *Itaparica*, tinha um biscaíno (metralha redonda de ferro) atravessado no peito. De John Griggs, o americano encarregado do *Caçapava*, só restara o busto. Mas o corpo do grandalhão estava apoiado na amurada de tal modo que, visto do lado oposto, parecia vivo. Junto com Anita, Garibaldi pôs fogo nos navios e escapou no mesmo bote em que ela levara os feridos.

Os republicanos perderam 69 homens. Não sobrou um só oficial e três barcos encalharam na praia. Com algum exagero, o almirante Frederico Mariath descreveu assim a batalha, em ofício ao ministro da Marinha:

> Em menos de uma hora estava o inimigo derrotado, vencido e algumas embarcações em fuga; eles se achavam ao pé da fortaleza em semicírculo, tendo as escunas de guer-

---

[7] Giuseppe Garibaldi, *Memorie di Garibaldi: In una delle redazioni anteriori alla definitiva del 1872*, cit., p. 51.

ra *Itaparica*, *Libertadora*, *Caçapava* e as canhoneiras *Lagunense* e *Sant'Ana*, além do *Seival*, as quais, fugindo, em breve tempo foram presas da escuna *Bella-Americana* e lanchões números 1 e 3, sem que se pudesse apanhar as guarnições por fugirem por cima dos baixios. Mandei abordar as embarcações, porém o inimigo pegou fogo nas escunas *Itaparica* e *Libertadora*; contudo atalhou-se o fogo de um patacho novo e a escuna *Caçapava* foi ao fundo pelos rombos que recebeu, porém já está sobre fundas para ser levantada. Completa foi a nossa vitória e derrota dos inimigos; pois até foram mortos todos os comandantes, menos o seu chefe José Garibaldi. [...] Toda essa gloriosa ação nos custou dezessete mortos e 38 feridos de nossos bravos companheiros; o aparelho das embarcações, todo cortado.
Deus guarde a V. Excia. por muitos anos. Bordo do patacho *Desterro*, surto na Laguna, 23 de novembro de 1839.

Ass. Frederico Mariath[8]

Anos mais tarde, depois de ter lido o folhetim de Alexandre Dumas, publicado em 1860 pelo *Correio Mercantil*, do Rio de Janeiro, Mariath escreveu dois artigos. Fez algumas correções na versão baseada nas lembranças de seu adversário, mas reconheceu:

Garibaldi, seja dito em abono da verdade, desenvolveu nessa ocasião uma coragem digna de inveja. Não devo deixar despercebido o projeto que, Garibaldi diz, formara, de ir ele mesmo incendiar a esquadra imperial e isso quando já estava derrotado. Foi muito feliz em não obter para isso concessão de seu general. Se tal coisa empreendesse, talvez não lhe restasse tempo de escapar-se em um pequeno bote com a sua heroína.[9]

Às cinco da tarde daquele 15 de novembro, a esquadra de Mariath entrava na barra e fundeava no porto de Laguna, enquanto as tropas imperiais chegavam aos limites da cidade. Era o fim da República Juliana. Os catarinenses compuseram versinhos que narram o ocorrido:

Os farrapos já diziam
que a Laguna era sua...

---

8 Henrique Boiteux, *Anita Garibaldi*, cit., p. 84.

9 Wolfgang Ludwig Rau, *Anita Garibaldi, perfil de uma heroína brasileira* (Florianópolis: Edeme, 1975), p. 157.

Soldados do Império.

Chegou a tropa da Ilha,
Toca farrapo pra rua...

Que é do nosso Canabarro?
Que é dele? Que fim levou?
De fraldinhas de camisa
Que o vento sul carregou.[10]

Canabarro reuniu suas tropas no Camacho. Dez dias depois, partia em direção ao Rio Grande. Anita e Garibaldi iam junto: começava uma nova fase na vida dos dois.

O destino do *Seival*

O barco que levou Garibaldi até Anita encalhou na praia e ali ficou. Mais tarde, transformado num iate mercante, com o nome de *Garrafão*, voltou a navegar por muitos anos, até ser novamente abandonado na praia da Laguna, onde apodreceu. Foi queimado em 1916, merecendo um necrológio num jornal da cidade.

No final da Primeira Guerra Mundial, José Ricardo Nunes, piloto da Marinha Mercante, foi pescar junto aos destroços e percebeu que uma figueira brava começava a brotar na quilha do *Seival*. Sugeriu a seus amigos lagunenses que levassem a árvore de Anita para a cidade. E lá está ela hoje, desgastada pelo tempo, mas viva.

[10] Lucas Alexandre Boiteux, *A marinha imperial na Revolução Farroupilha*, cit., p. 54.

O *Seival* como *Garrafão*.

O *Seival* vira ruína.

A árvore de Anita.

Curitibanos

Entre as não poucas peripécias de minha vida procelosa não deixei de ter bons momentos e, embora não parecesse, assim era aquele no qual, à testa de poucos homens, saídos de muitas lutas e que justamente tinham merecido o título de valorosos, eu marchava a cavalo com a dona da minha alma, digna da admiração universal e lançando-me em uma carreira que, mais que a do mar, tinha para mim atrativos imensos. O que me importava não ter outra roupa além da que me cobria o corpo, ou de servir a uma pobre República que não podia pagar a ninguém?
Eu tinha um sabre e uma carabina, que levava atravessada diante da sela. A minha Anita era meu tesouro, não menos fervorosa que eu pela sacrossanta causa do povo. Ela encarava as batalhas como brincadeiras e as privações da vida do campo como um passatempo. Por isso, fosse como fosse, o amanhã parecia sorrir afortunado e os espaçosos desertos americanos, mais agradáveis e belos. Além disso, me parecia que cumprira meu dever nas diversas e perigosas ações de guerra. Marchamos em retirada até Torres, limite das duas províncias, onde acampamos. O inimigo contentou-se com a posse de Laguna e não nos seguiu.[1]

Garibaldi e seu "tesouro" não ficaram em Torres. Seguiram para a serra gaúcha, controlada pelos farrapos e ameaçada pelos imperiais, junto com as tropas do coronel Teixeira. No primeiro confronto, no passo de Santa Vitória, dia 13 de dezembro, vence-

---

[1] Giuseppe Garibaldi, *Memorie di Garibaldi: In una delle redazioni anteriori alla definitiva del 1872*, cit., p. 52.

ram a divisão imperial comandada pelo coronel Acunha, que morreu no monte Pelotas. "Anita, sobre um cavalo", escreveu Garibaldi, "foi uma espectadora desse encontro."

Os lanceiros negros

O combate de Santa Vitória foi um dos muitos momentos em que a luta se decidiu pela ação dos "lanceiros negros" comandados pelo gaúcho de Canguçu, Joaquim Teixeira Nunes. Ele aprendeu a luta como alferes da chamada "Artilharia Montada Guarani" na Guerra da Cisplatina, em que a gauchada mestiça já manobrava com mestria o cavalo e a lança, como seus antepassados de algumas tribos guaranis. O esquadrão que montou ao longo daquela guerra ficou conhecido como "lanceiros negros" pelo óbvio motivo de que a maioria de seus membros eram escravos. Nas guerras do Sul, aliás, era muito comum negros trocarem a escravidão pelo alistamento. Para enfrentar o Paraguai, esses combatentes seriam decisivos. O passo de Santa Vitória era uma garganta de pedra onde uma parte das forças legais estava entrincheirada; depois de enfrentar corajosamente com suas lanças os primeiros imperiais, os lanceiros negros apearam e saltaram para dentro da garganta, para exercitar outra prática bélica que faria a delícia das tradições gaúchas: o combate com adaga, com hábeis manejos e golpes mortais.

Os farrapos fizeram muitos prisioneiros e asseguraram o controle sobre Lages, Vacaria e Cima da Serra. Em janeiro de 1840, ao lado do marido, Anita entrou triunfante em Lages, a tempo de, no dia 24 de dezembro, assistirem à missa do galo na igreja onde os pais dela haviam se casado.

Mas, em Palmeira das Missões, o coronel imperial Melo de Albuquerque, conhecido como *Melo Mole* (para distingui-lo do irmão, o *Melo Bravo*), reuniu quinhentos homens da cavalaria e colocou-os no rumo de São Paulo, sem ser importunado.

Anita, Garibaldi e as tropas do coronel Teixeira estavam bem no caminho. O coronel farroupilha não sabia por onde o inimigo atacaria e dividiu seu pessoal: mandou a elite da tropa para Vacaria, enquanto ele mesmo, comandando 480 homens, foi para Curitibanos.

Cenário da batalha de Curitibanos.

O esquadrão era composto basicamente pela infantaria, mas incluía os 150 comandados de Garibaldi e muitos dos prisioneiros capturados em Santa Vitória. Depois de três dias de marcha, os farrapos acamparam em Curitibanos, a pouca distância do passo da Maromba, por onde imaginavam que os imperiais deveriam chegar. E foi exatamente por ali que vieram os inimigos. Apareceram por volta da meia-noite do dia 12 de dezembro, mal dando tempo aos homens encarregados de tomar conta do passo de recuarem, sob fogo intenso.

Pela manhã, as tropas do coronel Melo cruzaram o rio Marombas e se enfileiraram numa elevação próxima. Garibaldi achava que o coronel Teixeira, em situação de inferioridade, deveria ter pedido reforços, mas o comandante dos farrapos foi ao ataque.

Diante de uma carga de infantaria com que os republicanos tentavam se aproveitar dos obstáculos do vale, os imperiais fingiram que estavam se retirando. Era uma armadilha: a maior parte da cavalaria deles estava escondida nos arredores e, quando a infantaria chegou perto, recebeu um ataque lateral e teve de retirar-se desordenadamente.

Depois de muita luta, os imperiais recuaram, deixando um morto e alguns feridos. Do passo da Maromba, o major Jacinto, comandante da vanguarda farroupilha, viu bois e cavalos do inimigo cruzando o rio e concluiu que eles estavam se retirando. Avisou o coronel Teixeira, que não teve dúvidas: pôs o resto dos cavalos a trote e atacou, ordenando a Garibaldi que a infantaria o seguisse, o mais depressa possível.

Por 15 quilômetros, a cavalaria farroupilha perseguiu os inimigos, trocando golpes de sabre e de lança a torto e a direito, afastando-se muito de sua infantaria. Era outra manobra do exército imperial.

O primeiro pelotão a perceber a arapuca estava com suas lanças a centímetros das costas dos adversários. Quando os farrapos se deram conta, era tarde demais. Em poucos minutos, a cavalaria – boa parte composta pelos prisioneiros – debandava.

Garibaldi percebeu que seria um massacre; chamou uma dúzia dos marinheiros mais intrépidos e ocupou uma elevação protegida pela mata e por pedras grandes. Dali começaram a atirar. Chegaram em seguida o coronel Teixeira e alguns ajudantes. Ao todo, 73 homens isolados continuaram combatendo. Era preciso, no entanto, encontrar um lugar mais seguro que permitisse a retirada.

A 1 quilômetro e meio, havia um capão de mato. Atacados pelos imperiais e defendidos pelas balas das carabinas empunhadas pelos oficiais, os farrapos conseguiram alcançá-lo. No meio da mata havia uma clareira e ali ficaram, de armas em punho, esperando escurecer. Durante a noite partiram rumo a Lages, carregando os feridos.

A situação era tão tensa que quando um cavalo selado saiu correndo pela mata, um dos homens gritou: "O inimigo!". A debandada foi geral, exigindo horas para reunir os soldados novamente. Muitos não foram localizados. Ao amanhecer, estavam já na orla da floresta, rumo a Lages.

A viagem demorou quatro longos dias. Só comeram raízes de plantas e o desânimo era tamanho que Garibaldi reuniu a tropa e liberou os que queriam partir, numa manobra arriscada que conteve as deserções.

No quinto dia alcançaram a picada que levava a Lages. Tomaram uma casa ocupada pelos imperiais, mataram dois bois e fizeram dois prisioneiros. Chegaram à cidade exaustos e encharcados, sob um dilúvio.

O episódio todo ocupa oito páginas das memórias de Garibaldi, mas nem uma única vez ele menciona o nome de Anita. Nada a estranhar, se em Curitibanos ela não tivesse vivido um dos mais fantásticos episódios de sua vida.

Memórias turbulentas

A mais importante fonte de informação sobre a vida de Garibaldi são as memórias. Tem mais pontos de exclamação do que parágrafos. Sua trajetória não foi documentada como a de outras figuras históricas da mesma dimensão, seu grupo dissolveu-se sem deixar arquivos, suas batalhas não seguiam nenhum plano preestabelecido que permitisse recriá-las e ninguém anotava seus passos. Em suas cartas, deixou de lado experiências pessoais.

O general redigiu suas memórias várias vezes, algumas delas com a ajuda de escritores profissionais. Em 1849, quando em Tânger começou a remexer em suas lembranças, tinha fugido da Itália, acabara de perder Anita e vivia uma pausa em sua vida atribulada. Caçava, pescava, fabricava cigarros e velas de barcos. Nas muitas horas vagas, numerou e preencheu centenas de folhas de papel comum de carta, do começo ao fim, com sua própria caligrafia, inicialmente firme e clara e depois prejudicada pela artrite que o incomodava.

Escrever nunca lhe foi fácil – tropeçava sempre na pontuação. É bom lembrar que seu primeiro idioma foi o dialeto falado em Nice e o segundo, o francês. Mais tarde, passou anos se expressando em português e espanhol. Ao trafegar de uma língua para outra, foi acumulando vícios, como o de colocar um ponto de interrogação no início das frases interrogativas, típico do espanhol.

Em 1850, quando trabalhava numa fábrica de velas em Nova York, entregou o primeiro calhamaço a seu amigo Theodore Dwight. Três anos mais tarde, tendo passado antes pelo cabo Horn, pela China e pelo Peru, no comando de um veleiro, trouxe-lhe mais páginas. Dwight verteu o texto todo para o inglês e publicou-o nos Estados Unidos em 1859.

Nesse mesmo ano, já na ilha Caprera, perto da Sardenha, onde foi morar, o general corrigiu e modificou essa primeira parte. Cometeu erros e lapsos, passando, deliberadamente, por cima de períodos inteiros de sua vida. Em 1869 chegou a mandar um manuscrito para publicação e em 1871 resolveu não publicá-lo.

Quando o escritor francês Alexandre Dumas, pai, conheceu o memorialista iniciante, entusiasmou-se: "Ele é Ajax e D'Artagnan em um só. Ele é Garibaldi!".

O fã fez com que seu ídolo lhe entregasse os manuscritos, voltou a Paris, reescreveu o material e publicou-o primeiro, entre 30 de maio e meados de junho de 1860, no *Le Siècle*, jornal da oposição democrática, e depois em livro. Manteve o narrador na primeira pessoa, mas acrescentou cenas, climas, diálogos, grandiloqüências.

Uma terceira versão das memórias foi feita em alemão. Na capa do livro aparecia o nome de Elpis Melena – "Esperança Negra" em grego –, pseudônimo da baronesa Marie Espérance von Brandt. Ela nascera em Southgate, no condado de Hertford, na Inglaterra, dia 8 de novembro de 1818, filha de um banqueiro inglês. Viveu na Itália, Alemanha, Grécia, Creta e Suíça. Em 1838, seu primeiro marido se suicidou. Casou novamente, com um alemão, mas a união não durou três anos. Mudou-se para Roma,

onde sua casa era freqüentada por Franz Liszt e outros ricos e famosos. Só conheceu Garibaldi bem mais tarde na ilha Caprera. Tornaram-se grandes amigos e trocaram centenas de cartas. Dizem as más línguas que ele a pediu em casamento várias vezes.

Na opinião do pesquisador italiano Ugoberto Alfassio Grimaldi, nenhum dos co-autores do general foi suficientemente fiel ao trabalhar suas memórias:

> Todos os três são escritores, que não apenas traduziram, mas reelaboraram, embelezaram o texto. Dumas é também romancista. Speranza é francamente enamorada dele, provavelmente, de acordo com o historiador Denis Mack Smith, a mulher mais importante de sua vida, depois de Anita. São dois tradutores fantasiosos e adoravelmente infiéis. Por isso, uma parte da lenda de Garibaldi deve-se a eles também.[2]

O verdadeiro manuscrito de Garibaldi jamais foi um *best-seller* e tem, por si só, uma história bizarra. Em 1874, depois de ter hipotecado sua ilha Caprera a um inglês por 300 mil liras, para cobrir dívidas de seu filho Menotti, o general encarregou seu médico particular de vender os direitos sobre o texto por 200 mil liras. Mas não havia comprador e a tentativa de envolver o governo italiano na manobra acabou dando errado.

Depois da morte de Garibaldi, o material, já de propriedade dos filhos Menotti e Ricciotti, foi vendido para a Editora G. Barbèra, de Florença, que o manteve engavetado até 1888.

Em 1907, centenário do nascimento do general, uma tentativa de reeditar o texto acabou nas barras dos tribunais e o manuscrito propriamente dito foi vendido para o Arquivo do Estado de Roma. O valor apurado – 11.600 liras – serviu para pagar as custas do processo.

Grimaldi encontrou referências constantes nas memórias – entre elas, o amor pelas mulheres:

> E não apenas pela mãe e por Anita. Seu coração palpita por todas as mulheres que encontra, naquela que foi chamada de "a alegre expansão erótica" de Garibaldi. Seus sentimentos não são mais mascarados, em claro e escuro, são francos. Suas mulheres são boas e maternais, patrióticas e corajosas. "Oh, a mulher", escreve Garibaldi, "que ser extraordinário! Mais perfeita que o homem".[3]

---

[2] Ugoberto Alfassio Grimaldi, *Giuseppe Garibaldi: l'autoritratto* (Milão: Critica Sociale, 1985), p. 5.

[3] *Ibid.*, p. 7.

Apesar de tanta admiração, ele reservou a Anita mais pontos de exclamação do que parágrafos. Definiu a experiência dela em Curitibanos como "um dos grandes reveses na sorte da guerra", mas só se lembrou de descrevê-la no começo de um apêndice de suas memórias reservado a pequenas biografias de seus companheiros de luta.

Corrigiu a injustiça pelo menos uma vez, durante a retirada de Roma. Na presença da mulher, que chegara à cidade inesperadamente, elogiou sua coragem e comemorou o desfecho feliz do episódio, de acordo com o diário deixado pelo coronel Gustav von Hoffstetter, de seu Estado-Maior.

Na batalha de Curitibanos, no planalto catarinense, Anita já estava grávida. O que não a impediu de comandar o transporte de munições entre a retaguarda e as posições avançadas. Nessa tarefa, acabou cercada por um batalhão inimigo.

> Anita poderia ter acelerado o passo de seu cavalo e se distanciado rapidamente dos perseguidores, mas sua alma parecia impermeável ao medo. Só quando os inimigos a rodearam e fugir parecia impossível é que ela esporeou o cavalo para cair fora. Por um instante pensou que sua agilidade a salvara, mas, quando uma bala cortou seu cabelo e, um momento depois, uma segunda bala derrubou seu cavalo, concluiu que era impossível escapar. Rendeu-se e foi levada ao campo inimigo como prisioneira.[4]

·ada por onde Anita deve ter passado.

Quando foi apresentada ao coronel Melo, encontrou um velho conhecido: o sargento-mor João Gonçalves Padilha, conhecido como *Padilha Rico*. Segundo Lindolfo Collor e outros autores, ele havia sido rejeitado por Anita em Laguna, alguns anos antes, e teria sido grosseiro com a prisioneira.

O que ela efetivamente passou entre os imperiais, jamais saberemos. Vinte e um anos mais tarde, em Porto Alegre, o marechal Leite de Castro ouviu de *Melo Mole* sua versão do caso. O comandante dos imperiais definiu o epi-

[4] Elpis Melena, *Garibaldi's memoirs*, cit., p. 163.

sódio como "o mais honroso de minha longa vida e o principal enfeite da minha fé de ofício":

> Os meus oficiais, especialmente os que estavam na vanguarda, me referiram que Anita era a combatente com a espada em punho e, com seus lindos cabelos flutuantes, que mais se expunha às nossas balas; que mais trabalhava pela vitória de seu marido, tendo até por vezes posto em dúvida a sorte de minhas forças.
> Finalmente, vendo reduzido o número de seus bravos soldados pela morte de muitos e ferimentos de outros, e vendo-se completamente cercada pelos meus comandados, deixou-se aprisionar, seguida de alguns combatentes.
> Quando me foi apresentada, estava malvestida, desgrenhada, bem como com a voz embargada devido à tremenda luta e ao fato de ficar separada de seu marido; via-se que ela padecia horrivelmente, tendo por tudo conquistado a minha admiração, como a de meus comandados, por nunca termos pensado ver uma mulher tão valorosa, tendo-nos enchido do maior orgulho, porque era uma catarinense, uma compatriota que dava ao mundo tão sublimes provas de valor e intrepidez.
> Apesar de todo o conforto que lhe forneci, apesar de todas as garantias de vida que lhe concedi com a melhor boa vontade, apesar de lhe haver dado todo o acampamento por menagem, ficando assim em plena liberdade; apesar, ainda mais, da promessa que lhe fiz de restituí-la a seu esposo na primeira oportunidade, a denodada Anita com uma pasmosa coragem conseguiu fugir em noite tenebrosa.[5]

Tempos depois, no Uruguai, quando relatou a Anita a prisão da mulher de um general adversário, Garibaldi escreveu: "Tratei melhor a mulher de Lavalleja do que o foste em Curitibanos". Ele também assegura que ela recusou "todo gesto que revelava insolência e menosprezo pelos republicanos".

No acampamento imperial corria a notícia de que ele estava morto. Ao ficar sabendo, Anita pediu a *Melo Mole* para ir procurar o corpo do marido. Havia pelo menos sessenta cadáveres espalhados pelo campo e ela examinou-os um a um. Teve certeza de que ele estava vivo e, aproveitando o fato de seus captores estarem embriagados, escapou a pé, embrenhando-se na mata, durante a noite chuvosa.

---

[5] Henrique Boiteux, *Anita Garibaldi*, cit., p. 128.

Só quem conhece as imensas florestas que recobrem a serra do Espinhaço e que são conhecidas por suas taquaras colossais, estes verdadeiros pilares desse magnífico templo da natureza, pode imaginar as dificuldades que essa corajosa brasileira teve de enfrentar em sua fuga de Curitibanos a Lages, numa distância de mais de 60 milhas. Os raros moradores dessa região eram geralmente hostis aos republicanos e desde as últimas derrotas republicanas deram para emboscar os fugitivos nos pontos mais perigosos.[6]

A fuga de Anita.

Há muitas histórias sobre essa fuga – conflitantes, imprecisas, heróicas sempre. No rio Canoas, a 40 quilômetros de Lages, onde pernoitara com Garibaldi, Anita teria conseguido um cavalo branco. Meio montada, meio nadando, cruzou o rio e seguiu galopando pela noite escura, usando uma espécie de poncho branco do marido, que encontrara numa casa do caminho. Assim vestida e com seus cabelos negros despenteados pelo vento, acabou por espantar os que buscavam fugitivos, que a confundiram com uma aparição.

Dois dias depois chegou a uma cabana onde havia ficado com Garibaldi e que estava vazia. Conseguiu abrigo na casa de duas solteironas, que a receberam com temor: estava vestida como homem, de poncho e chapéu. As velhinhas só mudaram a atitude quando ela ergueu a roupa e provou que era mulher.

Acabou encontrando Garibaldi perto de Lages, oito dias depois da separação. E quando o coronel Teixeira Nunes perguntou como ela havia chegado até ali, Anita respondeu singelamente: "Vim vindo, coronel. Vim vindo...".

O Capão da Mortandade

O local onde se deu o combate de Curitibanos faz parte hoje da Fazenda da Forquilha, a 18 quilômetros do centro da cidade. O historiador Aldair G. Moraes, diretor do Museu Histórico de Curitibanos, acredita que a área mudou pouco desde a

---

6 Elpis Melena, *Garibaldi's memoirs*, cit., p. 164.

época do combate. Existem árvores centenárias, grandes imbuias e caneleiras. Há muitos anos ergueu-se ali uma cruz de madeira, que ainda está em pé. Em 1991, foi colocada uma placa de bronze assinalando a cova coletiva onde estão os corpos de quase uma centena de mortos. O povo da região apelidou o lugar de Capão da Mortandade.

Cruzeiro e placa na vala comum do Capão da Mortandade.

Primeiro filho, segunda fuga

Anita não teve tempo para nada mais: agarrou o bebê de apenas doze dias, montou num cavalo, colocou a criança diante da sela e saiu a galope, debaixo do temporal, em direção à selva. Era o dia 25 de setembro de 1840 e ela estava numa casa simples, na entrada norte de São Luís das Mostardas, uma aldeia de cinqüenta casas e uma única rua muito larga e curta, onde ficava a igreja.

Garibaldi tinha ido fazer compras em Setembrina, hoje Viamão, quando Anita fugiu. Desde o reencontro, oito meses antes, eles haviam percorrido um itinerário longo e cheio de aventuras, até chegarem à casa de João da Costa, a 10 quilômetros daquele vilarejo gaúcho.

Depois da derrota em Curitibanos e da fuga pelo mato, os primeiros dias em Lages até que não foram ruins. Os moradores, que haviam restabelecido o sistema imperial quando souberam da derrota dos farrapos, deixaram a vila tão logo a tropa farroupilha voltou. Depois da vitória sobre os partidários da República, o coronel *Melo Mole* e seus 366 infantes e seiscentos cavalarianos preferiram continuar no campo do passo do rio Canoas a tentar um ataque.

Mesmo em inferioridade numérica, os farroupilhas é que acabaram tomando a iniciativa, levando os imperiais a recuarem na direção de São Paulo. Audazes na hora da luta, não sabiam manter as posições conquistadas. Sem agasalhos para suportar o frio que se aproximava e com as deserções se multiplicando, o coronel Teixeira achou melhor Garibaldi e seus homens descerem a serra do Espinhaço e encontrar Bento Gonçalves no quartel-general dos farrapos, próximo a Porto Alegre. Anita foi com eles.

Na versão de Alexandre Dumas, Garibaldi assim descreveu a caminhada:

> A retirada foi árdua, tanto em razão da dificuldade dos caminhos quanto das hostilidades dissimuladas dos habitantes da floresta, inimigos pertinazes dos republicanos. Éramos mais ou menos setenta homens. Descemos a picada do Pelofo, tendo de arrostar súbitas e reiteradas emboscadas, das quais nos desvencilhamos com uma inaudita felicidade, graças à resolução dos homens que eu conduzia e, um pouco, à incondicional confiança que geralmente inspiro a meus comandados.
>
> A vereda pela qual seguíamos era tão estreita que mal deixava passar dois homens, velada de todos os lados por barreiras indeslindáveis. O inimigo, nativo daquelas terras e conhecedor de suas particularidades, emboscava-se nos lugares que lhe eram mais favoráveis. Em seguida ele nos cercava, arvorava-se de súbito com gritos furiosos, enquanto um círculo de fogo acendia-se e crepitava à nossa volta, sem que pudéssemos ver os atiradores, felizmente mais estridentes que destros. Ademais, a capacidade admirável dos meus homens e sua coesão em face do perigo foram tais que somente alguns saíram feridos, e feridos superficialmente. Quanto aos cavalos, apenas um foi abatido.[1]

Anita safou-se incólume. Estava no início da gravidez, provavelmente resultado dos primeiros dias em Lages, por volta do Natal. Mas não teve sossego para cultivar a gestação no quartel-general dos farrapos: em abril, saiu com o marido e seus homens rumo ao passo do rio Caí, atravessando os 18 quilômetros da picada do Pareci. Outra proeza:

> Após dois dias e duas noites de marcha ininterrupta, tempo durante o qual permanecemos praticamente sem comer e sem beber, chegamos às imediações de Taquari, onde nos reunimos ao general Neto, com cujo avanço o nosso avanço convergia.
>
> Não exagero ao dizer "sem comer". Ao saber dos nossos movimentos, o inimigo avançou vigorosamente, alcançando-nos várias vezes e atacando-nos enquanto recobrávamos as nossas forças no preparo da carne assada, nosso único alimento. Assim, cada vez que a nossa carne ficava ao ponto, as sentinelas chamavam-nos às armas e não nos

[1] Alexandre Dumas, *Memórias de José Garibaldi*, cit., p. 91.

Anita, por Gerolamo Induno.

restava outra escolha senão combater em lugar de almoçar ou jantar. Finalmente fizemos alto em Pinheirinho, a 6 milhas de Taquari, e preparamo-nos para guerrear.[2]

Poderia ter sido a batalha decisiva da Guerra dos Farrapos, mas não foi. O combate de Taquari não deixou nem vencidos nem vencedores, muito embora fossem mil homens da infantaria – quase todos negros libertos – e 5 mil da cavalaria pelos republicanos, contra 4 mil infantes e 3 mil cavaleiros, pelos imperiais.

Farrapos contra imperiais.

A luta foi intensa e custou quase quinhentas baixas, entre mortos e feridos, de cada lado. Durante a noite os imperiais terminaram de cruzar o rio. Do ponto de vista dos republicanos, não havia nada a fazer, exceto pegar a estrada em direção a Porto Alegre e retomar o cerco.

Anita e Garibaldi foram para os campos de São Simão, a pouca distância de São José das Mostardas, onde o italiano deveria construir alguns lanchões, com os quais esperavam conquistar São José do Norte, dando aos farrapos um porto que acabaria com seu isolamento. Moravam numa tapera à margem da lagoa dos Patos. No começo de julho de 1840, os barcos ainda estavam sendo construídos quando Garibaldi, Rosseti e mil homens saíram novamente para atacar São José do Norte por terra, ao lado de Bento Gonçalves. Grávida de sete meses, Anita ficou no acampamento.

Depois de oito dias de marcha, caminhando 40 quilômetros por dia, famintos e enregelados, os farrapos atacaram a cidade à uma da manhã do dia 16 de julho. Às duas, sem dar quase nenhum tiro, já dominavam três dos quatro fortes que protegiam São José do Norte. Mas a vitória não estava assegurada:

> A estrela da República estava se pondo. A sorte era inimiga de nosso comandante. Assim que os soldados se viram na cidade, não pensaram em nada mais, exceto em roubar e saquear.[3]

---

[2] *Ibid.*, p. 93.

[3] Elpis Melena, *Garibaldi's memoirs*, cit., p. 50.

Nesse clima, os farrapos resolveram degolar todos os prisioneiros. Garibaldi se opôs e conseguiu salvar a vida de muitos deles. Essa prática selvagem iria se tornar uma regra do jogo da guerra pouco mais tarde.

A degola

Em 1839, na província argentina de Corrientes, oitocentos soldados das tropas de Rivera foram degolados pelos homens de Oribe – os dois generais uruguaios que tinham sido aliados políticos, poucos anos antes. A cena se repetiria tantas vezes que os soldados do ditador argentino Juan Manuel Rosas – com quem Oribe se aliara – passaram a ser conhecidos como "os tigres degoladores". Numa festa em Buenos Aires, um diplomata europeu chocou-se ao ver as paredes decoradas com desenhos que mostravam, em detalhes, os prisioneiros sendo eliminados desse modo. Os armeiros argentinos desenvolveram uma faca especial para facilitar o trabalho de cortar os pescoços. Echagüe, um dos generais de Rosas, foi além: depois de uma batalha, tirou um pedaço de pele do cadáver do adversário batido, Berón, e mandou fazer uma manta de montaria para Rosas.
Durante a Revolução Federalista de 1843, no Rio Grande do Sul, os brasileiros adotaram o sistema testado e aprovado por seus vizinhos. Na cidade de Rio Negro, a 20 quilômetros de Bagé, os rebeldes degolaram mais de quatrocentos legalistas. Havia razões práticas para a adoção do sistema: além de evitar transtornos com o transporte e a guarda de prisioneiros, permitia a prática do carcheio, que é o hábito de despojar os soldados mortos de roupas, armas e pertences para uso próprio ou para venda. A degola, desse modo, estaria ligada a outra presença constante nos combates da época, igualmente enterrada nos desvãos da história, as chamadas chinas de soldado, sobre as quais se falará adiante.

Enquanto os farrapos perdiam tempo degolando prisioneiros ou rapinando a cidade, os imperiais se recompunham e se organizavam no único forte não ocupado pelos republicanos:

> Quando nossos soldados olharam uns aos outros para reiniciar o ataque, acharam que seria impossível. Alguns estavam cheios de vinho e outros pesadamente carregados de

despojos. Outros tinham simplesmente danificado seus rifles, perdido suas pederneiras, e não fizeram nada. Os imperiais conseguiram tomar o único forte que não estava ocupado pelos farrapos – o forte imperial, numa posição chave em meio às trincheiras e que havia sido conquistado durante a noite pelas tropas farroupilhas, e o inutilizaram com uma grande explosão, que feriu muitos soldados.[4]

A vitória transformou-se em derrota rapidamente. Os farrapos se retiraram de São José do Norte. Os soldados foram para o acampamento de Bela Vista; e Garibaldi, para São José das Mostardas, reencontrar Anita e as canoas em construção.

Foi ali que nasceu Menotti, no dia 16 de setembro de 1840, com uma cicatriz na fronte, que Garibaldi atribuiu a uma queda de cavalo sofrida por Anita dias antes do parto. O bebê e a mãe foram acolhidos pela família Costa, mas o garoto não tinha enxoval e o pai resolveu ir a Setembrina – hoje Viamão –, onde estava o quartel-general dos farrapos, providenciar algumas roupas e panos.

Percorreu o caminho alagado com a água batendo na barriga do cavalo, até encontrar o capitão Máximo e seus lanceiros, escravos libertos, num local chamado Roça Velha. Ali passou a noite, debaixo de chuva. Pela manhã, como o temporal continuasse, o capitão sugeriu que Garibaldi esperasse pela estiagem, mas ele não quis. Quando tinha se afastado um pouco, escutou um som de uma fuzilaria vindo de onde havia partido, mas seguiu em frente.

Depois de comprar o que precisava, pegou o caminho de volta. Em Roça Velha, descobriu o motivo do tiroteio que escutara. Com a ajuda de barcos e da infantaria, os imperiais tinham atacado de surpresa, matando quase todos os farrapos, inclusive o capitão Máximo.

O comandante das tropas era o mesmo Francisco Pedro de Abreu, o Moringue, que Garibaldi derrotara em Camaquã. O maior caçador de farrapos tinha atacado Mostardas também. Quando chegou ao rancho, Garibaldi não encontrou ninguém: nem seus marinheiros, nem Anita, nem o bebê. Só foi localizá-los, sem saber o que fazer mas milagrosamente sãos e salvos, no começo da floresta.

Alguns dias depois, junto com Garibaldi e seus marinheiros, Anita e Menotti mudaram-se para as margens do rio Capivari – o mesmo lugar de onde o italiano

---

[4] *Ibidem*.

partira um ano e meio antes, com os lanchões sobre rodas, em direção ao Atlântico. Garibaldi agora dispunha apenas de barcos minúsculos, com os quais só não podia transportar soldados de uma margem a outra.

A guerra ia mal para os farrapos. Os combates eram cada vez mais raros e nos dois últimos, o de Taquari e o assalto a São José do Norte, eles não haviam se dado bem. Bento Gonçalves mantinha o propósito de sitiar e conquistar Porto Alegre, mas a capital farroupilha ia sendo transferida daqui para ali – passara de Piratini para Caçapava e, depois, para a estância de Luís Machado, já que não havia outra cidade ou vila onde localizá-la com segurança.

O que se multiplicava eram as negociações de paz, todas por iniciativa do governo central, todas esbarrando na insistência de Bento Gonçalves de só depor as armas depois que os imperiais se recolhessem às cidades. Em agosto de 1840, assumiu a presidência do Rio Grande o mesmo Soares Andrea que reprimira a cabanagem no Pará e expulsara os farrapos de Santa Catarina. Fez um gesto de paz, não aceito, e em novembro foi substituído pelo deputado paulista Álvares Machado.

Foi a ele que Bento Gonçalves informou que o aniversário do imperador havia sido comemorado no dia 2 de dezembro, no acampamento daqueles republicanos separatistas. O gesto de boa vontade do líder máximo dos farrapos acabou torpedeado pela reação do general Antônio Neto, que se recusou a depor as armas.

Foi nesse clima que Bento Gonçalves ordenou o recuo de seu pessoal, através da serra, na direção das coxilhas das Missões e de Alegrete. Na frente, iriam os marinheiros de Garibaldi, subordinados ao general Canabarro. Anita, mais uma vez, seguiria a tropa.

Mas Moringue apareceu para atrapalhar os planos: no dia 25 de novembro, atacou Setembrina. Rosseti comandou a defesa da vila. Foi ferido, recebeu ordens de render-se e não as acatou, sendo morto na hora. Garibaldi perdia um grande amigo. A República de Piratini, uma peça-chave.

Era um inverno particularmente chuvoso, para desespero dos republicanos. Na região de São Francisco de Paula, no planalto gaúcho, estava a coluna do general Labatut, que tinha ocupado a vila de Lages e limpado o planalto catarinense dos farrapos. Canabarro pretendia expulsá-lo do Rio Grande. Mas antes de tentar essa façanha era preciso chegar ao planalto, algo que os rios transbordantes e a chuva incessante dificultavam.

A retirada durante o inverno pelas escarpas da montanha, e com chuva quase constante, foi a mais incômoda e terrível que eu tinha visto. Nós conduzíamos algumas vacas pelo cabresto, não encontrando animais pelos caminhos que devíamos percorrer, impraticáveis pela chuva. Os inúmeros riachos transbordaram e muitas bagagens foram levadas pela correnteza. Marchava-se com chuva e sem alimento; acampava-se sem alimento e com chuva.[5]

Cavaleiros cruzam o rio Canoas.

Garibaldi conta que muitas mulheres acompanhavam o exército e eram utilizadas para levar as cavalhadas. Com as mulheres vinham crianças de todas as idades. Poucas foram carregadas pelos cavaleiros, porque só uma pequena parte dos cavalos se salvou. Garibaldi mesmo havia entrado na mata com uma dúzia de animais e no final só lhe restavam dois cavalos e duas mulas. Muitas mães morreram de fome e de frio. A referência ao drama vivido por essas mulheres é uma das raras menções à presença das vivandeiras – as chamadas chinas que seguiam junto com as tropas.

5 Giuseppe Garibaldi, *Memorie di Garibaldi: In una delle redazioni anteriori alla definitiva de 1872*, cit., p. 74.

As chinas merecem um estudo à parte, que vai exigir todo um garimpo nas margens da historiografia oficial. O desempenho de exércitos, generais e tropas costuma ser registrado com pompa e circunstância no livro dos vencedores. Mas nenhum deles sequer menciona o destino dessas mulheres que seguiam seus exércitos.

Além do episódio contado por Garibaldi, há um interessante relato do suíço Heinrich Trachsler, que serviu como soldado embarcado num navio brasileiro em 1828, como mencionado em outro capítulo. Ele narrou a história de uma mulher que acompanhava as tropas imperiais em Santa Catarina:

> Uma alta e robusta vendeira (uma irlandesa) distinguiu-se nesta marcha, entre muitos veteranos, pela sua coragem e bom humor. Esta mulher acompanhou seu primeiro marido em muitas campanhas européias. Na Batalha de Waterloo recebeu ferimentos, perdeu seu marido e esteve a serviço das tropas inglesas. A robusta amazona irlandesa, desconhecendo totalmente o costume das viúvas hindus (indo à fogueira como aquelas), não tardou em transferir suas amabilidades e ternuras a um sargento irlandês, seu patrício, com quem compartilhou prontamente a fortuna da vida militar. Concluída a paz, voltaram à Irlanda, onde ele se deixou alistar pelo coronel Cotter no serviço militar brasileiro e acabou perdendo a vida no Rio de Janeiro, durante a mencionada revolta. Em seguida, um primeiro-sargento do nosso batalhão enamorou-se dessa heroína, derramando seu sensível coração e ardentes sentimentos em seu seio, o que moveu esta a seguir nosso exército. Aos cantos e assobios trotava essa amazona irlandesa atrás do batalhão, ao braço esquerdo uma caçarola de campanha com um balaio e habitualmente, na direita, um forte bastão, seguida de duas filhas, uma com cerca de catorze anos de idade e a outra com doze, ambas graciosas peças do pecado original. Frente aos rios a vadear, arregaçava essa Vênus da Irlanda seu vestido até os ombros; seus apetrechos amarrados às costas, entrava a deusa no leito do rio, envaidecida do seu encanto provocante e indiferente aos gritos dos soldados: "Mãe, está à vista a sua inocência!". As duas crianças, sadias e ágeis como peixe, peritas em natação, atravessavam aos gritos e risadas as correntes do rio. Fixado o bivaque, era ela ordinariamente a primeira entre as mulheres dos soldados que apanhava lenha para ferver o café dos oficiais e soldados, em troco de moeda sonante ou a crédito. Aos soldados cansados, carregava freqüentemente a mochila ou fuzil e portou-se em nossas caminhadas como pessoa

prestimosa, decidida, corajosa; era, no verdadeiro sentido da palavra, a mãe dos soldados; de resto, até aos mais grosseiros inspirava certo respeito.[6]

Anita não teve um cotidiano tão divertido, na picada das Antas. Fazia frio, não havia comida e eles dormiam numa pequena tenda, carregada por uma das mulas remanescentes. Aos três meses, Menotti foi salvo por milagre. Garibaldi chegou a carregar o garoto preso ao lenço grande de gaúcho que usava em torno do pescoço, para aquecê-lo com seu hálito.

Região onde aconteceu a retirada da picada das Antas.

Quando os guias perderam a picada, ele mandou que a mulher e o filho seguissem na frente. Com eles, foi Manlio. Garibaldi jamais esqueceu esse nome e, em 1873, deu-o a seu filho com a camponesa Francesca Armosino, na Itália. Há ainda um romance escrito por ele cujo título é o mesmo.

---

6 Martim Afonso Palma de Haro (org.), *Ilha de Santa Catarina: relatos de viajantes dos séculos XVIII e XIX*, cit., p. 323.

Para ir mais depressa, Anita se alternava em dois cavalos. Não havia comida e a vida do garoto dependia da rapidez com que pudessem deixar a floresta e encontrar alimento.

> Os dois cavalos que carregavam Anita alternadamente e a coragem sublime daquela minha companheira valorosa salvaram o que de mais caro eu tive na vida. Essa conseguiu deixar a picada e, por sorte, encontrou alguns homens com um fogo aceso, o que nem sempre se podia conseguir, por causa da chuva que parecia um dilúvio e pela pobre condição a que nós tínhamos sido reduzidos.

> Meus companheiros, que tinham conseguido enxugar alguns panos, pegaram o menino que todos amavam, o envolveram, o aqueceram e fizeram com que voltasse à vida, quando a pobre mãe já pouco esperava daquela tenra existência.[7]

---

[7] Giuseppe Garibaldi, *op. cit.*, p. 75.

Os soldados foram atrás de comida para Anita, que nem leite tinha para dar ao filho. Garibaldi não conseguiu salvar as mulas, por mais que tentasse, alimentando-as com folhas de taquara.

Nos nove dias de travessia, Garibaldi e seus homens perderam quase todos os cavalos e encontraram pela selva peças de artilharia deixadas pelo general Labatut, que fugira antes. Mas não conseguiram levá-las consigo.

Quando chegaram ao altiplano, em Cima da Serra, o tempo abriu. Os farrapos comeram à farta, churrasqueando alguns dos muitos bois que encontraram. Esperaram alguns dias em Vacaria o restante da tropa comandada por Bento Gonçalves, que tinha sofrido o assédio constante dos homens de Moringue.

Sem serem acossados pelos inimigos nem terem um alvo à frente, os farrapos passaram a caminhar lentamente. Anita pôde assistir pelo caminho ao espetáculo dos lanceiros libertos, negros enormes que dominavam como poucos a equitação rude mas eficiente dos gaúchos, a domar potros selvagens para recompor suas montarias.

> Era belo ver então, quase todo dia, uma multidão daqueles negros jovens e robustos, todos domadores, lançarem-se sobre o dorso dos corcéis selvagens, desembestando campo afora, enquanto os animais faziam todo o esforço para se livrarem da sua carga, lançando-a longe. E o homem, admirável por sua destreza, força, coragem, como se tivesse pinças nas pernas, monta, bate, instiga e doma enfim o soberbo filho do deserto, que parte finalmente como uma seta, quando cônscio da superioridade do dominador que o cavalga, devorando em poucos momentos um espaço imenso, para voltar com a mesma velocidade, ofegante e suando em bicas.[8]

O exército farroupilha – ou melhor, o que sobrava dele – entrou na província de Missões, em direção a Cruz Alta, seguindo para São Gabriel, onde armou seu quartel-general, construindo barracões para os soldados.

Por algum tempo, Anita teve finalmente uma cabana e o marido por perto. A pausa reforçou a saudade que Garibaldi sentia dos pais, dos amigos, da Itália e do mar. Mas a vida num acampamento militar era bem diferente da que levavam os casais normais.

---

[8] *Ibid.*, p. 77.

Num acampamento farroupilha

No seu clássico sobre a Guerra dos Farrapos, Lindolfo Collor traz uma descrição detalhada da vida nos acampamentos militares gaúchos, onde o dia começava antes de raiar o sol.

Dos ranchos coletivos, construídos de pau-a-pique e cobertos de folhagem, das tendas de panos encardidos pelo sol e pelas chuvas ou armadas com ponchos, e ainda dos simples leitos de campanha, estendidos em chão apropriado a carona, o lombilho, os pelegos, surgiam e levantavam-se, refeitos por algumas horas de sono, os cavalarianos que o próprio chefe de Estado comandava. Rostos bronzeados pelas intempéries, emoldurados de grandes barbas ou fisionomias ainda glabras de adolescentes; mestiços, índios, também numerosos negros, escravos de oficiais republicanos ou fugidos das senzalas de senhores imperialistas; castelhanos, profissionais de *montoneras,* formavam nesse acampamento de coluna em marcha um cenário dos mais variados tipos, das mais diferentes procedências étnicas e sociais. [...]
À luz incerta da madrugada e dos braseiros que se atiçavam, a indumentária dos soldados da República era uma agitada policromia, em contraste com o ar cinzento, embaçado de neblina e de fumaça. Os antigos soldados de linha, fardados de zuarte e tecidos cor de oliva desbotados pelo tempo, quepes do mesmo pano ou chapéus de abas largas presos sob o mento pelos *barbicachos* de couro, à primeira vista se distinguiam dos voluntários, na sua maioria vestidos de bombachas escuras guarnecidas de botões e calçando botas com enormes esporas, as *chilenas* ou *choronas,* que de tão pesadas se acreditaria lhes houvessem de dificultar os movimentos. Os índios de longas tranças, muitos deles com aros dourados nas orelhas, cobertos pelo *chiripá* e por uma camisa que seria ao mesmo tempo casaco ou blusa, tinham os pés envoltos em tecidos ásperos. Raro o homem que não trouxesse o seu poncho de pano, um *pala* de vicunha, ou simplesmente algumas tiras de fazenda coloridas, com abertura ao centro. Estavam nos lenços os adornos principais dos guerrilheiros. Havia-os de todos os tons, mas sobressaíam os vermelhos e os brancos, muitos de seda, atestando a boa classe social dos que faziam garbo em usá-los, atados com o *nó republicano,* distintivo dos farroupilhas. Viam-se largas guaiacas, fechadas com moedas em lugar de botões, e simples cintas militares, ou mesmo, entre a ralé, pedaços de couro cru, para sustentar as espadas, as pistolas, as adagas, as facas.

Variáveis embora as vestimentas e mesmo as armas dos soldados, estabelecia-se entre eles uma tal ou qual uniformidade pelo uso da lança, que todos traziam à mão. Artisticamente lavradas em ouro e prata, as de alguns oficiais; as do grosso da tropa, terminadas apenas pelas pontas de aço reluzente; outras, ainda, meros chumaços de madeira, com que faziam prodígios os índios acostumados a manejá-las. Todas, porém, as de ébano finamente trabalhado como os toscos varapaus, tinham por distintivo a flâmula tricolor da República.[9]

[9] Lindolfo Collor, *Garibaldi e a Guerra dos Farrapos*, *op. cit.*, p. 130.

Montevidéu

No momento em que chegou a Montevidéu, a vida de Anita deu uma guinada: deixou de ser uma guerrilheira, assumindo o papel de mãe e mulher em tempo integral. Mas o Uruguai daqueles tempos não era o lugar mais apropriado para se constituir uma família. Embora tenha recebido 8.858 estrangeiros em 1841, o país estava rachado ao meio, entre blancos e colorados – nomes derivados da cor dos uniformes usados por seus grupos. Pela segunda vez desde a independência, o presidente da República era o blanco Fructuoso Rivera, um caudilho dos pampas. Num caso típico de conflito entre criatura e criador, seu inimigo mortal era o colorado Manuel Oribe, que havia sido levado ao poder justamente por Rivera.

Na edição do jornal *El Constitucional* de 21 de maio – a sexta-feira em que Anita e Garibaldi entraram na cidade –, a melhor notícia eram os anúncios dos barcos que partiam para Porto Alegre, Rio de Janeiro e Europa. Em carta publicada com destaque, na primeira página, os *Amantes de La Dignidad Nacional* criticavam a imprensa por divulgar o avanço dos inimigos que, a cada dia, se aproximavam mais da capital. Os signatários reclamavam ainda da paralisia do comércio e perguntavam até quando a artilharia uruguaia poderia resistir.

Avisos Repetidos
Por especial peticion.

NOTICE
To Agents of goods per Brig "ALCIOPE, *from Liverpool*—*W. Bennet*, Master.
This vessel has opened her Register for discharging and such parties as may wish to receive their goods in this Port are requested to send in their Permits to the consignees Messrs Smith Brothers & Co., as son as possible.
Montevideo, 6 october 1845.
John H. Robilliard,
Ship Broker, No. 109 calle de las Piedras.

AVISO
DEL HOTEL DEL VAPOR
Al Público y al Comercio en general.
Debiendo quedar el dia 10 del corriente disuelta definitivamente la sociedad que existia entre el abajo firmado y D. Alberto Offer sobre las utilidades que produjera el referido Establecimiento del Vapor, de la propiedad esclusiva de Garmendia, y el Villar sito en los altos de la esquina de D. Lorenzo Nieto, situados ambos establecimientos en la calle de Misiones; se suplica á las personas que puedan tener cuentas pendientes con los expresados establecimientos, se sirvan presentarse con ellas al que firma; á fin de que, despues de examinadas y justificadas, pueda acordarse el medio y termino en que deban satisfacerse.—Octubre 7 de 1845. 3p
Francisco Javier de Garmendia.

AVISO DEL COMERCIO DEL PLATA.
Los avisos de los subscriptores á este diario, que no excedan de 8 líneas, se insertará GRATIS desde hoi en adelante. Los que pasen de esa extension

Aviso de partida de navios em Montevidéu.

Vista geral de Montevidéu.

A cidade cresce.

Restos da muralha.

No mesmo jornal, a Guarda Nacional convocava o "batallón para maniobrar": todos os indivíduos deveriam estar no quartel às oito horas da manhã de domingo. Quem não se apresentasse estaria sujeito às mais sérias responsabilidades.

O noticiário daquele 21 de maio não era muito diferente das edições anteriores da publicação fundada há três anos e que saía a cada quinze dias, apresentando-se como *diario político, noticioso y comercial*. Nele, como no *El Nacional*, dois temas interligados predominavam: a crise no comércio e o conflito com a Argentina.

Uma terra cobiçada

Desde o início da colonização, espanhóis e portugueses disputaram aquelas terras planas e férteis cercadas de água por três lados e habitadas pelos índios charruas. O primeiro a desembarcar ali, depois de ter naufragado na ponta da ilha de Santa Catarina, foi o espanhol Juan de Solís, em 1516. Fernão de Magalhães e Sebastião Caboto vieram depois.

Movimento no Porto de Montevidéu – aquarela de Adolphe D'Hastrel.

Pelo Tratado de Tordesilhas, a área estava destinada ao rei de Espanha, mas sua primeira cidade, a colônia de Sacramento, foi fundada em 1680 por Dom Manuel Lobo, governador do Rio de Janeiro. Portugueses e espanhóis se revezaram no controle da região, até a chegada do Marechal de Campo dos Reais Exércitos de Espanha e Cavaleiro da Ordem de Santiago, dom Bruno Mauricio de Zabala. Era um bravo viscaíno: perdeu o braço direito numa batalha e passou a usar um artefato de prata, amarrado por uma corrente, que ele mantinha lustrados e brilhantes.

Em 1716, o rei Filipe V nomeou-o governador de Buenos Aires, com uma missão delicada – assegurar as fronteiras do império espanhol, ameaçadas pela ousadia lusitana. Mal chegou, Zabala determinou que fossem fortificadas as áreas desertas de Montevidéu e Maldonado. Mas a ordem esbarrou em dificuldades econômicas, administrativas e militares e foi repetida duas vezes sem resultado, até que um movimento de Dom João V acelerou as coisas. O rei de Portugal mandou para a península de Montevidéu o mestre-de-campo Manuel de Freitas da Fonseca, chefiando uma delegação militar, com as mesmas ordens que os espanhóis demoravam a cumprir.

Zabala reagiu logo: juntou suas tropas e fez os portugueses arrepiarem carreira. No dia seguinte, o pavilhão dos Bourbons era erguido naquele porto do Rio da Prata, enquanto os canhões disparavam uma salva de tiros para sacramentar a posse definitiva daquelas paragens pela Espanha.

Definitiva, em termos. Em 1807, os ingleses ocuparam o Uruguai. Em 1811, os espanhóis foram derrotados pelos que queriam a independência. Mas a luta continuou e a região acabou sendo temporariamente incorporada ao Brasil por Portugal, com o nome de Província Cisplatina.

A cidade recebeu o nome de San Felipe de Montevideo e demorou a se firmar. O nome era homenagem ao rei e quanto ao sobrenome existem várias explicações, nenhuma definitiva. Em 1729, o jesuíta Cayetano Cattaneo escreveu a seu irmão Giuseppe em Módena, na Itália:

> Perto do meio-dia descobrimos o tão esperado Monte Video, distante 20 milhas, que é um monte isolado em forma de pão-de-açúcar a cujo pé há um porto que é a primeira escala das naves que das Canárias vieram a este caminho. [...]
> Monte Video não o encontrareis provavelmente nas cartas geográficas, a não ser sob o nome de Monte Seredo, por ser uma povoação formada novamente há dois ou três anos.[1]

---

[1] Carlos Menck Freire e Juan Antonio Varese, *Viaje al antiguo Montevideo* (Montevidéu: Librería Linardi y Risso, 1996), p. 24.

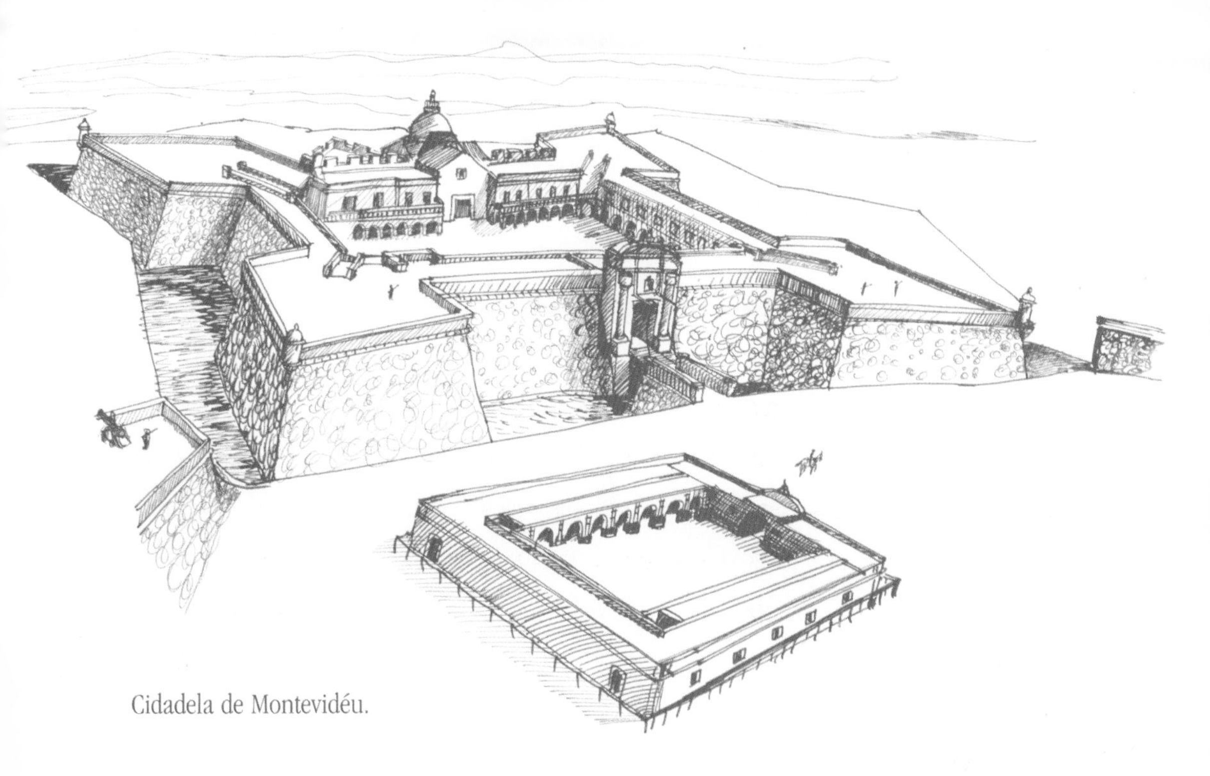

Cidadela de Montevidéu.

Que os brasileiros não se percam pela comparação: o tal *pão-de-açúcar* é uma elevação suave, muito diferente da que virou cartão-postal do Rio de Janeiro. Debaixo daquele monte, e graças à condição de primeiro porto no estuário do Prata, aberto a navios de toda procedência, Montevidéu finalmente deslanchou. Já em 1789, José de Espinosa y Tello anotou em seu diário de viagem:

> A população de Montevidéu cresce de dia em dia com a franquia do comércio e a concorrência dos navios dos portos habilitados da península especialmente e das embarcações catalãs.
> Um clima análogo ao de muitas províncias da Espanha, a oportunidade de transporte freqüente e a facilidade de viver onde os gêneros de primeira necessidade estão quase de graça atraem muitos espanhóis.[2]

Mas no dia 21 de maio de 1841, quando Anita, carregando Menotti nos braços – ele tinha oito meses –, chegou, aquela *muy leal e reconquistadora ciudad* tinha mudado muito. Deixara de ser a cidadela fortificada dos primeiros tempos, em cujo portão, em 1820, uma sentinela barrou a entrada do viajante Auguste de Saint-Hilaire.

---

[2] *Ibid.*, p. 28.

Nas aquarelas feitas por Adolphe D'Hastrel entre 1839 e 1845 está uma cidade em transformação...

A partir de 1828, quando Brasil e Argentina renunciaram às suas pretensões em relação ao território uruguaio, assinando o tratado do Rio de Janeiro, Montevidéu passou a ser, finalmente, a capital de um Estado independente, embora fadado a ser uma espécie de almofada colocada entre os dois gigantes da América do Sul.

...onde as velhas muralhas desaparecem.

A capital crescia rapidamente: entre 1835 e 1838, chegaram a Montevidéu 9.551 estrangeiros e foram construídas 169 casas. Nos quatro anos seguintes, entraram mais 22.381 imigrantes e foram erguidas 502 habitações. Para acomodar os novos moradores, os montevideanos estabeleceram regras para as construções, derrubaram as muralhas, aterraram as valas, eliminaram as pontes pênseis, calçaram as ruas e criaram uma Comissão Topográfica encarregada de definir o traçado da cidade nova para além da Cidadela – que deu lugar a um mercado e depois à atual Praça Independência.

Em 1841, o país tinha aproximadamente 200 mil habitantes, dos quais entre 30 e 40 mil viviam na capital. A cidade que hoje nos parece modesta nas maravilhosas aquarelas e litografias feitas pelo francês Adolphe D'Hastrel era uma verdadeira metrópole para quem, como Anita, só conhecera Laguna, Lages, Setembrina e outras improvisadas sedes da República Farroupilha.

As casas grandes com pátios floridos tinham um quê de espanholas e de árabes. Muitas tinham miradores – torres de onde era possível ver o porto e o movimento dos barcos – e azoteas, terraços sobre os quais acontecia parte da vida social, juntando uma pequena amostra do mundo, numa pluralidade étnica a que correspondia certa especialização profissional:

Azoteas e miradores.

Enche a baía um sem-número de barcos estrangeiros; navegam pelas águas do Prata os genoveses como patrões e tripulantes de cabotagem; fazem o serviço de carregadores robustos bascos e galegos; as boticas, drogarias e armazéns possuem-nas os italianos; franceses são em grande parte os armarinhos. Paris mandou seus modistas, estofadores, douradores e barbeiros; ingleses dominam no comércio de consignação e armazéns; alemães, ingleses e franceses, nas artes manuais; os bascos, com seus ombros amplos e músculos de ferro, exploram aos milhares as pedreiras; os espanhóis são os revendedores de comestíveis; os italianos cultivam a terra sob o fogo das baterias, fora das muralhas, numa zona de hortaliças, cruzada o dia inteiro pelas balas de ambos os exércitos; os canários, enfim, seguindo a costa, se estenderam em torno de Montevidéu numa franja de várias léguas e cultivam cereais, planta exótica não faz dez anos naqueles campos onde pastava o gado até os muros da cidade. Todos os idiomas vivem, todas as vestimentas se perpetuam, fazendo boa aliança a boina basca com o chiripá. Descendo às extremidades da população, escutando a criançada que brinca nas ruas, se ouvem idiomas estranhos, às vezes o basco que é o antigo fenício, às vezes o dialeto genovês que não é o italiano.[3]

O molhe de Montevidéu, domínio de bascos e galegos.

Garibaldi amadureceu o projeto de se transferir para essa comunidade cosmopolitana na cabana de pau-a-pique que construiu para a família em São Miguel das Missões. Tudo combinado com Anita, teve uma longa e reservada conversa com o presidente Bento Gonçalves e com o ministro das Finanças.

Há quem especule que nesses encontros ele recebeu a incumbência de buscar, no país vizinho, uma saída para os farrapos. A difícil situação dos republicanos reforça a hipótese.

O território controlado pelo movimento farroupilha encurtava mais e mais e os acenos de paz feitos pelo império estavam rachando a liderança do movimento farroupilha. Bento Gonçalves estava cansado. Tempos mais tarde, numa carta, ele desabafou:

---

3 Domingo F. Sarmiento, *Viajes I: De Valparaiso a Paris* (Buenos Aires: Hachette, 1955), pp. 85-86.

> Minha saúde está bastante deteriorada, minha paciência, cansada de sofrer ingratidões e calúnias; nada me fez nem fará afastar da carreira encetada, isto é, de libertar a pátria, e não abandonarei meus patrícios, mas já não posso com a carga que pesa sobre os meus ombros e só espero o meio legal para entregar o timão do Estado a quem melhor o dirija; do mesmo modo o mando do Exército, contentando-me com correr para a frente do inimigo, a comandar a vanguarda que me for destinada a fazer-lhe frente. Ali darei o exemplo da obediência, ali mostrarei aos ambiciosos e aos sicofantas qual é o dever de um verdadeiro republicano. Ah, meu amigo, eu ando tão desgostoso. [...][4]

O ministro das Finanças, Domingos José de Almeida, ameaçava demitir-se – e acabaria consumando a ameaça – por achar que não havia mais república, apenas uma tropa a vaguear daqui para lá.

Se Garibaldi saiu mesmo do Rio Grande com uma missão oficial, ou apenas em busca de seu sonho pessoal, é impossível dizer. Certo é que, numa estância chamada Curral das Pedras e com a autorização do ministro das Finanças, ele conseguiu reunir novecentos bois, numa espécie de gratificação por serviços prestados.

Gado selvagem nas coxilhas do Sul

Em 1603, Arias de Saavedra, governador do Paraguai, então a sede dos domínios de Castela entre Buenos Aires e o Peru, mandou soltar nas margens orientais do Paraná manadas de cavalos, bois e vacas para que procriassem livremente, dando o impulso inicial ao rebanho sem dono que iria desenhar o destino econômico do Uruguai. O mesmo fizeram os jesuítas em 1634, em suas missões.

O diário de José de Espinosa y Tello indica que, no fim do século XVIII, Montevidéu dependia muito da criação e comércio desse gado quase sem dono:

> A ocupação e o comércio dos habitantes de Montevidéu é a criação de gado cavalar e bovino, que em sua maior parte se dá na natureza, já que se criam nas regiões bonaerenses por si mesmos, sem que o homem ponha outra diligência a não ser cravar

[4] Lindolfo Collor, *Garibaldi e a Guerra dos Farrapos*, cit., p. 359.

o ferro no gado que paste em sua propriedade. A abundância de pastos e a vasta extensão das devesas promovem a propagação desses animais, em razão da quantidade de alimentos que encontram.

Tropeiros do Rio Grande do Sul.

A cerca de arame, que mudou o sistema de pecuária, só foi introduzida na região em 1853. Durante décadas, no país que hoje é um dos maiores produtores de laticínios do mundo, ninguém ordenhava as vacas: queijos e manteiga eram importados da Holanda. Embora a terra fosse de propriedade de ricos estancieiros, entre estes

Carreta de boi no Rio Grande do Sul.

e seus agregados as diferenças não eram visíveis. O patrão tomava mate na mesma cuia, comia o mesmo churrasco, conversava sobre os mesmos assuntos e dividia com o peão as tarefas de apartar o gado, domar os cavalos, cuidar do campo.

A experiência de Garibaldi como tropeiro foi complicada. Demorou um mês para arrebanhar o gado. E mais difícil ainda foi levar a tropa para Montevidéu.

Garibaldi vira tropeiro...

O projeto original era chegar com o gado em pé para vendê-lo nos matadouros uruguaios. Só que era preciso superar o rio Negro, o pasto ralo, a ganância de alguns mercenários que o acompanhavam e a inexperiência de Garibaldi no ramo.

Do outro lado do rio Negro, chegaram menos de quinhentos animais. Mais adiante, Garibaldi resolveu courear os bois, como dizem os gaúchos, aproveitando só as peles, deixando a carne para os pobres e os urubus. Às portas de Montevidéu, com Anita, Menotti e dois amigos não identificados, carregava trezentos couros.

Foi uma viagem difícil:

> Depois de cinqüenta dias de jornada, desagradável para mim por causa das dificuldades de todo o tipo, frio, fadigas e acidentes, finalmente alcancei Montevidéu com uns poucos couros, os últimos remanescentes de minhas novecentas cabeças de gado e pelos quais só consegui um pouco de dinheiro, apenas o suficiente para assegurar o mais necessário para minha família.[5]

... e não se dá bem.

Garibaldi levava com ele o endereço de alguns fiéis companheiros da Jovem Itália e a credencial de maçom. A sorte da guerra que deixou para trás estava selada: de 1837 a 1839, o governo central mandou 3.772 homens para reforçar as tropas que enfrentavam os farrapos. Em 1841 e 1842, mais 5.450.

---

[5] Elpis Melena, *Garibaldi's memoirs,* cit., p. 56.

A barra do Rio Grande estava sob controle da marinha imperial. A lagoa dos Patos também. Meses depois da partida de Anita e Garibaldi, Bento Gonçalves foi pessoalmente ao Uruguai, para um encontro com o presidente uruguaio, que não apareceu – mandou apenas um emissário. Foi assinado um acordo de cooperação militar, em que os gaúchos lutariam contra o argentino Rosas, em troca do reconhecimento do Rio Grande como nação e a possibilidade de navegar pelo rio Uruguai. Rivera sonhava com uma confederação formada pelo Uruguai, o Rio Grande, as províncias argentinas de Corrientes e Entre Rios e, possivelmente, o Paraguai. No final de 1842 aconteceu uma conferência em Paissandu, reunindo os governadores de Corrientes, Entre Rios e Santa Fé, Bento Gonçalves e dom Melchor Pacheco y Obes, representando o governo uruguaio. Mas o general José María Paz, comandante-chefe do exército correntino, se opôs aos planos do presidente uruguaio e as tratativas deram em nada.

No começo de 1843, Caxias foi nomeado presidente do Rio Grande. Aos 39 anos, ainda não era general, mas já tinha recebido o título de barão. Em agosto, Bento Gonçalves renunciou. Por iniciativa do general Canabarro começaram as negociações que iriam desembocar no acordo sancionado em dezembro de 1844, a chamada paz de Poncho Verde.

As condições eram vantajosas: ampla anistia, livre ingresso de oficiais da República no exército imperial, com a mesma patente, os escravos libertos continuariam livres, dívidas da guerra seriam pagas pela fazenda real e os derrotados ainda indicariam quem bem entendessem para substituir Caxias.

O movimento farroupilha durara dez anos e custara 3.400 mortes: 1.200 para os imperiais e 2.200 para os farrapos.

A essa altura, Garibaldi já estava novamente envolvido até o pescoço em outra guerra, mais formal que a dos farrapos, da qual Anita não teria como participar.

Na nova Tróia

Nos primeiros dias em Montevidéu, Anita viveu numa casa grande próxima à Aduana. Ali morava Napoleone Castellini, que Garibaldi conhecera no Brasil e vivia agora no Uruguai, trocando couros e gado por armas para a República Farroupilha. Como a parcela da comunidade estrangeira da cidade de que ela iria se aproximar, Castellini se dizia, orgulhosamente, italiano. Uma definição de caráter político, sem base jurídica, já que a Itália ainda nem existia.

Naquela época, talvez fosse mais apropriado falar em imigração genovesa ou sarda – e era assim que a maioria dos recém-chegados se classificava. Carpinteiros navais, calafetadores e outros artesãos genoveses desempregados foram chegando aos magotes a Montevidéu, nos anos 30 do século passado, como resultado da crise nos estaleiros especializados em construir veleiros de madeira, que começavam a ser superados pelos primeiros barcos a vapor, feitos de ferro.

Quem não conseguia ser um construtor de navios ou um patrão de embarcação, se arranjava como marinheiro. Eram tantos que, em 1834, o rei do Piemonte e da Sardenha decidiu instalar um consulado na cidade. Um ano depois, o novo cônsul calculou que havia entre 2 mil e 5 mil sardos vivendo na capital do Uruguai.

Na esteira de Castellini, Garibaldi tentou, sem sucesso, o comércio. Acabou conseguindo trabalho com outro emigrado por motivos políticos: Paolo Felice Semidei.

Conhecido como abade Paul, Semidei, nascido em Bastia, na Córsega, fora obrigado a abandonar seu país por causa de um livro publicado em Paris, em que denunciava as irregularidades do clero. Em Montevidéu, abandonou o sacerdócio, passou a lecionar e montou um colégio para rapazes, o Instituto de las Buenas Letras, onde não foi difícil acomodar mais um improvisado professor de matemática.

Com o salário garantido e um pequeno enxoval, comprado com o dinheiro minguado da venda dos couros, produto abundante na Montevidéu de então, Garibaldi, Anita e Menotti passaram a ocupar dois cômodos na casa de número 81 da Calle San Pedro, também conhecida como 25 de Mayo, de propriedade de Ildefonso García, onde já morava o comerciante Manuel Pombo.

A rua da elegância

Em 1845, num livro que pretendia obter o apoio da França para a Montevidéu sitiada, Adolphe Delacour produziu uma boa descrição da rua onde Anita morava:

> *25 de Mayo, a rua da Elegância*
>
> A única rua realmente destacável da Cidade Velha é a 25 de Mayo, antigamente conhecida como Calle del Portón. Ali é onde os modistas exibem seus chapéus mais recentes, suas cintas mais delicadas, seus talhes mais leves. Ali é onde as lojas procuram despertar o capricho das damas orientais, por meio de ricos tecidos, de jóias que irradiam brilhos e de mil outras bagatelas.
>
> Nas formosas noites de verão, sob a atenta mirada dos transeuntes apoiados nos marcos de pedra das calçadas, passam por ali as elegantes orientais, mostrando seus novos tecidos trazidos da França, sorridentes e coquetes, sacudindo o leque em sua mão enluvada, uma chama em cada olhar, um não-sei-quê de voluptuosidade em sua marcha cadenciada, desfrutando, felizes, dos involuntários murmúrios que se levantam à sua passagem.
>
> Basta que entrem em uma loja, que o vendedor saiba cativar seus olhares com os reflexos de algum pano furta-cor ou de alguma nova pedra valiosa, para que a chama do desejo desperte nos olhos das graciosas clientes e que, sem pensar mais, seus delicados dedos comecem a extrair as onças de ouro de seus elegantes bolsos.[1]

---

[1] J. Andre Duprey, *Uruguay en el corazón de los franceses* (Montevidéu: Ediciones del Bichito, 1960), p. 185.

Era realmente o melhor ponto comercial da cidade, como atestam os muitos anúncios publicados nos jornais. Como estes:

AVISO AL COMERCIO.
ndo los Señores Domergue y Gallino, formado una so-
comercial, tienen el honor de avisar al comercio de
ideo que han abierto su nuevo establecimiento calle
Mayo, N.° 174. Esperan que los Señores Comer-
os honrarán de la misma confianza que hasta hoi han
o143p

A LAS SEÑORAS.
eñores Domergue y Gallino, acaban de abrir en la ca-
5 de Mayo, N.° 174, una tienda surtida de todos los
de moda recientemente llegados de Europa, pro-
la estacion.—Todo lo que es de gusto y moda se en-
en dicha tienda á precios sumamente equitativos.
o143p.

AVISO.
hoi 13 del corriente se ha abierto un Almacen de
lés al menudeo, en la calle del Sarandí núm. 72, en el
chico. Los artículos que tiene son de la mejor cali-
darán á precios mui acomodados. o13 3p

AVISO
Barberia conocida por la de Gines, sita en la calle de
a y Tres frente al café del Comercio se han recibido
las grandes y de buena calidad; se venden y se aplican
comodado á la circunstancia. o14

AVISO.
IAN ELZEAR medico que fué del Bergantin de
ncés *Ducouedic*, que ha poco salió para Francia, y
te embarcado en la *Africana*, fragata Almirante, tie-
r de suplicar á la persona que tenga cartas para él
Buenos Aires ó de Francia, que tenga la bondad de
s en el café de Labastide, ó en la oficina de este
lle de Misiones N.° 88. o14

Anúncios do *El Constitucional*.

Aviso ao comércio
Havendo os senhores Domergue e Gallino formado uma sociedade comercial, têm a honra de avisar ao comércio de Montevidéu que abriram seu novo estabelecimento comercial na Calle 25 de Mayo, número 174. Esperam que os senhores comerciantes os honrem com a mesma confiança que até hoje têm merecido.

Às senhoras
Os senhores Domergue e Gallino acabam de abrir na Calle 25 de Mayo uma loja sortida de todos os artigos da moda, recentemente chegados da Europa, próprios para a estação. Tudo o que é de gosto e moda se encontrará na dita loja, a preços sumamente eqüitativos.

Seria esse Gallino parente do pintor italiano dos retratos em série que perpetuou a imagem de Anita? Não se sabe ao certo. De todo modo, a nova loja ficava a poucos metros da casa dela.

A casa dos Garibaldi

Por fora, com seus dois pavimentos e suas janelas pequenas e gradeadas, parece menor do que é: num terreno de 9 metros de largura e 28 de profundidade, tem mais de 400 metros quadrados de área construída. A circulação se faz pelo pátio interno, comum nas construções da época, onde, em 1991, o Grupo de Pesquisas Históricas Farroupilha colocou uma placa de mármore com a imagem de Anita e Garibaldi.

O censo mandado fazer pelo chefe político e de polícia da cidade, Andrés Lamas, em outubro de 1843, registra, no número 81 da Calle 25 de Mayo, o comerciante Manuel Pombo, sua mulher, quatro filhos e dois empregados como moradores, ignorando Anita, Garibaldi e Menotti.

Casa de Anita na Calle 25 de Mayo. O museu estava fechado para reforma quando foram feitas as fotos.

As casas contíguas eram ocupadas por outros estrangeiros, franceses e portenhos, quase todos inquilinos, já que o censo de 1843 encontrou 4.020 residências alugadas e apenas 819 próprias. No quarteirão seguinte vivia mais um militante da Jovem Itália, Stefano Antonini, um atacadista sardo de 34 anos. Ele e a família se tornaram os maiores amigos dos Garibaldi.

Com o marido empregado, um quarto para morar, novos amigos e um filho para cuidar, a vida parecia entrar nos eixos para Anita. Garibaldi havia obtido a anistia junto ao governo brasileiro, prometendo não mais combater contra o império. Passou a freqüentar o Café Labastide e a conviver com outros italianos. E foram eles que o levaram a trocar a vida pacata de professor pela agitação da guerra.

> A República Oriental me ofereceu depressa uma ocupação mais adequada à minha índole. Me foi oferecido, e eu aceitei, o comando da corveta de guerra *Constitución*. Achava-se a esquadra oriental sob comando do coronel americano John Coe e a inimiga, às ordens do almirante Brown.[2]

Caudilho contra caudilho

Desde março de 1839, a recém-nascida República Oriental do Uruguai estava em guerra com a Argentina. Internamente, a situação também era complicada. Os dois primeiros mandatos presidenciais uruguaios foram marcados por levantes armados, confrontos pela posse da terra, orçamento apertado e interferência dos vizinhos sobre os negócios internos do país. Fructuoso Rivera, o primeiro presidente, era um autêntico gaúcho dos pampas. Seu sucessor, Manuel Oribe, nascera na capital. Mas ambos eram caudilhos. Ao passar o cargo para Oribe, Rivera se fez nomear *comandante general de la campaña* – o que, na prática, representava uma duplicidade de mando. Os partidários de um e outro passaram a agir primeiro como blancos e colorados e só depois como uruguaios, numa divisão visceral que se tornaria a marca da história política do país.

[2] Giuseppe Garibaldi, *Memorie de Garibaldi: In una delle redazioni anteriori alla definitiva del 1872*, cit., p. 79.

Se o Uruguai por si só não tivesse os ingredientes capazes de levá-lo ao caos, a vizinha Argentina forneceria o que faltava. Ali mandava e desmandava Juan Manuel de Rosas, mais caudilho que Rivera e Oribe juntos. Ingressou na política como comandante das milícias de Buenos Aires. Em 1835, voltou ao poder, do jeito que queria, isto é, com plenos poderes. A Argentina ficou pequena para seus projetos. Em quase todos os segmentos da economia, lá estava Rosas. Era o maior latifundiário do país. A carne de seu gado era salgada em suas instalações, embarcada em seu porto, nos seus navios que iam até o Brasil, os Estados Unidos e Cuba. Ninguém mais podia vender carne em Buenos Aires e sua mulher comandava a Sociedade Popular Restauradora, uma organização que mantinha os inimigos sob controle.

Rosas fundiu a província com a cidade e o porto de Buenos Aires e imaginava conquistar Bolívia e Peru, incorporando as minas de prata de Potosí, colocando ainda um governo dócil em Montevidéu que lhe permitisse monopolizar o comércio do Prata no porto de Buenos Aires.

Em julho de 1836, Rivera foi destituído de seu comando e se rebelou, alegando que o presidente Oribe estava descumprindo a Constituição. As trincheiras de Oribe foram reforçadas por quinhentos argentinos enviados por Rosas.

Rivera perdeu a primeira batalha e foi para o Rio Grande do Sul. Dois anos depois, sitiou Montevidéu com o apoio dos franceses e tirou Oribe do poder, que se asilou na Argentina.

Oribe e Rivera.

O confronto entre caudilhos envolvia diretamente os interesses dos vizinhos e das grandes potências. No porto de Montevidéu os produtos franceses eram maioria, enquanto, em Buenos Aires, os ingleses predominavam. Para Rosas, era essencial impedir a livre operação do porto de Montevidéu, mais seguro e mais próximo.

No primeiro momento do conflito, a França apoiou Rivera e Rosas quase se complica, mas, diante da pressão inglesa e de uma oferta de nação mais favorecida no comércio, os franceses recuaram.

Na seqüência, Rosas deu um banho de sangue em Pago Largo, na província de Corrientes, onde morreram 1.960 soldados. Oitocentos deles, degolados, depois de te-

Blancos contra colorados.

rem sido feitos prisioneiros. Em dezembro de 1839, Echagüe, comandando os mais experientes degoladores do planeta, invadiu o Uruguai. Apesar de uma grande diferença de efetivos – 8 mil argentinos contra 3 mil uruguaios –, as tropas de Rivera venceram esse primeiro embate.

Em janeiro de 1841, Rosas baixou um decreto que só permitia a navegação de barcos argentinos pelos rios Paraná e Uruguai. Como não tinha navios suficientes para fazer cumprir o que havia determinado, montou uma frota e entregou-a ao almirante irlandês Guilherme Brown.

Foi então que os uruguaios resolveram procurar o italiano que fizera fama no Brasil comandando a pequena esquadra farroupilha. O primeiro convite foi feito pelos italianos: Garibaldi deveria comandar um dos três navios que compunham a marinha uruguaia, todos comprados graças a uma subscrição pública.

Os barcos eram o bergantim *Pereyra*, fabricado na França e com apenas dois canhões giratórios, a corveta *Constitución*, feita no Brasil, e a goleta *Prócida*, que viera da Sardenha. Nenhum dos três tinha sido originalmente imaginado como um navio de guerra – eram meros cargueiros adaptados.

Apesar de ter dito o contrário mais tarde, Garibaldi não aceitou comandar apenas um barco e, muito menos, ser subordinado ao americano John Coe. Anita deve ter achado ótimo que o marido continuasse em terra e longe dos combates. Mas a alegria só durou até a visita de um grupo de notáveis, liderados por Florencio Varela, político, diplomata e polemista que presidia a Comissão Argentina.

Ele apresentou outra situação: Garibaldi assumiria o lugar de Coe, que, justamente por ter sido oficial do almirante Brown, não parecia a melhor pessoa para desafiar a esquadra dele. Na nova fase da guerra, em que o governo uruguaio precisava estabelecer contato com seus aliados na Argentina, Garibaldi era o homem certo, dizia Varela.

Depois de consultar seus companheiros da Jovem Itália – e, provavelmente, os da maçonaria também –, o marido de Anita aceitou o convite. Assumiu o comando da *Constitución*, colocou o tenente genovês Luis de Agostino na *Prócida* e, no *Pereyra*, um capitão, o uruguaio Manuel Urioste.

O maçom Garibaldi

As relações de Giuseppe Garibaldi com a poderosa maçonaria continuam envoltas em segredo – o que não é novidade em se tratando dessa organização. Ninguém sabe quando ela foi criada. Alguns autores dizem que foi fundada por Hiran-Abif, arquiteto do templo de Salomão. Outros remetem seu surgimento aos mistérios do Egito e Grécia. Há quem atribua sua origem às corporações operárias criadas por Numa em 705 a. C. O mais provável é que ela seja uma evolução das confrarias de pedreiros livres do fim da Idade Média.

Seus símbolos são o avental, o esquadro e o compasso dos pedreiros antigos. A primeira loja simbólica maçônica surgiu na Inglaterra em 1717 e seu caráter secreto e místico foi estabelecido cinco anos mais tarde. Nos movimentos de independência americanos, os maçons tiveram um papel importante. Até dom Pedro I foi maçom – e recebeu o nome de Guatimozim.

Garibaldi fez parte da loja Asilo da Virtude, no Rio, e em 1844 foi incorporado pela loja Les Amis de la Patrie, de Montevidéu, em sua maioria formada por franceses. Vários manuscritos autênticos e, até pouco, inéditos do general italiano incluem a expressão *Alla Gloria del Grande Architetto dell'Universo*, que é marca registrada da corrente teísta da maçonaria – o que explicaria, em grande parte, a mistura de anticlericalismo e religiosidade professada pelo marido de Anita.

Os navios comandados por Garibaldi partiram no dia 23 de junho de 1842, sem saber para onde nem com qual missão: minutos antes, ele recebeu as instruções, com a recomendação de só abri-las depois de passarem pela ilha Martín García.

A ilha foi descrita por Euclides da Cunha em seu *À margem da história* com a competência usual de quem transformou a saga de Antônio Conselheiro num clássico:

> Martín García é um rebento granítico, de 2 milhas de roda, mal apontando nas águas, com uma altura escassa, cingida de recifes fervilhantes a recordarem a ruinaria e o desmantelo das costas uruguaias, de onde ele se desarticulou em épocas remotíssimas.[3]

Do ponto de vista estratégico, numa luta pelo controle da navegação na área, era fundamental e os argentinos sabiam disso. Tanto que montaram seus canhões na ilha. O primeiro plano de Garibaldi – esconder os soldados, fazendo-se passar por inofensivo comerciante – não funcionou. Os argentinos abriram fogo; ele reagiu do mesmo modo e conseguiu passar milagrosamente.

Algumas milhas depois, abriu as ordens: deveriam ir até a província de Corrientes, fazer contato com os aliados argentinos do governo uruguaio. Seguiram em frente e, no momento em que o perigo parecia ter passado, a *Constitución* encalhou. Garibaldi ordenou que retirassem o possível do barco, para tentar o desencalhe. A situação era delicada, porque a região estava sob controle de seus inimigos. Mas o que seriam aquelas velas ao longe?

Era a esquadra comandada pelo almirante Brown: sete navios liderados pelo *Belgrano*, que se aproximavam cada vez mais. Já estavam quase em condições de ataque, quando o *Belgrano* também encalhou, para ira de Brown...

A maré mudou e, sob a neblina forte, Garibaldi conseguiu liberar seus barcos – mais leves que os argentinos. Adiante, numa região conhecida como Bajada, concentradas nas margens do rio, estavam as forças de Rosas. Tão próximas que o capitão do *Pereyra* chegou a disparar, sem sucesso, seu canhão contra o comandante inimigo – que era o próprio Manuel Oribe.

---

[3] Em Brasil Gerson, *Garibaldi e Anita*, cit., p. 131.

Finalmente, encontraram reforços enviados pelos argentinos de Corrientes, quatro lanchões cheios de soldados e provisões, e já se aproximavam de sua meta quando a *Constitución* encalhou novamente.

A esquadra de Brown continuava no encalço deles. Sem alternativa, a 600 milhas de Montevidéu, Garibaldi preparou-se para enfrentar um inimigo muito mais poderoso.

> Na margem esquerda do Paraná, perto de um banco que nos impedia de continuar navegando para cima, num ângulo pegado à costa, onde havia suficiente profundidade, coloquei uma linha de embarcações, principiando por um iate mercante armado de quatro canhões e deixando o *Pereyra* ao centro e a *Constitución* à esquerda. Era uma linha perpendicular à direção do rio, em cuja extremidade ficava a bateria esquerda da corveta, de mais canhões e de maior alcance. Dispor assim as coisas me custou muito trabalho, pois a correnteza, embora reduzida no ponto escolhido, nos obrigava a empregar todas as correntes, âncoras e cabos para manter os barcos parados, principalmente a *Constitución*, que calava 18 pés.[4]

Garibaldi tinha, ao todo, duzentos homens e 34 canhões. Brown, mais de cinqüenta canhões – sete giratórios – e 703 soldados, fora a tropa de terra. Mas a subida do rio era difícil para os argentinos: por causa das águas rasas, os barcos tinham de ser puxados a partir das barrancas, onde boa parte da tripulação suava o uniforme.

Foi contra esses homens que os marinheiros de Garibaldi começaram a atirar. Fizeram muitas baixas, mas a diferença de forças finalmente pesou a favor do irlandês contratado por Rosas. Na manhã do dia 16 de agosto, os navios uruguaios passaram a receber as balas argentinas.

A *Constitución*, o *Pereyra* e a *Prócida* resistiram por três dias. Na última noite, Garibaldi tentou uma jogada extrema: construiu jangadas improvisadas, colocou fogo nelas e mandou-as correnteza abaixo, na direção dos inimigos. Quase deu certo: o plano acabou frustrado pelo próprio Brown, que vigiava enquanto seus homens dormiam.

Mal amanheceu, Garibaldi tomou as medidas finais para garantir a retirada rumo a Corrientes: transferiu feridos e o material que podia ser carregado para o *Prócida*,

---

4 *Ibid.*, p. 134.

que ainda podia subir o rio, e molhou conveses, velas e cordas com aguardente tirada dos barris no porão, para atear fogo aos barcos. Deu mais dor de cabeça do que ele imaginara: a tripulação simplesmente se embriagou! O italiano reuniu os sóbrios – ele mesmo costumava beber apenas água –, retirou parte dos bêbados à força e colocou fogo nos dois navios. Quem se afundara na cachaça acabou morrendo queimado.

Os sobreviventes e os prisioneiros dos barcos capturados seguiram a pé, numa retirada sofrida de três dias até Esquina, primeira cidade de Corrientes, durante a qual vários prisioneiros acabaram sendo executados. O marinheiro genovês Francesco Viso, preso pelos argentinos, declarou em seu interrogatório que, "no caminho, eram garroteados pelos oficiais os infelizes que não podiam, por seu cansaço ou falta de alimentos, seguir adiante".[5]

Na província argentina aliada, Garibaldi ficou até o dia 12 de outubro, quando recebeu ordens de voltar, passando por Salto, para juntar-se às tropas comandadas por Rivera. Em São Francisco, já no Uruguai, assumiu o comando de um barco de guerra.

No dia 6 de dezembro de 1842, o comandante dos uruguaios que havia invadido a província argentina de Entre Rios foi derrotado por Oribe e os rosistas na Batalha de Arroio Grande. Rivera tinha 7 mil homens. Seu inimigo, o dobro. Garibaldi não chegou a tempo de participar dessa batalha decisiva e seguiu para Montevidéu.

Corpo a corpo

As batalhas preferidas por Rivera dependiam de enormes quantidades de cavalos e de gaúchos capazes de manterem-se sobre a sela em qualquer circunstância, lanças que podiam ser feitas de taquara, com um ferro na ponta e nada mais. Na hora de comer, bastava correr atrás de um ou mais bois, matá-los e assá-los numa fogueira improvisada. O historiador Brasil Gerson descreve bem como eram esses combates:

> Estava-se ainda na fase do corpo a corpo, das batalhas decididas no duelo das espadas e das lanças, com a artilharia pesada e morosa e as carabinas de carregar pela boca representando, por isso mesmo, um papel secundário nos encontros. Longe de encobrir-se para melhor atacar e poupar-se, como hoje, ao fogo do outro lado, eles se busca-

---

[5] Salvatore Candido, *Giuseppe Garibaldi nel rio della Plata, 1841-1848* (Florença: Valmartine, 1972), p. 145.

vam para o entrechoque maciço, as cabeças rolando pelo chão, entre blasfêmias tremendas de parte a parte... Nas guerras de hoje, a morte chega sem ser vista, quase sempre. Nas de ontem, vinha a galope, enorme, avançando por entre imensas nuvens de poeira, pavoroso gigante manejando lanças ou espadas de apocalípticas dimensões... A camuflagem estava logicamente por nascer ainda e não fazia mal – é claro – que os soldados partissem para o combate de uniformes os mais berrantes, em vermelho e ouro e com os chamativos adornos nos chapéus vistosos. Viam-se de longe, a olho nu, as dragonas descomunais de Oribe na Batalha de Arroio Grande e Rivera comandava seus homens montado em um cavalo branco e o seu uniforme era uma sobrecasaca de botões dourados e, na sua cabeça, uma alta cartola brilhava. [...]

Depois de derrotar Rivera, Oribe começou a avançar na direção de Montevidéu, onde Anita pouco sabia sobre as peripécias do marido. A cidade já se preparava para enfrentar o ataque. Como as muralhas originais tinham sido derrubadas anos antes, foi preciso improvisar fortificações e construir baterias avançadas, instaladas em meio a chácaras e pequenos sítios, usando, inclusive, velhos canhões do tempo dos espanhóis, alguns dos quais tinham sido até enterrados.

A sorte de Montevidéu é que a maior parte da cidade velha dava para o estuário do Prata e por esse lado era quase impossível uma invasão, já que, naquele tempo, os navios só podiam levar uma pequena quantidade de soldados.

Rivera ficou na fronteira com o Rio Grande, tentando reorganizar suas tropas. Joaquín Suárez, o presidente do Senado, assumiu o governo, enquanto o coronel Melchor Pacheco y Obes passou a cuidar dos assuntos militares.

O toque de alerta foi dado às 9 da manhã do dia 16 de fevereiro de 1843. E a primeira nota oficial era otimista: "O exército de Rosas está diante desta capital. O governo conta com o patriotismo dos seus habitantes – apóia-se nele e confia na vitória".

Mas o ataque imediato não ocorreu. Oribe preferiu cercar a cidade, mantendo seus soldados a 10 quilômetros de distância, onde hoje é o bairro Unión. No dia 1º de abril, divulgou um decreto que igualava uruguaios e estrangeiros, destinando-lhes o mesmo risco de vida e de confisco dos bens, quando conquistasse Montevidéu. Embora revogado pouco mais tarde, funcionou como um estopim para o surgimento das legiões estrangeiras.

Dois dias depois do decreto, o jornal *El Constitucional* já registrava uma manifestação dos estrangeiros em favor do Uruguai e contra Rosas. Aconteceu na praça da

matriz, ao anoitecer, com bandas de música francesas e italianas, *vivas* a instituições, países e autoridades (a República, a França, a Itália, a Liberdade, o general Rivera, o general Paz, o almirante Leblanc e Garibaldi) e *morras* a Rosas, Oribe e aos bandidos da *Federación*.

Os franceses saíram na frente, organizando uma legião com 2.800 homens. Os espanhóis se alistaram como artilheiros. Garibaldi e outros militantes da Jovem Itália fundaram a Legião Italiana, mas com um sucesso relativo: só conseguiram a adesão de quinhentos compatriotas. Na verdade, os italianos estavam envolvidos com hortas, navegação de cabotagem e artesanato, atividades que pouco dependiam de qual fosse o governo, ao contrário do que ocorria com os franceses, mais ligados ao comércio com o exterior.

Encarregado de organizar uma flotilha e cobrir o flanco esquerdo das fortificações, fazendo a ponte entre elas e o Cerro – o monte que domina toda a baía –, Garibaldi entregou o comando da Legião a Angelo Mancini. A primeira ação dos italianos não foi de entusiasmar: "A Legião fez seu primeiro serviço em uma sortida e, como era de se esperar, não fez muito boa figura. Falou-se mal da bravura italiana em Montevidéu e eu morria de vergonha e sonhava desfazer a má impressão".[6]

Batalha naval diante de Montevidéu.

[6] Giuseppe Garibaldi, *op. cit.*, p. 100.

A oportunidade que Garibaldi queria veio numa ação militar conjunta, no dia 28 de março de 1843. Enquanto os uruguaios marchavam para lá e para cá no Cerrito, ele atacou violentamente, fazendo 42 prisioneiros, e foi recebido em triunfo na volta. Mas era preciso organizar a tropa e para isso ele chamou Francisco Anzani, um italiano que conhecera nos últimos dias de Brasil e reencontrara na cidade de Salto. Foi Anzani quem transformou aqueles quinhentos italianos insubordinados e sem treinamento numa força de combate.

A Legião ganhou um estandarte desenhado pelo pintor Gallino e um uniforme. A bandeira era negra e tinha um Vesúvio vermelho pintado sobre ela, simbolizando a

Bandeira da Legião Italiana.

revolução que deveria irromper na Itália. E os italianos passaram a usar camisas também vermelhas, visíveis a quilômetros de distância, de tão berrantes. Há quem assegure que o uniforme foi igualmente desenhado por Gallino, a pedido de Garibaldi, e inspirado em seu contato com os saint-simonianos. Outros afirmam que eram uma encomenda feita por uma empresa de charque argentina, que não pôde ser entregue por causa da guerra e transformou-se numa verdadeira pechincha. Seja como for,

Uniformes das tropas uruguaias.

havia algo de irônico na vestimenta, já que eram os rosistas que usavam uniformes vermelhos até então.

Em março de 1845, Rivera foi novamente derrotado, dessa vez pelo argentino Urquiza, na Batalha de Índia Muerta. No mês seguinte, uma frota composta de navios ingleses e franceses chegou a Montevidéu. Pressionadas pela opinião pública impactada pelas notícias das atrocidades cometidas pelos seguidores de Rosas e com seus interesses prejudicados pelo bloqueio dos rios da Prata e Uruguai para barcos que não os argentinos, as duas potências européias entravam finalmente em ação. Com base no tratado de 1828, que convertera o Uruguai num país livre e soberano, deram oito dias de prazo para que os argentinos retirassem suas tropas.

Diante da negativa, as duas esquadras se apoderaram dos barcos comandados pelo almirante Brown, mandando-o de volta para Buenos Aires. O passo de Tonelero, que dá acesso

Notícias sobre Garibaldi no *El Constitucional*.

vecinos viejos, que dormian, se apoderaron de una chalana, en la que entraron el capitan y el sarjento; y lejos de aprovechar los momentos para fugar, tomaron la noble resolucion de volver á salvar con ellos al herido compañero. Los tres llegaron, bogando con dos duelas, á la Isla de los Farrapos, que hallaron desierta, por haber marchado á incorporarse al coronel Garibaldi, la jente que allí habia estado cuidando caballos. Uno de estos animales habia quedado, pero no tenian como encender fuego para asar la carne: así pasaron dos ú tres dias, hasta que una balandrilla que encontraron, les dió fósforos, galleta, y alguna otra cosa: emprendieron su camino aguas abajo, y llegaron á la corbeta francesa *Expeditive*, que los recibió, y cuyo médico dió toda atencion al herido. De la *Expeditive* se trasladó este y el capitan Oyola á Montevideo en la *Colombienne*, y llegaron ayer.

La conducta de estos valientes no necesita elojios.

Luego que se supo la captura de la *Piramide*, fueron á comunicarla al Coronel Garibaldi, el Pailebot nacional Republicano, el lanchon frances *Cerf*, dependiente del *Eclaire*, y una ballenera inglesa.— A la salida de la *Colombienne*, no habian regresado.

Se habian pasado á la Isla del Viscaino 15 hombres de la Policia de Mercedes.

El Vapor *Gorgon*, el *Philomel*, y el *Dolphin*, ingleses; y la *Expeditive*, francesa, quedaban en la Boca del *Guasú*

PARTE COMERCIAL.

Las noticias de Londres llegan al 1.° de Setiembre, las de Liverpool al 3, las de Paris al 31 de Agosto.

—Las Lanas de nuestro Rio eran mui buscadas á las últimas fechas. En el *Times* hallamos lo siguiente:—

Liverpool, 31 de Agosto.

Tenemos que anunciar mui buenos negocios, durante la semana, en lanas extranjeras, principalmen-

ao rio Paraná e estava fechado com correntes de ferro, foi liberado e o comércio com as províncias ribeirinhas, restabelecido.

Garibaldi assumiu o comando das operações anfíbias no rio Uruguai, destinadas a recuperar posições perdidas nas derrotas de Rivera. Não tinha apenas o título de comandante de esquadra (na verdade, já fora nomeado coronel das forças armadas nacionais), mas possuía um conjunto de embarcações digno desse nome:quinze navios tomados aos argentinos, chefiados pelo *Cagancha*, um bergantim de dezesseis

Batalha de San Antonio del Salto.

canhões. Para completar a força, uma tropa de desembarque em que se mesclavam os homens da Legião Italiana com duzentos soldados uruguaios.

Em agosto desembarcou sem problemas na cidade de Colônia e seguiu adiante, ocupando a ilha de Martín García e outras posições.

Ao chegar a Salto, no meio do caminho entre Montevidéu e Corrientes, descobriu que ela havia sido abandonada por Lavalleja, que levou consigo quase toda a população. O plano do argentino era simples: ao entrar na cidade, Garibaldi passava a ser um alvo fácil para os rosistas, que, em muito maior número, se concentravam nos arredores. Cercados e enfraquecidos, italianos e uruguaios seriam então atacados pelo general Urquiza, que marchava acelerado para Corrientes.

Velho canhão da defesa de Montevidéu.

Garibaldi percebeu a jogada e resolveu transformar a armadilha numa verdadeira fortaleza. Colocou os melhores canhões retirados dos barcos em posições estratégicas e transformou cada casa numa trincheira. Feito isso e fiando-se nas informações obtidas sobre a posição dos rosistas, atacou Lavalleja – e venceu.

Quando Urquiza atingiu Salto, na manhã seguinte, foi recebido com uma chuva de balas. O argentino tentou por três dias a conquista e foi embora, deixando por ali setecentos homens da cavalaria, com ordens de impedir a movimentação das tropas de Garibaldi.

Em fevereiro de 1846, a população de Montevidéu ficou sabendo dos últimos movimentos de Garibaldi. O general Tomas Iriarte registrou assim as notícias, em seu diário que publicaria anos mais tarde:

> Chegaram notícias de Garibaldi... Com 180 homens da Legião e mais cem da cavalaria, comandados por Baez, ele enfrentou 1.200 inimigos. Garibaldi sustentou o choque cercado na tapera de dom Venancio, até acabar a munição. Daí, com baionetas, conseguiu tirar os inimigos do campo, recarregar suas armas e voltou à noite para Salto, com feridos. Garibaldi teve trinta mortos e 53 feridos. O inimigo, duzentos mortos. E ainda deixaram armas e munições no campo de batalha.

O confronto, que aconteceu no arroio de Santo Antonio del Salto, realmente passou para a história. Aparentemente, a Legião Italiana e os uruguaios comandados pelo general Baez tinham de enfrentar apenas alguns grupos isolados de cavaleiros inimigos. Mas era um despiste: uma tropa cinco vezes maior marchava na direção deles, como o próprio Garibaldi conta:

> Estava eu olhando em torno no arroio Santo Antonio quando vi com espanto aparecer sobre o vértice da primeira colina, diante de nós, onde até então poucos inimigos haviam sido notados, um verdadeiro bosque de lanças, compactos esquadrões de cavalaria com bandeira desfraldada e um corpo de infantaria, o dobro do nosso, e que, trazido a cavalo até dois tiros de fuzil, pôs pé em terra, formou em ordem de batalha e, a passo de carga e a toque de tambor, nos atacou a baioneta. Baez voltou-se e me disse: "Retiremonos!". Não sendo possível fazê-lo, respondi: "Já não há tempo e é preciso combater!". Aos legionários, acrescentei, para desfazer ou diminuir a impressão causada pelo aparecimento de um inimigo tão poderoso: "Nós lutaremos – e essas eram palavras gratas para aqueles valorosos italianos – porque à cavalaria estamos acostumados a vencê-la e hoje temos também algo de infantaria".[7]

Quando chegou à cidade de Salto no dia seguinte, à meia-noite, Garibaldi ficou sabendo que Anzani havia rechaçado ali outro ataque. A Legião Italiana ainda ficou oito meses em Salto, retornando a Montevidéu no dia 5 de setembro de 1846, mais de um ano depois de ter partido.

Joaquín Suárez estava novamente na Presidência e Pacheco y Obes em Paris, com a missão de conseguir apoio para a causa uruguaia. Obes procurou Alexandre Dumas, que, sensibilizado pelo drama uruguaio, escreveu o livrete *A nova Tróia*, em que comparava o cerco de Montevidéu ao da cidade grega. O livro fez sucesso e ajudou a mobilizar a opinião pública européia contra Rosas. Foi nele que Dumas se referiu, pela primeira vez, a Giuseppe Garibaldi.

Enquanto isso, o italiano havia sido nomeado chefe das forças armadas de Montevidéu, o que o obrigou a deixar de lado, muitas vezes, a camisa vermelha e o surrado poncho branco que usava diariamente, para vestir uma sobrecasaca azul-escuro, fechada até o alto por botões dourados e uma cartola sobre a cabeça. Mas a casaca e a cartola eram de segunda mão e, no lugar da espada, ele usava uma bengala, percorrendo assim vestido, a pé, a Calle 25 de Mayo até chegar ao palácio do governo.

---

7 *Ibid.*, pp. 132-133.

Anita e Garibaldi não assistiram à entrada do Brasil no conflito. Em 1848, ele foi liberado pelo governo uruguaio para ir lutar pela independência de sua pátria e mandou a mulher na frente, como se verá adiante. Em 1851, os governos do Brasil, Uruguai e Entre Rios fecharam finalmente o acordo que colocaria um ponto final na longa guerra e que os jornais do Rio reclamavam havia tempos, como forma de assegurar os direitos brasileiros nas áreas banhadas pelos rios da região.

Pelo acordo, o futuro Duque de Caxias ficou de cruzar o rio Jaguarão, enquanto a frota brasileira no Prata, comandada pelo almirante Grenfell – aquele que combatera os farrapos e Garibaldi no Rio Grande do Sul –, cortaria os contatos entre Oribe e Rosas. Não foi necessário: no dia 3 de fevereiro de 1852, Oribe rendeu-se, acelerando a derrota final de Rosas.

À luz de velas

Em 26 de março de 1842, o jornal *El Constitucional* de Montevidéu anunciava: das sete da noite às quatro da manhã do dia seguinte, no salão de Flora na Plaza Cagancha, haveria um *gran baile de máscaras.* Informava até o aumento de preços cobrados dos barcos que atracavam no porto, mas não trazia uma linha sobre o que ocorrera naquela manhã, na Igreja de San Francisco, a poucas quadras do palácio do governo. O evento foi totalmente ignorado pelo jornal daquele sábado de Aleluia, pelas suas edições posteriores e pelas do *El Nacional,* o outro jornal existente na época na cidade.

Sem notícia, alarde ou grandes festas, a brasileira Ana Maria de Jesus Ribeiro e o italiano Giuseppe Garibaldi se casaram na Igreja de São Francisco de Assis, naquele

Igreja de São Francisco de Assis.

sábado de Aleluia. Uns poucos amigos apareceram logo depois na casa deles com garrafas de vinho espumante e bandejas com doces, mas foi só.

A discrição não era apenas gênero ou estilo do casal que estava na cidade havia apenas nove meses, ou decorrência do fato de Garibaldi ainda ser um simples professor de Matemática e não o herói nacional em que se transformaria alguns meses mais tarde. O casamento contrariava os cânones religiosos e só foi realizado com a conivência do pároco, num dia incomum para cerimônias do tipo.

Perante a Igreja, Anita ainda era legítima mulher de Manuel Duarte de Aguiar, o sapateiro de Laguna.

Alguns biógrafos, como Lindolfo Collor e Valentim Valente, afirmam que ela resolveu se casar ao ser informada da morte do primeiro marido. Teria mesmo pedido que lhe enviassem a certidão de óbito, mas o documento nunca chegou – nem foi localizado até hoje.

Mais provável é a versão registrada pela historiadora uruguaia Pérez Santarcieri. Baseada em tradição oral, ela diz que o matrimônio no religioso, mais do que um desejo de Anita, foi resultado da insistência da proprietária da casa onde viviam, dona Felicia García de Zúñiga de Villegas. Visitando os Garibaldi pelo menos uma vez por mês para cobrar o aluguel, acabou descobrindo que eles não eram casados – o que fazia com que seus filhos não tivessem uma situação legal.

No Uruguai de 1842 não existia a união civil e, sem ter como provar que era viúva, Anita não podia se casar com seu companheiro na igreja. Dona Felicia, no entanto, era adepta de uma frase feita: "Só a morte não tem remédio, minha filha", teria dito. Fez contato com o padre da paróquia de São Francisco e resolveu o problema.

Dona Felicia acabou sendo uma das testemunhas do casamento. A outra foi Paolo Felix Semidei, o *abade Paul*, que, com certeza, mantinha boas relações com o pároco da igreja; se mais não fosse, porque o cura-reitor Lorenzo A . Fernandes era o que hoje em dia se define como um *progressista*.

Dom Lorenzo não celebrou o matrimônio, oficiado por dom Zenon Aspaizú, mas organizou as atas antenupciais, assinou o termo oficial e fez todos os arranjos necessários. Mais tarde, integrou a Comissão dos Notáveis que funcionava como uma espécie de conselho de governo do Uruguai, ao lado de Garibaldi. E, em dezembro de 1864, estava no grupo de religiosos uruguaios que, a pretexto de levar conforto espiritual e medicamentos para feridos e moribundos nos hospitais sitiados, entrou, com autorização das autoridades militares brasileiras, na Fortaleza de Paissandu. Ao ser revistado, descobriu-se que estava contrabandeando material subversivo para os presos.

O pedido de casamento foi feito no dia 21 de março, tendo Garibaldi apresentado três testemunhas que confirmavam seu estado civil solteiro – o genovês Rafael Brusqui, o comerciante Angelo Manechini e Giuseppe Canepa, que era marinheiro e da Jovem Itália e também se apresentou como comerciante.

Dois dias mais tarde, Menotti foi batizado na mesma igreja, recebendo um prenome convenientemente sacro – Domingo, a versão castelhana do nome do pai de Garibaldi. No dia 24, Juan Pedro González, o notário, esteve na casa de Anita, registrando que ela, "instruída de minha diligência, me expôs que é de estado solteira, filha legítima de dom Bento Ribeiro e de dona Maria Antônia de Jesus e que agora, livre e espontaneamente, quer casar-se com dom José Garibaldi, a quem ao efeito dá sua fé e palavra, prometendo cumpri-la sempre que não resulte impedimento, pois por sua parte não tem nenhum canônico".

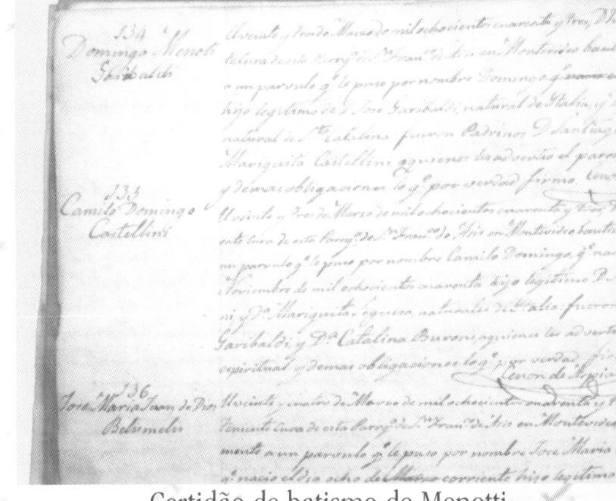

Certidão de batismo de Menotti.

O notário conversou ainda com uma mulher que se fez passar pela mãe da noiva. Nenhuma das duas assinou o termo, "por dizer não saber", tendo o documento a firma de uma única testemunha chamada Juan, de sobrenome ilegível.

Os proclamas, que pela praxe deveriam correr em três dias, foram resolvidos em 24 horas, por decisão de dom Lorenzo, que finalmente assentou tudo sob o número 19, às folhas 27 e verso do livro número um dos matrimônios realizados:

> No dia vinte e seis de março de mil oitocentos e quarenta e dois, dom Zenon Aspiazú, meu lugar-tenente nesta Paróquia de São Bernardino em Montevidéu, autorizou o matrimônio que, diante da Igreja, contraiu por palavra de presença dom José Garibaldi, natural da Itália, filho legítimo de dom José Domingo Garibaldi e de dona Rosa Raimunda; com dona Ana Maria de Jesus, natural de Laguna, no Brasil, filha legítima de dom Benito Ribeiro da Silva e de dona Maria Antônia de Jesus; tendo o sr. Provedor e Vigário-geral dispensado duas conciliares proclamas e praticado o mais quanto pre-

vine o Direito: não receberam as bênçãos nupciais por ser tempo em que a Igreja não as impõe; foram testemunhas do ato dom Pablo Semidei e dona Felicia García Villegas. O que, por verdade, firmo eu, o cura-reitor

Lorenzo A . Fernandez.

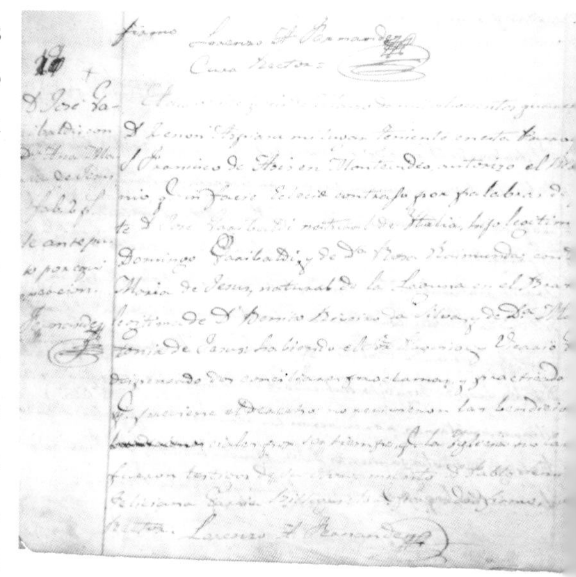

Certidão de casamento de Anita e Garibaldi.

Diz a lenda que Garibaldi pagou os serviços de dom Lorenzo com um relógio que herdara de seu pai. Parece isso mesmo – uma das muitas lendas que cercam sua trajetória. O certo é que os recém-casados tiveram três meses para aproveitar a vida na cidade, até Garibaldi sair na primeira expedição fluvial, dia 23 de junho.

No outono, os álamos plantados por toda Montevidéu ganhavam a cor de ouro, reforçando a sensação de que a capital pouco se importava com a guerra, que começara em 1839 mas só se tornaria presença constante em fevereiro de 1843, quando foi sitiada pelas tropas de Oribe e Rosas.

Todos os domingos, das quatro às dez da manhã, na grande feira erguida sob o que fora a cidadela, havia carne, peixes e aves em abundância. Sobre carros de boi, os camponeses vendiam pêssegos, peras, melões e outras frutas. Escravos – eles só foram alforriados em dezembro de 1842 – percorriam as ruas oferecendo serviços de lavanderia, vassouras e escovas, empanadas, velas, flores, cada um com um sonoro pregão:

Flo-res! Flo-res... flo
Tengo claveles y rosas,
Margaritas y alverjillas
Farolitos japoneses
Y azuladas campanillas
Flo-res... flo-res... flo.[1]

---

[1] (Flores, flores/tenho cravos e rosas/margaridas e *alverjillas*/Faroizinhos japoneses e azuladas campainhas/Flores, flores), cf. Carlos Menck Freire e Juan Antonio Varese, *Viaje al antiguo Montevideo*, cit., p. 103.

abundancia y aseo, previniendo que en estos se encuen-
-todas las sopas medio real, asado de vaca un real, id.
ancho id., id. de carnero id., bifes id., huevos fritos id.,
leche id. nov. 8

DAGUERREOTIPO.

RETRATOS, Y ENSEÑANZA.

A. Estepani, artista recien llegado á esta Capital, ofrece
petable Público sus servicios, tanto para sacar retratos,
para enseñar á hacerlos.
A. Estepani, posée el secreto de un nuevo método,
cual se obtiene el retrato con la mayor perfeccion, á la
a ó en cualquier local que sea. Podrá pasar á las ca-
rticulares, siempre que así lo prefieran las personas que
van ocuparle.
Profesor nombrado se obliga á enseñar á manejar el
rreotipo en una semana, con toda perfeccion.
o á precios sumamente equitativos.
en la calle de Misiones núm. 65, donde estará á las
s del Público desde las 8 de la mañana, hasta las 6 de
de. n8—30p

MAISON D'EDUCATION.

n'est plus universellement reconnu ni plus profondé-
nti que l'importance d'une éducation basée sur la mora-
r la réligion: elle peut seule répondre aux besoins de
ne, de la famille et de la societé.
la vue de procurer ce précieux avantage à la jeunesse,
J. Rochat et Mr. Cornu, avec la permission du Gou-
ent, se proposent d'ouvrir une maison d'éducation en
'ille.
le et les soins, joints à une longue pratique dans l'en-
ment, leur font espérer qu'ils mériteront l'approbation
es de famille, qui voudront bien les honorer de leur
ce.

Les branchee d'enseignement seront

Doctrine chétienne.	Histoire
Lecture.	Mythologie.
Escriture.	Latin.
Français.	Tenue des libres.
Arithmétique mercantile	parties double et
Géographie.	simple.
Grammaire espagnole.	Cosmographie.

lasses commenceront le Lundi 17 courant.
Messieurs, se conformant aux circonstances actuelles
nt les élèves au prix le plus moderé.
ourra s'adresser chez Mr. le Directeur, calle de los 33
nement *de los Pescadores*) núm. 144, dès aujourd'hui
8 Novembre, de midi à 4 heures.

CASA DE EDUCACION.

es mas universalmente reconocido ni mas profunda-
sentido que la importancia de una educacion fundada
moral y sobre la relijion; ella sola puede corres-
las necesidades del hombre, de la familia y de la

ovidade que Anita não usou: o daguerreótipo.

A vida social acontecia nos *miradores* e nas *azoteas*, onde as famílias de bem não apenas observavam a entrada dos barcos e a mudança dos ventos, como conversavam com seus vizinhos, eles também postados em seus *miradores* e *azoteas*.

Anita nunca se integrou plenamente na sociedade local, seja pela origem humilde, a dificuldade da língua ou a falta de dinheiro. Mas é certo que passeava com alguma freqüência no Jardim del Paseo Público, um pátio aberto, ligado a uma confeitaria, que anunciava no *El Nacional*:

Jardim del Paseo Público

O formoso jardim situado ao lado da confeitaria de mesmo nome na Calle de San Carlos, em frente ao Cabildo, oferece às pessoas de gosto as delícias que podem apetecer na presente estação. As melhorias que desde o verão foram feitas, a agradável vista de diversas flores e trepadeiras, as quais protegem os visitantes do incômodo que causam os fortes raios do sol, a comodidade dos novos assentos e o novo sistema adotado pelo dono para o pronto e fácil atendimento – que os concorrentes gostariam de ter –, tudo leva a crer que os freqüentadores ficarão extremamente satisfeitos. O dito jardim estará aberto de domingo 30 do corrente em diante, todas as horas do dia e até às onze da noite com livre entrada, excetuando-se as horas em que haja baile no salão, o que será nas noites de sexta-feira e em dias festivos. Nele se servirá toda classe de doces, licores, refrescos, chocolates, café, chá, cerveja, etc. As pessoas que queiram almoçar ou merendar bastarão avisar oportunamente e serão servidas com toda eqüidade.[2]

Anita também gostava muito de música. Por isso, tratou com todo o carinho o garoto Luis Sambucetti. Ele tinha sete anos quando chegou a Montevidéu com os pais, genoveses. Em 1844, aos doze, ingressou na banda da Legião Italiana, tocando pistão e depois violino, recebendo de Garibaldi um incentivo tipicamente italiano: "Estuda, rapaz, estuda, se quiseres ser um Paganini".

[2] "Avisos Repetidos", *El Nacional*, Montevidéu, 20-10-1842.

Entre suas amigas estava Antonia Guelfi, mulher do dirigente da orquestra que se apresentava regularmente na Casa de Comédias, o melhor dos dois teatros da cidade, a duas quadras da residência dela, na mesma 25 de Mayo.

A Casa de Comédias

Montevidéu já tinha outra sala de espetáculos, o Teatro Italiano, funcionando na cidade nova, perto do mercado, mas a que importava era a Casa de Comédias, também chamada de Coliseu, construída cinqüenta anos antes atrás da sede do governo e que seria demolida em 1879. Um oficial inglês que a visitou em 1808 achou a sala boa, embora de dimensões escassas e com pilastras grandes que dificultavam a visão de muitos espectadores.

Platéia da Casa de Comédias.

O início da guerra interrompeu a vinda das companhias italianas de ópera, mas o teatro não parou. Concertos instrumentais, fragmentos de óperas e canções populares, programados por entusiastas da arte ou aventureiros, mantiveram o teatro aberto.

No dia 20 de outubro de 1842, por exemplo, o *El Nacional* publicou um anúncio da 12ª função da sétima temporada, informando a programação daquele sábado. Uma curiosa miscelânea:

> O empresário do Teatro Nacional contratou com o sr. Meathevet (grande Alcides francês dos hercúleos da Europa) a exibição de algumas funções ginásticas. Depois da execução de uma sinfonia, terá lugar a representação da comédia em dois atos intitulada *O Poeta e a beneficiada*.
>
> Seus intermédios estarão divididos na seguinte ordem: depois do primeiro ato, o sr. Meathevet, acompanhado do sr. Abtalá (o Hércules africano), executará a grande cena,

retirada dos grupos de mármore do célebre Canova, primeiro escultor do Império Romano, conhecida pelo título *Os dois gladiadores combatentes*.

AVISOS.

TEATRO.

(Con permiso de la Comision.)

El Sábado 22 de Noviembre de 1845.

AVISOS NUEVOS.

TEATRO.

Se está preparando para el Sábado 12 del corriente, con permiso de la Comision, una

Gran Funcion Lírica

por las Señoritas LUCCI, y los Señores LAGOMARSINO y GANDOLFO.—la Orquesta será dirijida por el Profesor Sr. *Guelfi*.

SE NECESITA

Un buen cocinero para una corta familia. En esta Imprenta darán razon. o7

ACEITE DE QUEMAR

Recien desembarcado, hay de venta, por arroba á 3 pesos, y por botella á 160 reis, en la Planacia del Muelle No. 129. o7 3p

NOTICE

To Agents of goods per Brig "ALCIOPE, *from Liverpool—W. Bennet*, Master.

This vessel has opened her Register for discharging and such parties as may wish to receive their goods in this Port are requested to send in their Permits to the consignees Messrs Smith Brothers & Co., as soon as possible.

Montevideo, 6 october 1845.

John H. Robilliard,

Ship Broker, No. 109 calle de las Piedras.

AVISO

DEL HOTEL DEL VAPOR

Al Público y al Comercio en general.

Debiendo quedar el dia 10 del corriente disuelta definitivamente la sociedad que existia entre el abajo firmado y D. Alberto Oller sobre las utilidades que produjera el referido Establecimiento del Vapor, de la propiedad esclusiva de Garmendia, y el Villar sito en los altos de la esquina de D. Lorenzo Nieto, situados ambos establecimientos en la calle de Misiones; se suplica á las personas que puedan tener cuentas pendientes con los expresados establecimientos, se sirvan presentarse con ellas al que firma; á fin de que, despues de examinadas y justificadas, pueda acordarse el medio y termino en que deban satisfacerse.—Octubre 7 de 1845. 3p

Francisco Javier de Garmendia.

AVISOS.

TEATRO.

GRAN FUNCION EXTRAORDINARIA

Lírica y Dramática.

El Domingo 9 de Noviembre de 1845.

TEATRO.

EL SABADO 4 DE OCTUBRE. 1845.

Funcion á beneficio de los Enfermos y Heridos por los Aficionados Nacionales.

1.º Brillante sinfonia—Himno Nacional—Himno Argentino—

2.º Dráma nuevo, en 5 cuadros,

LOS TIRANICIDAS DE GALEAZZO SFORCIA.

3.º Despues del 2.º acto, Cavatina de la *Gazza Ladra : Di piacer mi balzza il cor*, por la Sa. Carmela Lucci.

4.º Despues del 3er. acto, *una aria bufa* por el Sr. Lagomarsino—

5.º Concluido el Dráma, las Sra. Lucci pondrán en escena la piecita en Portugues :

Tenho ainda un coraçao.

6.º La *avellanera*, Cancion por la Sra. Gambin.

7.º El *fandango*, andaluz, bailado por la Sra. Gambin y Sr. Quijano.

Programação de teatro na cidade sitiada.

Em seguida, apresentará um quadro de ginástica ateniense dividido em:

A valsa do Tirol

Lila Encantadora

O banco de Sansão

O braço de Milão

A cadeira de Maomé

Grande experiência do marechal de Saxon, em que o sr. Meathevet dobrará um patacão só com a força dos polegares, sendo as moedas primeiramente reconhecidas pelo público, terminando o quadro com *O grande vôo aéreo*.

E seguia adiante, com *O sonho de Hércules*, o segundo ato da comédia, terminando a função com a pantomima em um ato chamada *Vôo ao vento ou Os moinhos de Barmormarto de Paris*. Tudo com a participação de dona Dolores Fernández – conhecida como *Fenômeno Ocidental* – e dona Maria Pico. Com tantas atrações, complementava o anúncio, o empresário obteve permissão da autoridade competente para cobrar os seguintes preços: camarotes superiores, três patacões; inferiores, três pesos; lunetas, seis reales, e entrada geral, dezoito vinténs.

O teatro também apresentou muitos espetáculos beneficentes, para as viúvas, os enfermos e feridos, nos hospitais da capital. Entre os artistas estrangeiros, fizeram grande sucesso Rafael Lucci e suas filhas Carmela e Manuela, que chegaram em setembro de 1845 e cujas apresentações, apoiadas pela orquestra de Guelfi, costumavam incluir "a nova modinha em brasileiro chamada *Eu adoro – Oh, que desgraça*".

Volta e meia, é bem verdade, os jornais anunciavam a transferência desta ou daquela função, em razão de uma indisposição das artistas, o que faz supor, das duas, uma: ou as senhoritas tinham crônicos problemas de saúde, ou o empresário, crônicos problemas de público.

Os jornais traziam muitos anúncios oferecendo amas de leite – as mais cotadas eram as bascas, tidas como boas leiteiras. Uma delas, chamada Catalina, é que ajudava a cuidar dos filhos de Anita. (Rosita nasceu em 11 de novembro de 1843, Teresita em 22 de março de 1845 e Ricciotti em 24 de fevereiro de 1847.)

Se podia sair à noite, liberada pelo zelo de Catalina, Anita dificilmente conseguia acompanhar o marido em suas ações guerreiras. Há apenas um registro: no fim de abril de 1843, Garibaldi teve de ir à ilha das Ratas, em frente à cidade, levar reforços para a guarnição que estava ali. Anita foi com ele, de chalupa, trazendo a reboque a barcaça com os carregamentos, por entre os navios inimigos que bloqueavam o porto.

AVISO JUDICIAL·

De órden del Sr. Alcalde Ordinario de este Departamento, en las tardes de los dias 16, 17 y 18 del presente mes, á las puertas del edificio del extinguido Cabildo, se han de hacer almonedas, y remate en la última de ellas, en el mejor licitador, á dinero de contado, de un edificio en altos de la propiedad de la testamenteria de D. Fermin Hin Kley, situado en la Calle de Ituzaingo núm. 7, tasado el todo en la cantidad de tres mil, trecientos cincuenta y cinco pesos, dos y cuarto reales. Quien se interese en su compra, ocurra á la Oficina á cargo del que subscribe, donde se le manifestarán los pormenores de aquellas tasaciones.—Montevideo, Octubre 14 de 1845.

o14—3p Pedro de Latorre

AMA DE LECHE.

Hay una Joven basca francesa recien parida de 19 años de edad, que desea crear. Ocurra á la esquina núm. 117 Calle del 18 de Julio. o14 3p

VINO JEREZ, PAJARETE, ARGANDA Y SAN VICENTE.

Hay en venta, recien llegados, en cajones de 12 botellas, de estos selectos vinos, en la Calle de Misiones núm. 80. o14 3p

Las personas que tengan para alquilar almacenes propios para depósitos de Aduana, podrán dirijir sus propuestas detalladas á la Comision Directiva de la Sociedad de Accionistas, que ha de decidirse por los que fuesen mas ventajosas.

Montevideo, Octubre 44 de 1844. o14—3p

...immediato á lo de D. Juan M. Perez, m 8

Hay una mujer blanca para conchabarse venida recientemente de la Coruña, sabe hacer el servicio genera de una casa y con particularidad coser y bordar, el que se interese por ella, le darán noticia en la esquina frente á los Ejercicios. a 8

Hay colocacion PARA UN oficial de confiteria que sepa bien su obligacion, en el Café de la Plaza del Cuatro de Octubre darán razon. a 8

Amas de leite nos classificados dos jornais uruguaios.

Quando Garibaldi saiu da capital para lutar, dizem certos biógrafos, ela teria passado a freqüentar a casa de dona Bernardina Rivera, mulher do presidente uruguaio, que criou a Sociedade Filantrópica das Damas Orientais, na própria casa, e vivia fazendo quermesses beneficentes. Mas o nome de Anita não consta das listas de participantes da Sociedade.

Em agosto de 1843, Garibaldi trombou com o novo encarregado dos negócios do Brasil, dr. João Francisco Régis, que o chamou de "reles aventureiro" durante uma palestra. Embora tivesse assinado o pedido de anistia, o italiano invadiu a Casa do Brasil e agrediu o dr. Régis.

O governo brasileiro protestou e o uruguaio publicou enorme explicação na imprensa. Régis não aceitou as desculpas e Garibaldi assinou novo documento, onde dizia não ter tido "a mais leve intenção de ofender com isso [a invasão e a agressão] o caráter público do sobredito comendador", pedindo desculpas e prometendo nunca mais hostilizar súdito algum do império.

Os tempos amenos tinham decididamente ficado para trás. Anita costurava uniformes, como todas as mulheres da cidade – as mais ricas estavam autorizadas a contratar o serviço de terceiras. Começava a faltar comida.

Para manter a família, Garibaldi só contava com a ração de soldado – onze onças de pão, seis de arroz, feijão, favas, grão-de-bico ou lentilhas, meia onça de banha, que podia ser substituída por toucinho ou óleo e uma ração de lenha, tudo avaliado em setenta reales.

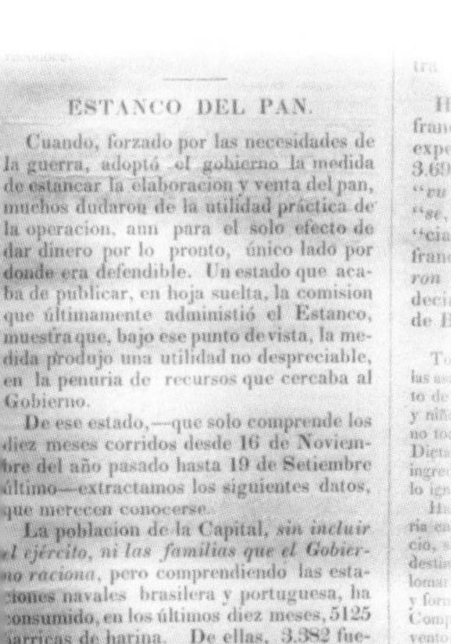

ESTANCO DEL PAN.

Cuando, forzado por las necesidades de la guerra, adoptó el gobierno la medida de estancar la elaboracion y venta del pan, muchos dudaron de la utilidad práctica de la operacion, aun para el solo efecto de dar dinero por lo pronto, único lado por donde era defendible. Un estado que acaba de publicar, en hoja suelta, la comision que últimamente administió el Estanco, muestra que, bajo ese punto de vista, la medida produjo una utilidad no despreciable, en la penuria de recursos que cercaba al Gobierno.

De ese estado,—que solo comprende los diez meses corridos desde 16 de Noviembre del año pasado hasta 19 de Setiembre último—extractamos los siguientes datos, que merecen conocerse.

La poblacion de la Capital, *sin incluir el ejército, ni las familias que el Gobierno raciona*, pero comprendiendo las estaciones navales brasilera y portuguesa, ha consumido, en los últimos diez meses, 5125 barricas de harina. De ellas, 3.382 fueron empleadas en pan, y 1.743 en galleta. Las primeras produjeron 12:682,500 onzas de pan; y las segundas 5:229,000 onzas de galleta.—El precio de aquellas varió, desde 9 hasta 15 pesos, é importó en su totalidad 34.674 pesos 600 reis: el de estas, varió de 6 pesos. á 12 con 6 reales; y ascendió á 16.997 pesos, 288 reis. El producto de la venta del pan llegó á 91.943 pesos 565 reis, y el de la galleta á 27.889 pesos 68 reis. La entrada jeneral en los 10 meses fué de 122.127 pesos con 273 rs.; y la salida jeneral, 70.356, con 243; lo que deja una utilidad, en dinero, de 51.771 pesos. Agregadas las existencias, la galleta consumida en oficinas del Gobierno, resulta una utilidad liquida de 53.428 pesos con 138 reis.

Suponiendo que el consumo de pan y galleta fuese proporcionalmente el mismo,

Falta de pão em Montevidéu.

A ração não incluía velas e, várias vezes, visitantes encontraram a casa deles às escuras. O detalhe cresceu de importância quando o general Pacheco y Obes, já embaixador do Uruguai na França, divulgou-o em resposta aos que acusavam o italiano de ser um mercenário que lutava por dinheiro, em artigos publicados pelo *Journal des Débats*:

Em 1843, o senhor Francesco Agell, um dos mais respeitados comerciantes de Montevidéu, comunicou ao ministro da Guerra que, na casa de Garibaldi, do chefe da Legião Italiana, do chefe da marinha nacional, do homem enfim que dedicava todo dia de sua vida a Montevidéu, não se acendia durante a noite nenhuma luz, porque, na ração dos soldados, a única com que Garibaldi contava para viver, não estavam incluídas velas. O ministro (e era o próprio escrevente) mandou por seu ajudante-de-campo G. M. Torres cem patacões (quinhentas liras) a Garibaldi, que, guardando para si a metade dessa soma, devolveu o resto para que fosse enviado à casa de uma viúva que, segundo ele, estava mais necessitada.

Cinqüenta patacões, ou 250 liras, essa a única soma que Garibaldi recebeu da República. Enquanto ele continuava conosco e a sua família vivia na pobreza, ele não teve mais ajuda do que qualquer soldado, e seus amigos, freqüentemente, tinham que usar de subterfúgios para que trocasse as roupas já gastas.

Anita, Garibaldi e os filhos em casa, na Calle 25 de Mayo.

> Ele tinha amigos entre todos os habitantes de Montevidéu, jamais houve um homem mais amado, o que era natural. Garibaldi sempre foi o primeiro a ir à luta, mas era igualmente o primeiro a suavizar os males da guerra. Quando mandava um ofício ao governo era para pedir perdão para um conspirador, pedir socorro em favor de um infeliz qualquer e foi graças a Garibaldi que o senhor Michele Haed, condenado pela lei da República, debitou sua vida.

Há uma lista de testemunhas dessa pobreza franciscana. Quase sessenta anos depois de Anita e Garibaldi terem deixado Montevidéu, dom Hector Vollodiz ainda se lembrava detalhadamente – citando o nome de três outros presentes – de certa noite de verão, em que estavam todos na cozinha de Garibaldi, assando umas pescadinhas, iluminados por um candeeiro primitivo, feito com uma lata e banha, enquanto Anita e os filhos tomavam a fresca no balcão.

Bateram à porta. Um dos homens atendeu e disse ao voltar:

– General, tem um senhor forte lá fora, que só fala francês.

Era o comandante da esquadra francesa, almirante Pierre-Jean Lainé, que vinha conferenciar com Garibaldi. A Alexandre Dumas, Lainé contou mais tarde que havia empurrado a porta da casa e esbarrado numa cadeira no escuro:

Eia – ele exclama. – Será mesmo inevitável sair destroncado de uma visita a Garibaldi?

– Eh, mulher – grita Garibaldi, por sua vez, sem reconhecer a voz do almirante –, não estás ouvindo que tem alguém na ante-sala? Acende!...

– E com que tu queres que eu acenda? Então não sabes que não temos um patacão em casa para comprarmos uma vela?

– É verdade – respondeu filosoficamente Garibaldi.

E ele se levantou. Abriu a porta da peça onde se encontrava, dizendo: "Por aqui, por aqui", a fim de que a sua voz, na falta de luz, guiasse o visitante.

O almirante Lainé entrou. A escuridão era tal que ele viu-se obrigado a se identificar para que Garibaldi soubesse com quem iria tratar.

– Almirante – disse ele –, o senhor me perdoará, mas quando fiz o trato com a República de Montevidéu esqueci de especificar, entre as rações que nos são devidas, uma parte de velas, e, como dizia Anita, a casa, não dispondo de um patacão para comprar uma vela, fica, assim, às escuras. Por sorte, eu presumo que o senhor tenha vindo para me falar e não para me ver.

O almirante conversou com Garibaldi, mas, de fato, não o viu.[3]

Lainé falou com Pacheco y Obes, que mandou dinheiro para Garibaldi. Este distribuiu a maior parte, ficando com o necessário para as velas. Nunca ligou para dinheiro. Certo dia, sua filha Teresita caiu da escada e desandou a chorar. Anita havia saído e ele resolveu ir comprar um brinquedo para a menina. No caminho, encontrou um emissário do presidente, que o chamava com urgência. Foi à casa dele, conversaram duas horas e Garibaldi voltou sem o brinquedo, encontrando a menina tranqüila e Anita preocupada: "Fomos roubados", teria dito ela, fazendo-o lembrar do dinheiro no bolso.

Tantas histórias e detalhes não impediram que se propagasse a idéia de que Garibaldi ficou rico no Uruguai e deixou ali um tesouro fantástico, jamais encontrado. Não era a primeira lenda envolvendo tesouros no Uruguai. No século XVII, falava-se sobre a suposta fortuna que teria sido enterrada pelo pirata Francis Drake perto da ilha das Flores. Nos anos 60 do século XX, ainda havia gente procurando o tesouro do italiano que não tinha nem velas para iluminar sua casa.

---

[3] Alexandre Dumas, *Memórias de José Garibaldi*, cit., pp. 177-178.

Provas concretas de que o general pouco ligava para dinheiro existem muitas. Rosas ofereceu-lhe uma pequena fortuna para que se bandeasse – e deixou registrada sua frustração diante da negativa. Em 30 de janeiro de 1845, Rivera mandou esta carta para Garibaldi:

Uniformes militares da época.

Senhor.

Quando no ano passado dei para a honorável Legião Francesa uma certa quantidade de terreno, presente que foi aceito, como os jornais publicaram, esperava que no meu quartel-general aparecesse algum oficial da Legião Italiana, o que me permitiria satisfazer um ardente desejo de meu coração, mostrando a esta Legião a estima em que a tenho, pelo importante serviço prestado por seus companheiros à República, na guerra que sustentamos contra força armada de invasão de Buenos Aires.

Para não prolongar mais o que considero como o cumprimento de um dever sagrado, anexo à presente – e com o máximo prazer – um ato de doação que faço à ilustre e valorosa Legião Italiana, como prova segura do meu reconhecimento pessoal pelos eminentes serviços prestados por esta Legião ao meu país.

O dote, sei mais do que todos, não se compara nem com os serviços, nem com meu desejo, mas espero que o senhor não se recuse a oferecê-lo, em meu nome, a seus companheiros, assegurando-lhes a minha simpatia e meu reconhecimento a eles e ao senhor, que dignamente os comanda e que anteriormente, ajudando nossa República, já havia adquirido um direito incontestável à gratidão.

Aproveito a ocasião, coronel, para registrar toda minha consideração e profunda estima.

Fructuoso Rivera.[4]

A resposta de Garibaldi:

Excelentíssimo senhor.

O coronel Parodi, na presença de todos os oficiais da Legião Italiana, como era seu desejo, me entregou a carta que tiveste a bondade de escrever-me no dia 30 de janeiro, e anexo a ela um ato pelo qual o senhor fazia uma doação espontânea à Legião Italiana de uma parte da terra de sua propriedade, entre o arroio Avernas e o arroio Grande, ao norte do rio Negro, além de um rebanho de gado e de benfeitorias existentes naquele terreno.

O senhor disse que estava doando aquilo como recompensa aos serviços que prestamos à República.

Os oficiais italianos, depois de terem ouvido o texto da vossa carta e tomado nota do ato que ela continha, em nome da Legião declararam, unanimemente, que, ao cederem suas armas e seus serviços à República, não tinham intenção de receber outra coisa senão a honra de dividirem os deveres e os perigos que encontrarão os nascidos neste país que nos oferece sua hospitalidade.

Agindo assim, eles obedeciam à sua consciência. Tendo satisfeito ao que consideravam apenas o cumprimento de um dever, continuaremos, enquanto o assédio assim o exigir, a dividir os trabalhos e os perigos dos nobres montevideanos, mas não desejamos outro prêmio e outra recompensa à nossa fadiga.

Excelência, tenho a honra de comunicar-lhe a resposta da Legião, com a qual concordam em tudo e por tudo meus sentimentos e meus princípios.

Assim lhe devolvo o original da doação. Possa Deus conservá-lo por muitos dias.

Giuseppe Garibaldi.[5]

---

[4] *Ibid.*, pp. 156-157.

[5] *Ibidem*.

Rumo à Itália

No dia 23 de dezembro de 1845, em Montevidéu, nos braços da mãe, morreu Rosita. A difteria que assolava a cidade foi a provável causa da morte da menina, de pouco menos de dois anos. Garibaldi estava em Salto, a cerca de 400 quilômetros de distância, e foi informado da maneira mais brusca, por meio de uma carta do general Pacheco y Obes, então ministro da Guerra: "Vossa filha morreu. Deste ou daquele modo, deveis sabê-lo".[1]

É fácil imaginar a reação de Anita à morte da filha – até pelo fato de Garibaldi tê-la chamado para ficar a seu lado, "com medo que ela enlouquecesse". Levando Menotti e Teresita, Anita fez a viagem até Salto num dos muitos barcos que já navegavam sem problemas pelo rio Uruguai, entre janeiro e fevereiro de 1846, depois que a esquadra argentina foi desarmada por franceses e ingleses. Pelo rio liberado, chegaram a Montevidéu nesse mesmo período 35 mil couros, 2.630 fardos de lã, 880 arrobas de banha, carvão, mate, tabaco e alimentos.

Em Salto, pouco mais de uma aldeia demarcada por dois arroios, um ao norte, outro ao sul, Anita e as crianças passaram a morar com Garibaldi numa pequena casa da Praça 33, perto da Rua Daymán. Ela retomou as longas cavalgadas de que tanto gostava, foi incorporada à Legião Italiana como enfermeira e cuidou dos feridos na batalha de Santo Antonio del Salto, no dia 8 de fevereiro.

---

[1] Ivan Bóris & Mino Milani, *Anita Garibaldi: Vita e morte di Ana Maria de Jesus*, cit., p. 62.

Derrotado o inimigo, a região voltou à calma. Não havia o clima tenso da capital, onde o general Tomas Iriarte anotava, dia após dia, tiros de escopeta à tarde ou canhoneios noturnos, como quem registra se choveu ou fez sol. Dois feridos e dois mortos no dia 22 de fevereiro de 1846, aponta ele em seu diário – e acrescenta: "Essa sociedade se familiarizou tanto com o sangue e se ouve falar que ele foi derramado com tanta freqüência que parece que estamos falando de animais irracionais, não de seres humanos".

No dia 26 de fevereiro, novamente Iriarte:

> Os inimigos deram uma salva de 21 tiros de canhão durante a noite. Famílias que vieram do campo inimigo dizem que foi para comemorar a vitória de Oribe sobre Garibaldi no dia 8 de fevereiro em Santo Antonio.
> Triste situação deve ser a de um general que não tem outro recurso a não ser a mentira para inquietar seus inimigos e tranqüilizar, ainda que passageiramente, seus soldados.

As mudanças no cotidiano da capital eram realmente grandes:

> Em lugar de uma linha de árvores (na avenida central da cidade nova) há, durante as tardes, linhas de soldados que acabam de ceder seus postos à grande guarda que se apronta para o perigoso serviço noturno nos postos avançados. Ameniza outras vezes as tardes o exercício dos caçadores dos batalhões negros, ou uma revista do 73 ou do 45 das linhas inglesas. As músicas desses corpos ou dos artistas italianos que encabeçam a legião de suas nacionalidades animam com suas melodias as caladas noites da cidade cercada. Como os combates diários diminuíram de algum tempo a esta parte, divertem-se as baterias avançadas em trocar alguns canhonaços e não é raro que, nos domingos à tarde, em que as senhoras se aventuram a sair fora da trincheira, lhes enviem seus compatriotas de fora algumas balas perdidas.[2]

Em Salto, não explodiam mais canhonaços, nem zuniam balas perdidas – e a vida retomava sua rotina. A própria Anita foi madrinha de casamento de alguns legionários que haviam se apaixonado por moças da cidade. Muitas mulheres arrastavam

---

[2] Domingo F. Sarmiento, *Viajes I: De Valparaiso a Paris*, cit., pp. 112-114.

a asa para os lados do comandante da Legião Italiana, que era fiel *ma non troppo*, reforçando o ciúme de Anita, a ponto de ele próprio ter dito a Jessie White-Mario que sua mulher andava com duas pistolas na cinta – uma para o marido, outra para a suposta amante.

Nessa época, em Salto, o tenente Caetano Sacchi encontrou seu comandante com o cabelo e a barba tosados – e mal tosados. Comentou que o chefe poderia ter escolhido um barbeiro mais cuidadoso e ficou sabendo que fora o próprio Garibaldi quem os cortara, numa tentativa de aplacar o ciúme de Anita.

Não era uma tarefa fácil: o italiano com perfil grego encantava até os homens que serviam sob suas ordens, como indica a descrição feita por Ventura Rodríguez, um de seus subordinados uruguaios:

> Jamais o vi incomodado. Ficava sério somente nos momentos de perigo, mas não com essas seriedades que assustam, seguidas de vozes bruscas e furibundas. Garibaldi levava seus soldados ao combate falando-lhes do mesmo modo que no quartel, com doçura, não com gritos espantosos, nem com algumas dessas *paradas* que vi em tantos chefes.
>
> Na luta, era o primeiro a desembainhar o sabre, dirigindo-se em seguida à tropa, a qual proclamava sem mencionar os oficiais.
>
> Falava o castelhano perfeitamente, como já disse, e também o francês; mas com os soldados o fazia em italiano, o mesmo que Anzani e seus oficiais, em um italiano puro, sem sombra de genovês, nem de nenhum dialeto.
>
> Era de estatura mediana, largo de espáduas, delgado de cintura, bem conformado, tirando a forte. Despreocupado no vestir. De pisar firme, seus passos se sentiam de longe; sempre andava de botas debaixo das calças. Ao caminhar fazia um marcado movimento com o braço direito, o qual, quando andava a cavalo, a galope, parecia desconjuntado na articulação do ombro; sem embargo, esse movimento não lhe caía mal.

Giuseppe Garibaldi e o negro Aguiar.

Tinha um rosto expressivo e formoso, de cor rosada; olhos azuis* muito vivos, nariz delgado, mas de lindos contornos; cabelo mais claro do que a barba; a princípio não tinha o cabelo grande, mas depois deixou-o crescer em melenas cacheadas. Usava o bigode arqueado até a boca.[3]

Fica mais fácil entender por que, em sua passagem pelo Uruguai naquele ano, o marinheiro britânico H. F. Winnington-Ingram encontrou Anita colada no marido:

Enquanto engajado nessa guerra, foi cortejado e conquistou a bela Anita, que nascera *creolle** mas tinha todas as maneiras atraentes das *señoritas* da velha Espanha. Ela havia se convertido, pelos costumes de seu país, em uma esplêndida amazona e era um espetáculo vê-la cavalgando ao lado do marido, enquanto a banda italiana tocava sua marcha de regresso a partir das linhas defensivas de Montevidéu, depois de ter cumprido os deveres do dia.[4]

Em março de 1846, o general Rivera voltou a Montevidéu, reassumiu o poder, depois de conflitos e tumultos, colocou homens de confiança nos postos-chave e mandou o general Medina com seiscentos soldados para Salto, numa tentativa de controlar Garibaldi. Apesar da mágoa pelo desajeitado comunicado da morte de Rosita, o italiano continuava sendo um defensor de Pacheco y Obes, que se demitira no começo de abril.

Em maio, Garibaldi atacou os argentinos em Daymán, obteve uma grande vitória e despachou Medina e sua tropa de volta a Montevidéu. Resolvido o problema, retornou também à capital no início de setembro, levando Anita e as crianças.

Desde a vitória de Daymán, a chamada grande guerra já dava sinais de estar se esgotando. Ao mesmo tempo, Garibaldi acumulava informações sobre as mudanças na situação política italiana. Acertou a ida de Anita e das crianças para a Itália antes dele, quando estavam em Salto, como indica a carta que enviou para Cuneo, em Montevidéu:

---

* Eram castanhos, na verdade (PM).

[3] Ventura Rodríguez, *Memorias militares del general* (Montevidéu: Barreiro y Ramos, 1919), p. 209.

* *Creolle*, segundo o dicionário Webster, é "crioulo, filho ou descendente de europeu nascido na América espanhola ou francesa" (PM).

[4] H.F. Winnington-Ingram, *Hearts of oak* (Londres, W. H. Allen and Co., 1889), p. 93.

Salto, julho de 1846.

Decidi mandar a família a Nice e, como estou realmente sem dinheiro, gostaria que você tivesse a complacência de ajudar a conseguir uma passagem, para o que dou à minha mulher uma carta de recomendação a Lainé e Ousely.*

Mas a partida de Anita ainda demoraria um ano e meio, porque ela estava grávida de novo. No dia 24 de fevereiro de 1847, em Montevidéu, nasceu o quarto filho do casal, Ricciotti Garibaldi. O nome do menino era uma homenagem a Nicola Ricciotti, fuzilado junto com os irmãos Bandiera, cujo drama havia chegado ao Uruguai.

Attilio e Emilio

Os irmãos Attilio e Emilio, filhos do barão Bandiera, contra-almirante da força naval austríaca, tinham se tornado entusiastas da causa italiana. Fundaram uma sociedade secreta chamada Esperia, cooptaram muitos oficiais e, no segundo semestre de 1842, Attilio, o mais velho, escreveu uma carta a Mazzini, sem se identificar, oferecendo-se para lutar ao lado dos militantes da Jovem Itália.

Attilio e Emilio Bandiera.

Em seguida, Emilio também passou a se corresponder com Mazzini. Muitas cartas depois, Attilio já se propunha "formar um grupo político e ir para as montanhas, combater pela nossa causa até a morte". Embora soubesse claramente que não teriam a mínima chance, seguiam a doutrina mazzinista e pretendiam dar um exemplo moral.

Naquele ano de 1843, na Itália central, ocorreram vários choques entre as milícias papais e o povo e alguns grupos se rebelaram. Attilio, alferes no barco *Bellona*, foi chamado a Veneza repentinamente. As autoridades sus-

* Almirantes francês e inglês que comandavam as esquadras postadas no Prata (PM).

peitavam dele, que resolveu se esconder. O irmão conseguiu encontrá-lo em Corfu, uma das ilhas jônicas, na Grécia.

A pedido dos austríacos, que temiam a influência dos irmãos sobre os colegas da marinha, a própria mãe foi procurá-los, levando a promessa de um indulto. Ela chorou, chamou os filhos de ímpios, assassinos, desnaturados, mas não conseguiu convencê-los a recuar.

O governo austríaco acusou publicamente os irmãos Bandiera de alta traição, exigindo que retornassem imediatamente a Veneza. Os dois disseram que não reconheciam as leis manchadas de sangue que submetiam os italianos ao domínio estrangeiro.

No dia 12 de junho de 1844, com dezoito companheiros, entre eles Nicola Ricciotti, os dois saíram de Corfu para a Calábria dispostos a libertar alguns presos políticos detidos, unindo-se aos rebeldes nas montanhas. Seus planos foram denunciados por um delator. Cercados por setenta policiais, mataram um cabo e um soldado e acabaram fugindo, sendo atacados por nada menos que mil soldados pouco adiante.

Um dos rebeldes morreu, outros foram feridos. Attilio e Emilio e Ricciotti, condenados à morte, enfrentaram o pelotão de fuzilamento no dia 25 de julho, cantando

Fuzilamento dos irmãos Bandiera.

assim: "Chi per la patria muore, vissuto è assai" (Quem pela pátria morre, viveu o bastante).

Os mesmos barcos que traziam as histórias da Itália levavam notícias das vitórias da Legião Italiana no Uruguai. O nome de Garibaldi voltou a ser mencionado pelos jornais italianos. Não mais como condenado à morte e sim como herói. E por trás da virada havia o empenho de Cuneo e de Mazzini. O líder máximo da Jovem Itália encarava a Legião como uma arma a seu alcance e tratava seu comandante de modo ambíguo: gostaria, sim, que ele fosse lutar na Itália, mas sob controle absoluto.

Embalados pelo noticiário, alguns liberais toscanos organizaram uma subscrição para dar a Garibaldi uma espada de honra e a Anzani, uma medalha de prata. A iniciativa foi proibida no reino sardo, quando se soube que o destinatário era um proscrito. Só se aceitavam ofertas iguais ou inferiores a uma lira, mas, mesmo assim, foram recolhidas 5.468 liras.

Em junho, o governo uruguaio nomeou Garibaldi comandante supremo de todas as forças de defesa, o que significava uma grande honra e um aumento de salário. Mas a medida foi encarada como provocação por muitos uruguaios. Multiplicaram-se os artigos nos jornais criticando a entrega de um posto tão vital a um mercenário estrangeiro. Em agosto, Garibaldi, com a cabeça na Itália, pediu demissão do cargo. Estava desgostoso com a situação no Uruguai, onde os diplomatas ingleses e franceses buscavam o fim da guerra mediante uma solução de compromisso, que ele jamais aceitaria. Ao mesmo tempo, se inflamava ao pensar na Itália, onde as mudanças pareciam ter se acelerado desde junho de 1846, quando o conservador papa Gregório XVI morreu e foi substituído por Pio IX.

Pio IX

Filho de família nobre e abastada, João Maria Mastai-Ferretti seria um papa improvável. Tinha 54 anos, era cardeal havia apenas seis e passara algum tempo no Chile, numa missão de caridade e catequese que quase o levou à morte. Querido pelo povo, assumiu o nome de Pio IX e foi proclamado papa no dia 17 de junho de 1846.

Pio IX.

Seus primeiros movimentos entusiasmaram a oposição. No dia 1º de julho dispensou os 4 mil guardas suíços do Vaticano, os mais odiados pelo povo. Duas semanas depois, transferiu a censura exercida pelos jesuítas para comissões laicas, ampliou certas liberdades políticas e concedeu anistia aos condenados pelos crimes de sedição e propaganda, incluindo os exilados e proscritos.
A onda liberal comandada pelo papa entrou logo em refluxo, sem chegar ao conhecimento dos exilados no Uruguai. Surgiram manifestações de rua em Roma, comandadas por um certo Ciceruacchio, taberneiro e carroceiro que tinha ficado rico e que era uma figura popular na cidade-sede da Igreja Católica.

No dia 12 de outubro de 1847, Garibaldi e Anzani escreveram a monsenhor Gaetano Bedini, núncio apostólico no Rio de Janeiro. Uma atitude surpreendente, vinda de dois inimigos declarados da Igreja. E com uma dose impressionante de coincidência: esse mesmo monsenhor Bedini, já no cargo de comissário pontifício de Bolonha, é que receberia a comunicação oficial da descoberta do corpo de Anita e as denúncias anônimas que acusavam Garibaldi por sua morte, quase dois anos mais tarde.

A carta, respeitosa, escrita numa linguagem exageradamente beata, chamava o papa de Grande Sacerdote e lhe oferecia os serviços da Legião Italiana, com esperança, mas sem presunção. O monsenhor enviou a missiva a Roma imediatamente, respondeu aos legionários de modo benevolente e vago e a oferta morreu por aí.

Outra carta, com o mesmo propósito de oferecer armas e homens da Legião para a luta pela independência, foi encaminhada ao grão-duque da Toscana, igualmente sem resultado. Mas a Legião acreditava que a ida para Roma era questão de tempo e começou uma coleta de dinheiro para pagar a viagem.

No dia 27 de dezembro de 1847, junto com as famílias de seis oficiais da Legião, Anita e os filhos embarcaram num veleiro sardo com destino a Gênova. Antes de partir, ela esteve no cemitério de Montevidéu e colocou flores no túmulo de Rosita. Garibaldi lhe prometeu que levaria os despojos da criança para a Itália. Na bagagem, Anita levava a miniatura pintada por Gallino e uma carta do marido endereçada ao irmão de Napoleone Antonini, Paolo, que vivia em Gênova, pedindo ao amigo que cuidasse dela e das crianças, arranjando-lhes "passagem por terra ou por mar, de acordo com o desejo dela".

O novo destino de Anita, a Europa, estava mais agitado que Laguna em 1839 e o Uruguai em 1841. Em vários países, ocorriam reações à Restauração estabelecida mais de trinta anos antes pelo Congresso de Viena.

O Congresso de Viena e a Restauração

Entre setembro de 1814 e junho de 1815, reis, imperadores, ministros de Estado e embaixadores dos quatro cantos da Europa passaram a ter endereço e objetivos coincidentes. O endereço era Viena, capital do império austríaco. A meta comum, reconstruir o Velho Mundo, em termos políticos.

A Restauração pretendia não apenas redesenhar as fronteiras européias, mas atender aos interesses dos países que haviam desmontado o império erguido por Napoleão. Soberanos e príncipes europeus se juntavam para fulminar as conquistas da Revolução de 1789 e as *idéias francesas* que teimavam em sobreviver Europa adentro.

No encontro, que ficou conhecido como o Congresso de Viena, o primeiro-ministro austríaco, o príncipe de Metternich, jogou um papel decisivo. Para ele, a Áustria deveria assumir a função de fiel do reconstruído equilíbrio de poder no continente e qualquer sinal de liberalismo tinha que ser prontamente liquidado.

O clima do encontro não foi propriamente ameno, porque as grandes potências – Inglaterra, Rússia, Áustria e França – tinham interesses conflitantes. Mas na hora de redividir a Europa prevaleceu o chamado *princípio da legitimidade*, a criação de Metternich que restabeleceu o poder das dinastias tradicionais nos territórios controlados por elas antes das invasões napoleônicas.

Derrotada, a França perdeu os territórios que havia conquistado, pagou 700 milhões de francos como indenização e teve de suportar a ocupação de uma força multinacional de 150 mil homens.

A Inglaterra cresceu, mas fora do continente europeu, obtendo colônias e pontos estratégicos para sua política de predomínio naval. Polônia e Finlândia ficaram com a Rússia; Pomerânia e Renânia, com a Prússia; e a Suécia anexou a Noruega.

Quanto aos anfitriões austríacos, coube-lhes o reino lombardo-veneziano, com mais 4 milhões de italianos de Milão, Mântua e dos territórios da antiga Veneza.

Mas a mera divisão, seja da Europa como um todo, seja do território italiano em particular, ainda era pouco para quem queria garantir uma forma de governo próxima do esgotamento, o absolutismo. É aí que entra em cena o pacto concebido pelo czar russo Alexandre I, "sob o signo da Santíssima Trindade", e do qual só a Inglaterra ficou de fora.

Os objetivos formais desse projeto eram propositalmente vagos – fornecer assistência mútua a seus membros –, mas o alvo estava bem desenhado: a revolução liberal, de qualquer tipo, em qualquer lugar.

O domínio napoleônico havia modificado a justiça e prejudicado a economia da Itália, antagonizando o clero e a aristocracia, sem conquistar a simpatia dos camponeses, que se livraram dos deveres feudais, mas passaram a pagar impostos pesados.

Com a Restauração, nobreza e clero recuperaram seus privilégios nos territórios controlados pelos austríacos. O regime era de sufoco. Liberdade de imprensa e de opinião não existiam. Acontece que o desenvolvimento econômico proporcionado pelo regime anterior gerara uma classe média sensível às teses do liberalismo econômico – e político. Essa foi a matriz do descontentamento italiano.

Nos reinos e ducados em que estava dividida a Itália, sociedades secretas, lojas maçônicas e clubes jacobinos com nomes, ritos e projetos políticos distintos e sem qualquer coordenação iriam se opor ao rolo compressor reacionário. *Federati* no Piemonte, *guelfi* na Bolonha, *carbonari* em Nápoles...

A primeira tentativa de ação conjunta aconteceria em 1818, na cidade de Alessandria, quando Filippo Buonarroti criou a seita dos Sublimes Mestres Perfeitos, que pretendia justamente unir os vários grupos em ação na Itália, para criar uma república unitária, "a ditadura revolucionária dos iniciados", ao fim da qual, quando o povo tivesse adquirido consciência de seus direitos, seria abolida a propriedade privada e criada uma sociedade comunista. Subordinada a ela estava a Federação Italiana, de Federico Confalonieri, que pretendia conquistar a independência em relação à Áustria, proclamando a República na Itália do Norte.

Enquanto os italianos conspiravam, os estudantes alemães também iam à luta. Em 1819, as Burschenschaften, sociedades acadêmicas libertárias das universidades

do Sul da Alemanha, passaram a exigir garantias constitucionais e direitos individuais, insurgindo-se contra o controle austríaco, até serem fechadas por ordem de Metternich. Na França, Luís XVIII precisou aumentar a repressão para salvar a pele dos nobres que tinham promovido a Restauração e agora estavam na mira de republicanos, liberais, jacobinos e bonapartistas. Na mira, literalmente, de atentados terroristas como o de 1820, que tirou a vida do Duque de Berry. Até Portugal teve sua revolta, a Revolução Constitucionalista do Porto.

Na mesma época, a maçonaria espanhola, sob o comando do general Riego, tentou impor uma constituição a Fernando VII – primo do rei de Nápoles e rei da Espanha. Os revoltosos ganharam a batalha, mas não a guerra: o absolutismo foi restaurado depois que a Santa Aliança mandou as tropas francesas ocuparem o território espanhol. As forças da Restauração também aplastaram os sonhos napolitanos de mais liberdade. Em 1820, diante de uma onda de protestos, liderada por um general, o rei Fernando I prometeu uma constituição para seus súditos. Foi conversar com Metternich e os imperadores da Áustria e da Rússia em Lubiana, na Eslovênia. Quando voltou, tropas austríacas desembarcaram em Nápoles com ordens de restabelecer "a paz e a tranqüilidade".

Na Sardenha, o rei Vittorio Emmanuelle I acabou renunciando em favor do filho Carlos Alberto – que assinaria a sentença de morte de Garibaldi e depois o receberia em palácio – em razão de uma onda de protestos antiaustríacos.

A onda rebelde dos anos 20 foi controlada, mas na década seguinte surgiram novos focos de insatisfação. Na Itália, o mais expressivo foi criado por Giuseppe Mazzini, que fora preso em 1831 como carbonário, transferiu-se para Marselha como exilado e lá aprimorou seus talentos de agitador e organizador, comandando a Jovem Itália.

> A Jovem Itália de Mazzini não era uma mera associação patriótica lutando contra a dominação estrangeira, pelo fim da divisão da península e para criar um Estado unitário. Tais objetivos eram incidentais. Eles lutavam, antes de mais nada, para conquistar para seus companheiros o direito de se autogovernar, de exercer a religião que quisessem ou nenhuma, à sua escolha, e para poder exprimir livremente suas opiniões, oralmente ou pela imprensa, sem ser perseguidos, e acima de tudo, para se livrar das torturas e prisões arbitrárias. Em resumo, lutavam por todos os princípios que estão hoje expressos na *Declaração Universal dos Direitos Humanos das Nações Unidas*, e queri-

am isso não apenas para os italianos, mas para todos os homens, sem distinção de país. Nisso tudo diferiam fundamentalmente de alguns nacionalistas e de todos os que venderam sua reputação ao restabelecer a tirania, invocando o patriotismo, para usurpar o direito de outros homens, em outros países.[5]

Em Londres, para onde se mudou depois de passar dois anos em Marselha, Mazzini aproximou-se de Luís Napoleão Bonaparte, filho do rei da Holanda e, na época, tão carbonário quanto o criador da Jovem Itália. Esse outro Napoleão participara da revolta contra o papa na Romanha em 1831. Mais tarde, em 1849, como chefe da República francesa, numa dessas reviravoltas que nenhum raciocínio explica, mandaria suas tropas atacarem a recém-nascida República romana, então governada por Mazzini.

Na capital inglesa, permanentemente vigiado por agentes de Metternich e dos governos da península, Mazzini passou a ser o pólo de atração para os italianos insatisfeitos em seu país e no resto do mundo. E ainda foi capaz de montar a Associação dos Operários Italianos.

Giuseppe Mazzini.

As idéias de Mazzini

Mazzini queria incendiar o povo com suas teses. Achava que os homens tinham de subordinar os direitos aos deveres e compreender que a felicidade traduzida como simples busca de bem-estar leva ao egoísmo e às lutas. Na política, imaginava um governo eleito pelo voto popular. Na economia, cooperativas que acabariam com as classes e as diferenças. Mas ele foi contrário à Comuna de Paris e combateu a Internacioal Socialista de 1871.

Só a educação redime os homens, pregava ele. E para pôr em prática sua teoria fundou uma escola para os filhos dos operários italianos que viviam em Londres. Todos os domingos,

---

[5] John Parris, *The lion of Caprera*, cit., p. 35.

entre 1841 e 1848, os garotos aprendiam história da Itália, astronomia elementar. E mazzinismo, evidentemente, já que ele mesmo era um dos professores.

No pensamento mazziniano, um poema de Dante valia mais do que páginas e páginas de análise científica. Bastava um parágrafo escrito pelo florentino do século XIII que escreveu a *Divina comédia* e acabou proscrito em Verona para resumir o destino grandioso da Itália: "Deus escolheu Roma como intérprete do seu desígnio entre as nações: duas vezes ela deu unidade ao mundo; dar-lhe-á uma terceira e para sempre".

Nesse léxico particular, Deus era sinônimo de progresso. O homem, imaginava, estava na terra com a missão de aperfeiçoar a obra divina.

Isso não o impedia de ser anticlerical. Muito ao contrário: para o criador da Jovem Itália, a religião não era o ópio do povo, mas a hierarquia da Igreja Católica estava perto de ser a encarnação do mal:

> O pensamento é imortal. Ele sobrevive às formas e renasce das suas próprias cinzas. As religiões se extinguem; o espírito humano as abandona, como o caminhante abandonou o fogo que o aqueceu durante a noite e procura outro. Mas a Religião fica. O pensamento religioso é o respiro da humanidade. Nós somos imortais.

Em 1841, em Paris, Mazzini realizou o primeiro congresso da Jovem Itália reunindo emigrados dos quatro cantos do mundo. Ao contrário dos carbonários, a Jovem Itália não exigia que seus membros matassem os traidores ou assassinassem os tiranos, mas seu objetivo era a rebelião armada. A primeira tentativa – aquela que levou Garibaldi a ser condenado à morte – foi um fracasso total. Alguns idealistas, como os irmãos Bandiera, insistiriam no projeto, embora a massa mesmo estivesse esperando por algo mais forte, do ponto de vista simbólico – o que aconteceria com a nomeação de Pio IX.

A partir de então, os acontecimentos se multiplicaram, gerando um processo que acabou conhecido pelo nome grandioso do jornal lançado no dia 17 de novembro de 1847 em Turim por Camilo Benso di Cavour: *Il Risorgimento*. O jornal tinha uma plataforma reformista: pregava a independência, a associação política e econômica entre os estados da península e uma política de reformas que garantisse o progresso social no Reino da Sardenha.

O Risorgimento, como dizem os italianos, viria a ser um processo histórico complexo, anterior mesmo à Jovem Itália. Alguns historiadores identificam seus primórdios em 1815, com a Restauração; outros, na Revolução Francesa; terceiros, na metade do Settecento. De todo modo, a seqüência de acontecimentos registrados no início de 1848, meses depois da sagração de Pio IX, é impressionante:

- 1º de janeiro: os milaneses iniciam uma greve de fumo, para reduzir os impostos pagos aos austríacos. Alguns provocadores tentam furar a greve fumando em público e os conflitos se multiplicam, deixando dez mortos e dezenas de feridos, entre eles um pacífico juiz sexagenário.
- 6 de janeiro: movimento revolucionário em Livorno obriga o governador a deixar a cidade.
- 9 de janeiro: confronto entre estudantes e agentes provocadores em Pavia, ainda por causa da greve do fumo, causam a morte de um estudante e um policial.
- 10 de janeiro: prisão de muitos revolucionários em Livorno. Em Palermo, prisão de manifestantes pacíficos. Panfletos convocam para a revolução dois dias depois.
- 12 de janeiro: barricadas, ataques à cavalaria, a tropa se esconde nos quartéis, deixando Palermo entregue aos revoltosos.
- 16 de janeiro: desembarque de seiscentos soldados em Palermo.
- 23 de janeiro: Ferdinando II concede anistia aos presos políticos do Reino das Duas Sicílias.
- 26 de janeiro: revolucionários conquistam o palácio episcopal em Palermo.
- 27 de janeiro: em Nápoles, a bandeira tricolor dos carbonários é erguida durante uma manifestação, aos gritos de "Viva Pio IX, viva l'Italia, viva la Costituzione". O chefe da polícia perde seu cargo.
- 29 de janeiro: Ferdinando II anuncia que dará a Constituição e é aclamado nas ruas. Insurreição nas províncias de Caltanissetta e Messina, na Sicília.
- 3 de fevereiro: os ministros sugerem ao rei Carlos Alberto que conceda espontaneamente a Constituição.
- 6 a 8 de fevereiro: confrontos entre estudantes e polícia em Pádua.

- 8 de fevereiro: Carlos Alberto anuncia a Constituição (que seria publicada quando Anita já estava em Gênova, no dia 4 de março).
- 11 de fevereiro: a Constituição é publicada em Nápoles.
- 13 de fevereiro: Palermo recusa a Constituição de Ferdinando II. Quer um parlamento.
- 17 de fevereiro: o rei Carlos Alberto concede liberdade de culto a seus súditos.
- 28 de fevereiro: chega a Turim a notícia da revolução na França, onde a República havia sido proclamada.
- 2 de março: os jesuítas deixam Gênova e Turim, hostilizados pelo povo. Anita Garibaldi é aclamada por mais de 3 mil pessoas, em clima de festa, no porto de Gênova, recebe a bandeira tricolor e hospeda-se na casa de Paolo Antonini. Depois, como já foi mencionado, vai à ópera e à comédia, passeia pela cidade e escreve uma carta ao marido em que diz que na Itália as coisas "vão bem".

No dia 10 de fevereiro o papa havia feito uma proclamação que ficou famosa, em que perguntava:

Pio IX.

> Que perigo pode dominar a Itália, enquanto houver um vínculo de gratidão e confiança, não corrompido pela violência, unindo a força do povo, a sabedoria dos príncipes e a santidade do direito? Mas Nós, principalmente, Nós, chefe e pontífice supremo da santíssima Igreja Católica, quando fomos injustamente agredidos, não tivemos em nossa defesa incontáveis filhos que sustentamos, como a casa do pai, o centro da unidade católica?[6]

As palavras de Pio IX eletrizaram o país. Não havia mais contradição entre religião e liberdade, os padres pareciam ter se transformado, da noite para o dia, em apóstolos do processo político, um sentimento de fraternidade cruza a Itália.

O próprio rei do Piemonte e da Sardenha, Carlos Alberto, escreveu ao conde Castagneto, dizendo:

---

[6] Jessie White Mario, *Garibaldi e i suoi tempi* (Milão: Treves, 1884), p. 83.

Se a Providência manda a guerra de independência da Itália, montarei no cavalo e com meus filhos irei me colocar à frente do meu exército e farei como Sciamil na Rússia. Que belo dia será aquele em que se poderá gritar "à guerra pela independência da Itália!".

Mas Garibaldi tinha problemas para sair de Montevidéu, como mostra a carta que escreveu para Anita no dia 10 de março e que ela só receberia no começo de junho, dias antes de o marido chegar a Nice. O fato de tê-la redigido em espanhol é mais uma mostra de que ela sabia ler – afinal, seria muito mais fácil encontrar quem dominasse o italiano em Gênova, caso Anita fosse analfabeta, como sustentam alguns.

A carta de Garibaldi

Minha querida Anita.
Alguns incidentes algo desagradáveis retardam nossa partida por alguns dias. Anzani foi atacado por sua doença de modo muito violento e Sacchi foi ferido em uma rótula, de modo que pouco faltou para que perdesse a perna.

Carta de Garibaldi a Anita em 10 de março de 1848.

Esta te encontrará em Nizza ou em Gênova e em qualquer parte com minha mãe. Tu cuidarás muito de minha velhinha, por amor a mim, e farás com que se esqueça de suas preocupações. Tem sido sempre tão boa mamãe. Se esta te encontrar em Nizza eu desejo ardentemente que estejas contente e gozes prazerosa o lindo rincão que me viu nascer e que te seja caro como sempre o foi ao meu coração. Tu conheces minha idolatria pela Itália e Nizza é certamente uma das mais famosas localidades dessa minha pátria tão desafortunada mas tão bela e que justamente mais quero.
Queiras tu também a ela, minha Anita, e te serei grato por esse amor. Quando passares pelos lugares que me viram menino, lembra-te do companheiro de tuas privações e trabalhos, que tanto te ama e saúda-os em meu nome.
Desejo que tu conheças meu irmão Felice, para que tu mesma possas julgar que me resta ainda um irmão bom e digno de mim...
Abraça por mim Menotti, Cita e Ricciotti; a minha querida mamãe; e pensa em teu invariável e amante

J. Garibaldi

P. S. Recomendo-te todas as senhoras dos oficiais que me acompanham.

Anita já estava em Nice quando explodiu nova rebelião em Milão, onde quem mandava era o marechal-de-campo do exército austríaco Joseph Radetzky von Radetz. Tcheco de nascimento, o mais famoso soldado europeu a serviço dos conservadores da época estava instalado na cidade desde 1831. Suas forças, 27 mil soldados e sessenta canhões, distribuíam-se por 52 casernas e prédios. Tinha ainda 30 mil partidários, entre nascidos na Áustria e empregados.

A greve do fumo ainda arranhava a garganta dos milaneses.

Na noite de 17 de março, 3 mil pessoas se rebelaram, montando um Conselho de Guerra. As tropas austríacas foram atacadas por um exército improvisado e acabaram abandonando a cidade.

Poucos episódios da história são motivo de tanto orgulho para o povo italiano. O general austríaco Radetzky descreveu assim a situação de Milão durante a luta:

> Não posso formar uma idéia de nossas perdas, não tive tempo de me informar com precisão. Em Milão caíram por terra todos os fundamentos. Não centenas, mas milhares de barricadas cortaram as ruas e o inimigo demonstra na execução de seus desígnios tal circunspecção e audácia que é certo que seus chefes são militares estrangeiros. O caráter do povo mudou radicalmente. Cada classe, cada geração, cada sexo tornou-se fanático.

Os milaneses não tinham chefes militares e seus líderes jamais tinham sido soldados. Chegaram a mandar pedidos de ajuda em balões para as cidades vizinhas e de lá vieram homens armados com pás, enxadas, foices. Um grito universal se ouvia na Itália: "A Milão, a Milão!".

A luta em Milão.

De seu modo vacilante e inseguro, o rei Carlos Alberto entrou na luta ao lado dos milaneses. Avançou como se fosse finalmente expulsar os austríacos da península e acabou por aprovar uma fusão entre a Lombardia e o Piemonte. Mas seu exército era conduzido por velhos generais sem experiência de combate efetivo e não tinha infantaria ligeira, nem cartas topográficas. Resultado: perdeu uma batalha atrás de outra.

Barricadas nas ruas.

Um dia depois de Carlos Alberto ter resolvido entrar em guerra contra os austríacos, Anita enviava uma carta ao intendente geral de Nice, que lhe transmitira uma oferta do rei. Carlos Alberto colocou à disposição de Menotti uma vaga gratuita no Real Colégio de Racconigi e Anita respondeu:

Mazzini em Milão.

> Ilmo Sr.
> Teve V. S. a amabilidade de me participar o despacho ministerial referente ao meu marido Giuseppe Garibaldi, cujo documento V. S. teve a bondade de exibir-me, para leitura, em sua Repartição, onde tive a honra de cumprimentá-lo, em companhia de meu primo, o negociante Michel Gustavin. Participarei ao meu marido, tão logo souber de sua chegada na Europa, quão grande bondade Sua Majestade demonstrou em relação à sua pessoa; e por isso se mostrará reconhecido.
> Meu marido disporá então a respeito da destinação e encaminhamento dos nossos filhos, que são em número de três, Domenico (Menotti), de cerca de oito anos; Teresa,

As cinco jornadas de Milão. A vitória de Porta Tosa.

> de três anos; Ricciotti, de apenas um ano de idade. Eu mesma sou reconhecida a Sua Majestade pela oferta de educação dos filhos, mas creio faltaria ao meu dever se, sem participação do consorte, tomasse a propósito decisão definitiva.
>
> Manifesto a V. S. Ilustríssima externar ao Rei e a Sua Excia. o ministro minha gratidão pelos favores que, apenas chegada a este feliz Estado, tão generosamente me foram concedidos.
>
> Pedindo também aceitar as expressões dos meus cumprimentos, subscrevo-me de V. S. Ilma. humilíssima e devotíssima serva.
>
> Ana Rivera di Garibaldi
>
> Nizza, 24 de março de 1848

Ao condicionar a decisão final à opinião de Garibaldi, Anita demonstrou que tinha coisas a ensinar ao marido em matéria de habilidade política. Despedia-se como "humilíssima e devotíssima serva" do rei, mas deixava claro que Menotti só iria para o colégio real se e quando Garibaldi estivesse em Nice. E até então ele ainda era, oficialmente, um proscrito. Mais do que isso, ao mencionar seus dois outros filhos, Anita insinua que, se o rei queria mesmo cuidar da família, não deveria restringir a oferta. Finalmente, ao falar em "decisão definitiva" sobre o assunto, permitia concluir que, se dependesse só dela, Menotti iria mesmo – como foi – estudar à custa de Carlos Alberto.

De novo em combate

Anita chegou a Nice de vapor, vinda de Gênova, no dia 8 de março de 1848, uma quarta-feira. Assim como ocorrera no seu primeiro contato com a Itália, como se descreve no capítulo "Na ópera", seu desembarque no porto de Limpia, na cidade natal do marido, virou notícia. O jornal *L'Echo des Alpes Maritimes* registrou o fato com um adendo importante para ela: havia um movimento na cidade em favor da anistia para Garibaldi:

> Nos informam da chegada próxima a Nice da sra. Anne Garibaldi, mulher de nosso ilustre compatriota Joseph Garibaldi, que combateu tão gloriosamente na América pela causa da liberdade. Há um mês, o conselho municipal desta cidade enviou ao governo um pedido de anistia em favor de todos os condenados políticos. Tudo nos leva a crer que Joseph Garibaldi chegará proximamente à Itália e gostaríamos que ele pudesse retornar à cidade onde nasceu, para dar seu concurso à causa italiana.[1]

Na mesma página anunciavam a coleta de fundos para as famílias cujos chefes tinham sido convocados pelo exército. E publicavam a ordem vinda de Turim, que determinara o fechamento de todos os estabelecimentos de jesuítas no dia 5 de março. Num suplemento, o Estatuto Albertino, assinado pelo rei Carlos Alberto, claro sinal das mudanças que estavam ocorrendo.

---

[1] *L'Echo des Alpes Maritimes*, Nice, Biblioteca de Nice, p. 66.

Algum parente ou amigo de Garibaldi deve ter lido a notícia escrita em francês, como todo o jornal, para ela, que estava alojada na casa da sogra, Rosa Raimondi, a 50 metros do cais onde desembarcara. O *L'Echo des Alpes Maritimes, Journal Politique, Commercial et Littéraire*, saía três vezes por semana, às segundas, quartas e sextas-feiras – passaria a diário no ano seguinte –, e era liberal e favorável à reintegração de Nice à França. Não era o único jornal da cidade: havia ainda o *L'Observateur Autrichien* que, honrando seu nome, tratava Garibaldi como bandido:

> Garibaldi é um refugiado político nascido em Nice, conhecido dentro do partido da Jovem Itália sob o nome de Borel; durante algum tempo ele exerceu o ofício de pirata a bordo do navio *Mazzini* nas costas do Brasil. Vendo que se aproxima o momento de concluir seus negócios no Prata e que sua carreira aventureira está chegando ao fim, ele cometeu a imprudência de escrever a monsenhor Bedini uma carta em que se manifesta com muita ênfase sobre os últimos acontecimentos da Itália e assegura que, em caso de necessidade, sua pátria pode contar com seu braço e o de seus satélites, compostos a maior parte por quinhentos indivíduos emigrados dos Estados sardos. Monsenhor Bedini, evidentemente, não pôde responder a essa carta.[2]

Mas a população parecia mais afinada com as idéias liberais. Duas semanas depois da chegada de Anita, também repetindo o que já ocorrera em Gênova, os nicenses fizeram uma festa para ela:

> As notícias que chegaram ontem da Itália entusiasmaram a população. Em meio à derrota do mais odiado dos governos estrangeiros, S. M. atendeu aos apelos gerais, decretando a anistia. Entre as pessoas que poderão usufruir as novas liberdades recentemente conquistadas, o nosso compatriota Garibaldi é sem dúvida o que mais ardentemente gostaríamos de ver incluído. A população de Nice pode dar disso um testemunho. Ontem, a Guarda Nacional, com suas armas, postou-se debaixo das janelas de Mme. Garibaldi, que retribuiu a visita de seus concidadãos com a marca da mais viva emoção. No momento em que se inicia uma luta sublime contra os austríacos, em que dois princípios rivais entram em confronto, devemos elevar nossos desejos de que retorne um dos mais corajosos marinheiros que nossa pátria deu à Itália.[3]

---

[2] *Les haltes de Garibaldi à Nice de 1848 à 1859*, p. 21.

[3] *L'Echo des Alpes Maritimes*, cit., 23 de março de 1848, p. 82.

A bordo do *Speranza*.

A chegada de Garibaldi era aguardada com expectativa e não apenas por Anita:

> Nos informaram hoje de uma carta do general Garibaldi, enviada de Montevidéu, na qual ele anuncia sua próxima chegada à Europa, na nave sarda *Bifronte*, comandada pelo capitão Gazzolo. Soubemos por outra via que o capitão Gazzolo recebeu nosso compatriota a bordo, com um grande número de italianos bem armados e bem equipados, no dia 20 de março. O navio deverá chegar a Civitavecchia, mas ordens dadas em Gibraltar podem fazer com que ele se dirija a Gênova.[4]

No dia 14 de junho, uma carta enviada de Santo Stefano, na *riviera* de Gênova e datada de 11 de junho, dava conta de que um navio sardo, vindo de Montevidéu e que tinha partido havia 55 dias, fizera parte do trajeto ao lado de uma fragata com 36 canhões, onde estava o general Garibaldi e a Legião Italiana do Prata:

> O capitão informou que navegou com a fragata até o golfo de Lyon, onde os dois navios se separaram por causa do mau tempo. Não deve tardar a chegada de nosso valoroso compatriota. Se estamos bem informados, Garibaldi vai desembarcar aqui, onde tem sua mãe, sua mulher e seus filhos, antes de ir a Gênova. Dizem que o governo deu ordens para que este bravo seja recebido condignamente em sua chegada. Os nicenses, seus concidadãos, o aguardam impacientemente.[5]

A ansiedade de Anita devia crescer a cada notícia. Apesar de um ou outro exagero, elas eram procedentes. Garibaldi partira de Montevidéu no dia 15 de março de 1848 (e não dia 20). O *Bifronte*, um brigue sardo de 193 toneladas, capaz de levar duzentas pessoas, havia aportado em Montevidéu no dia 1º de janeiro de 1848, mas não tinha 36 canhões. Garibaldi implicou com o nome do navio e seu

O *Bifronte* ou *Speranza*.

---

[4] *Ibidem*.

[5] *Ibidem*.

comandante, Gaetano Gazzolo, depois de pedir autorização ao cônsul da Sardenha, rebatizou-o convenientemente para *Speranza*.

O líder dos italianos que lutavam no Uruguai não conseguiu arregimentar nem a lotação completa do *Speranza*. Só um em cada dez legionários atendeu ao chamado patriótico da luta pela independência e na hora do embarque estavam, ao lado dele, 62 companheiros. Dois estavam doentes – Anzani e Sacchi – e três eram uruguaios, o negro Aguiar, que funcionava como verdadeira sombra de Garibaldi, e os oficiais Bueno e Miranda.

> Embarcados no *Speranza*, nós marchávamos em busca do nosso desejo, à aspiração de toda a vida. Aquelas armas brandidas gloriosamente na defesa do oprimido, mas estrangeiro povo, nós queríamos oferecer à veneranda pátria nossa! Oh, essa idéia compensava os perigos, os dissabores, os sofrimentos de uma vida inteira de atribulações.[6]

Partiram no dia 15 de abril de 1848, favorecidos pelo vento, mas sob nuvens negras que indicavam risco de mau tempo pela frente. À noite estavam na ilha dos Lobos e na costa de Maldonado, a 120 quilômetros de Montevidéu. Na manhã seguinte já quase nem viam o continente americano.

A viagem serviu para instruir os iletrados e fortalecer o corpo dos mais fracos. Havia sessões diárias de exercícios e todas as noites cantavam um hino composto especialmente para eles.

Sobre a situação da Itália, só sabiam das promessas de Pio IX. Pretendiam desembarcar na Toscana, para encontrar os amigos, ou lutar, dependendo da situação. No começo de junho, o *Speranza* havia cruzado o estreito de Gibraltar. Mas havia pouca comida a bordo e Anzani, tuberculoso, piorava dia a dia. Perto de Alicante, na ilha de San Pablo, na costa espanhola, o capitão Gazzolo desembarcou.

Voltou com mantimentos e notícias: havia uma insurreição em Paris, os Estados em que estava dividida a Alemanha discutiam uma confederação, na Áustria as manifestações obrigavam Metternich a deixar o poder, a Hungria pedia autonomia. Na Itália, continuava o capitão, os milaneses, usando apenas espingardas de caça, tinham expulsado os austríacos, Veneza tinha feito a revolução sem sangue, o rei do

---

[6] Giuseppe Garibaldi, *Memorie di Garibaldi: In una delle redazioni anteriori alla definitiva del 1872*, cit., p. 153.

Piemonte comandava seu exército ajudando os lombardos, voluntários apareciam de todos os cantos, todos os dias. Falou ainda que havia um movimento pela anistia de Garibaldi.

Os marinheiros se abraçavam, chorando de felicidade. Até Anzani se ergueu para dançar. Subiram todas as velas e em poucos dias completaram a costa da Espanha, passaram pela França e tiveram a Itália pela proa. Garibaldi mudou o destino do *Speranza*, trocando Livorno por Nice.

Porto de Nice.

Na manhã do dia 21 de junho de 1848, havia uma pequena multidão no cais do porto de Nice, esperando pelo brigue. Apesar das boas novas, o calejado Garibaldi havia substituído a bandeira tricolor que o *Speranza* levava na popa pelo pavilhão uruguaio.

E assim, sob a proteção da bandeira de sua segunda pátria, ele retornou a Nice.

Os recém-chegados tinham tão pouco dinheiro que nem puderam pagar o prático, chamado Cerasco, que levou o *Speranza* até o cais.

Nem bem o barco abaixou âncoras dentro do porto, Anita, que não via o marido havia três meses, se aproximou num pequeno bote, junto com Ricciotti. Vinha pulando de alegria, lembrou Garibaldi mais tarde.

Aqueles três meses não tinham sido fáceis. A cidade era bela, como dissera Garibaldi em sua carta, e o povo a recebera bem, mas havia o problema da língua –

eles falavam nizardo ou francês, no mais das vezes, e, em alguns casos, italiano. Anita passou ao largo dos assuntos que movimentaram Nice naquela época. Em abril, o povo só estava interessado nas eleições e no caso da maluca que tinha sido internada no hospício de Saluces depois de ameaçar lançar seus cães sobre a população perto da Igreja da Cruz, enquanto a polícia não fazia nada, dizendo que dependia de "ordens superiores".

No dia 4 de junho Nice celebrou um *Te Deum* pela grande vitória de Carlos Alberto. Cinco dias antes, as tropas piemontesas tinham ocupado a fortaleza de Peschiera, onde estavam 1.600 soldados austríacos. Foi o maior sucesso do rei, que a partir daí, no entanto, perderia a iniciativa da guerra. O Théâtre Royal estava todo iluminado e decorado com bandeiras e Anita, hóspede ilustre, muito provavelmente estava na platéia que deu vivas ao rei e à liberdade. No intervalo, foi apresentada uma ode ao Exército, a peça intitulada *A guerra santa*.

Mas a situação política estava longe de ser tranqüila. Dez dias depois dessa festa, um grupo de manifestantes tentou invadir o prédio do *L'Echo des Alpes Maritimes*, sob o olhar complacente da Guarda Nacional.

Nesse tempo todo, Anita estava às voltas com um confronto íntimo, mas igualmente explosivo: sua sogra, Rosa Raimondi. Nas cartas que Garibaldi escrevera antes de partir de Montevidéu, ele já antevia o choque:

> Mando todas as minhas cartas a Nice, onde penso que as receberá, em companhia dela, minha velha e amada mãe [...] tu, minha pequena amiga, te ocuparás muito dela, da minha velha, e ela, não duvido, fará de tudo para agradá-la, para aliviar o desprazer de nossa separação. [...] Quando penso no dia em que poderei abraçá-los a todos, fico tão feliz que não consigo nem exprimi-lo, mas, pelo amor de Deus, não se separem, porque não poderei suportar a idéia de uma briga entre as duas pessoas que representam a minha felicidade futura.[7]

A carta é uma das poucas em que Garibaldi se permite falar de seus sentimentos mais íntimos:

---

[7] Ivan Bóris e Mino Milani, *Anita Garibaldi: Vita e morte di Ana Maria de Jesus*, cit., pp. 75-76.

> Eu a acompanhei, minha amada, na tua viagem, dia por dia, contando com ânsia tudo aquilo que tem me privado de tua esplêndida e encantadora companhia. [...] Não quero nada mais do que partir para a Itália para saborear teus deliciosos abraços. [...] Não te esqueças desse teu filho da tempestade e pensa em teu amante fiel.[8]

Ele tinha motivos para desejar ardentemente que ela estivesse contente.

Não fossem suficientes a idade, a criação e a língua que separaram nora e sogra, havia a dúvida de Rosa sobre o estado civil de Anita. Quase trinta anos depois da morte dela, a mulher de um coronel inglês que foi amigo de Garibaldi escreveu que Rosa não permitia que os dois vivessem sob o mesmo teto, porque achava que aquele casamento realizado em Montevidéu não tinha validade. Rosa tentou sem sucesso convencer Garibaldi a se casar novamente em Nice.

Anita só morou na casa do Quai de Lunel enquanto o marido permaneceu em Nice. E ele ficou pouco tempo na cidade, que quase não tinha mudado naqueles catorze anos.

Nice em 1848

Lavadeiras no Rio Paillon, em Nice.

O censo de 1838 havia registrado em Nice 3.012 casas, 7.561 famílias e 33.811 habitantes. Nos dez anos seguintes, não houve nenhuma explosão demográfica, nem outro censo. Discutia-se a construção de uma estrada de ferro até o porto, havia mais barcos na enseada, mais postes de iluminação pública, os primeiros navios a vapor passavam a ancorar ali regularmente, um coletivo que por quarenta centésimos levava de uma parte ao Varo e de outra a Gênova. A cidade tinha mais chapeleiros do que açougueiros (doze a cinco) e oito perfumistas – Nice é famosa pelos perfumes hoje em dia. No mais, a mesma poeira, lavadeiras batendo seus panos

[8] *Ibidem*.

Carnaval de Nice.

sobre o leito quase seco do Paillon, os elegantes freqüentando o Circolo Filarmonico, o mesmo carnaval. Novo mesmo, só o aumento de impostos que tinha elevado o preço do macarrão, da batata, do azeite e do sal.

Transformado em herói durante seu exílio, Garibaldi mal teve tempo de abraçar Anita, os filhos e Rosa Raimondi, que o benzeu. Imediatamente cercado pela multidão, acompanhou o desembarque de seus companheiros, cuidando pessoalmente do transporte de Anzani, já muito doente.

Os garibaldinos carregavam a bandeira tricolor e seus uniformes também tinham as cores da Itália. Usavam calças brancas e camisas vermelhas com enfeites verdes.

Às quatro da tarde, Garibaldi se apresentou diante do conde Hippolyte Gerbaix de Sonnaz, intendente-geral, para perguntar-lhe se ele não se opunha a que ficassem em Nice até o dia 26, quando pretendia ir para Gênova, primeira parada no rumo do quartel-general do rei Carlos Alberto.

Conseguiu um alojamento para seus soldados, no convento de Saint Dominique, como explicou o conde, por escrito:

> Achei prudente atender a seu desejo, diante das manifestações de alegria da população e também porque sua chegada é objeto da curiosidade geral, os partidos buscam moti-

vo para conter sua agitação pelo episódio do *L'Echo* e é provável que assim eles se reconciliem.[9]

Anita e Garibaldi não ficaram na casa da sogra. Foram para uma chácara na periferia da cidade, perto do *vallon* de Magnan, um canal afastado do centro histórico. Apesar da distância, muita gente foi até lá, como deu no jornal de sexta-feira, 23 de junho:

> Na noite de quarta-feira, os artistas e os amadores de nossa cidade, dirigidos por M. Bellot, festejaram a chegada de Garibaldi com uma grande serenata que levou boa parte da população à casa em que ele vive com sua família perto do *vallon* de Magnan e nem mesmo a distância impediu que nosso bravo general respondesse às felicitações que lhe foram endereçadas com um discurso cheio dos sentimentos mais patrióticos e

Nice, final do século XIX.

> do mais cordial espírito de fraternidade. Sua partida para Gênova, no mesmo navio, está marcada para o dia 26 de junho.
> Antes de sua partida será oferecido um banquete.
> Chamou a atenção a aparência e o brilhante uniforme com as cores italianas que os legionários usavam e também o devotamento a seu general e à causa da Itália, evidente nas manifestações freqüentes dos sentimentos que os animam.

---

[9] *Les haltes de Garibaldi à Nice de 1848 à 1859*, cit., p. 23.

Nos asseguram que quarenta voluntários acabam de se apresentar ao intrépido general para serem inscritos na lista dos bravos que ele levará ao teatro da guerra da independência.[10]

Sexta, às duas da tarde, Anita estava ao lado do marido no salão maior e mais elegante da cidade, o do Hotel d'York.

O Hotel d'York

Concebido como o palácio da família Spitalieri de Cesole, o prédio ainda existe, na Rue de la Préfecture, 5, e consta de todos os guias arquitetônicos e históricos de Nice. Foi concluído em 1768 e acomodou o consulado da França e depois um dos três primeiros hotéis da cidade, onde aconteceram as reuniões eleitorais de 1848 e o banquete em homenagem a Garibaldi. Hoje o prédio não vale senão por sua caixa de escadas, seu balcão e sua porta trabalhada em ferro. Os bandôs horizontais são marca registrada da arquitetura de Nice no século XVIII.

Portão do Hotel D'York.

Relação de convidados para o banquete.

Na sala decorada com bandeiras e flores estavam 170 convidados, entre eles o intendente-geral. Não havia mais gente porque era uma festa cara. Na segunda-feira, 26 de junho, o *L'Echo des Alpes Maritimes* dava detalhes da reunião:

[10] *L'Echo des Alpes Maritimes*, cit.

Depois dos discursos de felicitações, pronunciados por alguns convivas, o general fez uso da palavra em francês e se exprimiu com certa facilidade naquela língua, embora tenha deixado Nice há quinze anos e vivido no Brasil, onde o espanhol deve ter sido sua língua habitual. Ele aproveitou a ocasião para resumir seu passado e a situação atual. "Vocês sabem – disse ele – que jamais fui partidário dos reis, mas como Carlos Alberto tornou-se um defensor da causa popular, tenho o dever de lhe oferecer minha ajuda e a de meus camaradas. Por outro lado – acrescentou ele –, uma vez que a liberdade italiana seja assegurada e seu solo liberto da presença inimiga, não esquecerei jamais que sou filho de Nice e sempre defenderei seus interesses."

Tais são sentimentos aos quais nos associamos, suplicando às províncias preponderantes do Estado nos garantirem certas facilidades, sem se mostrarem tão invejosas quanto a nossos interesses.

Lamentamos que o banquete, em função do preço, não tenha sido realmente um encontro popular, em que milhares de cidadãos, reunidos em torno do mesmo pensamento, pudessem expressar sua comunhão com a fraternidade e mantivessem contato com nosso ilustre compatriota, em quem a modéstia se iguala com a bravura.

O general Garibaldi partiu esta manhã para Gênova.

Junto com ele iam Anita e 169 homens, sendo dezessete oficiais, cinco sargentos, 145 legionários e um médico. A chegada foi notada de longe e dezenas de canoas enfeitadas com bandeiras italianas foram receber o navio, antes mesmo que o barco fosse entregue ao prático do porto de Gênova. O povo cantava hinos patrióticos, batia palmas, jogava flores. Muitos voluntários se ofereceram, inclusive religiosos capuchinhos. A legião ficou no convento dos jesuítas e a *Gazzetta di Genova* anunciou a chegada, no dia 30 de junho, dizendo:

A maior recompensa para Garibaldi será lutar pela independência italiana. O povo está impaciente para segui-lo e basta que o governo lhe ofereça um posto digno para que ele possa atender a esse desejo da população.

Os garibaldinos foram precedidos por duas bandeiras – a negra, de Montevidéu, e a tricolor com o escudo da dinastia dos Sabóia no meio. Garibaldi estava realmente disposto a apagar a imagem de republicano radical e se juntar ao rei.

Nessa época, havia duas correntes no movimento de unificação: os republicanos e os monarquistas liberais. Republicanos eram Mazzini e seus companheiros da Jovem Itália. O outro grupo, organizado em torno do jornal *Il Risorgimento*, era liderado por Camilo Benzo, conde de Cavour. Nascido em Turim, em 10 de agosto de 1810, Cavour era filho de um funcionário napoleônico que se tornou chefe da polícia turinense com a Restauração. Herdou da mãe os valores éticos do calvinismo. Largou o exército em 1831, depois de punido por ser favorável à revolução na França. Assumiu os negócios do pai e passou a desenvolver intensa atividade agrícola e bancária. Foi responsável pelo desenvolvimento ferroviário do Reino da Sardenha e passou a estudar economia. Fundou o jornal com Cesare Balbo e em 1848 elegeu-se deputado. Em novembro de 1852 tornou-se primeiro ministro e nessa fase aproximou-se de Garibaldi, ou vice-versa.

Camilo Benzo, conde de Cavour.

Francesco Anzani.

A primeira visita que Garibaldi fez foi para Anzani. Já moribundo, ele recomendou ao companheiro que "não traísse a causa do povo", influenciado por Medici, para quem as declarações do comandante cheiravam a oportunismo.

Garibaldi não se demorou muito no quarto de Anzani, hóspede do pintor Gallino: tinha encontro marcado com o prefeito e encontros para preparar a reunião agendada para o dia 3 de julho, no Circolo Nazionale, onde, apesar da recomendação do companheiro em seu leito de

Garibaldi oferece sua legião para o rei Carlos Alberto.

morte, repetiu a tese de que era preciso somar forças com Carlos Alberto, contra os austríacos. (Anzani morreu no dia 5 de junho, quando Garibaldi estava em Roverbella. Seu corpo cruzou a Ligúria e a Lombardia para ser enterrado na tumba de seus pais, em Alzate. Não recebeu as homenagens que Garibaldi pretendia, salvo o fato de dar nome a um batalhão garibaldino.)

Anita ficou em Gênova e dali voltou para Nice. Garibaldi foi ao encontro do rei. Carlos Alberto estava em seu quartel-general de Roverbella, Mântua, perto do rio Mincio, na Lombardia, Noroeste da Itália. Ali recebeu o general recém-chegado e sua oferta de comandar um exército e lutar contra os austríacos, mas não disse nada. Só mandou-o falar com seu ministro da Guerra, em Turim, a 300 quilômetros de distância (naquela época, uma viagem de alguns dias), enviando antes esta mensagem urgente:

> Lamento informar que concedi hoje audiência ao célebre general Garibaldi, vindo da América e chegado a Gênova, onde deixou sessenta de seus discípulos, que me ofereceu junto com sua pessoa. Os precedentes desses senhores, e especialmente do pretenso general e seu famoso manifesto republicano, tornam totalmente impossível aceitá-lo no exército e, sobretudo, nomear Garibaldi general; se fosse caso de guerra marítima poderíamos empregá-lo como corsário, mas, de outro modo, seria uma desonra para o exército. Penso que irá a Turim, onde não lhe faltará certamente quem o sustente: prepara-te para seu assalto. Melhor seria que fosse para outro lugar e para encorajá-lo a isso, a ele e a seus valentes, podemos inclusive dar-lhes um subsídio para que caiam fora.[11]

O ministro da Guerra seguiu as ordens do rei e empurrou Garibaldi para o ministro do Interior, que o aconselhou a partir para Veneza, assumindo o comando de algum barco pequeno e atuando como corsário. Resposta do general rebelde: "Sou pássaro de bosque, não de gaiola".[12]

Giacomo Medici.

Logo depois desse encontro, sob o pórtico de Turim, Garibaldi encontrou Giacomo Medici, braço direito de Mazzini, que ouvira o conselho final de Anzani: "Não seja severo com Garibaldi, é um homem que recebeu do céu tal fortuna que é preciso apoiá-lo e segui-lo. O futuro da Itália depende dele: é um predestinado".[13]

---

[11] Mino Milani, *Giuseppe Garibaldi, biografia crítica*, cit., p. 136.
[12] *Ibid.*, p. 138.
[13] *Ibid.*, p. 136.

Naquela mesma noite, os dois, reconciliados, partiram para Milão, ao encontro de Mazzini. Anita, em Nice, ficou sabendo o que o jornal publicou sobre aquele 1º de julho: "Garibaldi chega a Milão e é recebido pela Guarda Nacional e pela população. Todas as casas das ruas por onde passou estavam iluminadas".[14]

O que a notícia não dizia é que seu marido e o líder da Jovem Itália estavam estremecidos. Garibaldi não procurou Mazzini diretamente, que criticava seu jeito intempestivo de agir. Afinal, ao invés de desembarcar em Livorno, onde se juntaria a Medici, o general tinha ido para Nice, feito vários discursos em favor do rei e seguido para Roverbella, oferecendo seus serviços sem sucesso. Mas, graças à intermediação do uruguaio Bueno, os dois se acertaram e à noite, depois da festa feita pela Guarda Nacional, Garibaldi fez um discurso em que ia direto ao ponto: "Caros milaneses, sou grato por sua ovação, mas esta não é uma hora de gritos e de conversa. É hora de fazer".[15]

Garibaldi em Milão.

Enquanto alguns jornais saudavam a chegada de Garibaldi como uma bênção, ele e Medici começaram a organizar o batalhão Anzani. Mais de mil voluntários se alistaram, mas eles quase não tinham armas.

Em Nice, Anita acompanhava a movimentação do marido pela seção "Théâtre de la Guerre" do jornal *L'Echo des Alpes Maritimes*. O primeiro boletim de Garibaldi a seus novos comandados dizia:

> A guerra aumenta, o perigo cresce. A pátria precisa de vocês.
> Quem lhes endereça estas palavras combateu para honrar como melhor podia o nome italiano em terras longínquas. Retorna de Montevidéu com um punhado de valentes companheiros para ajudar até a vitória da pátria ou para morrer sobre a terra italiana. Ele tem fé em vocês. Terão vocês, jovens, fé nele?
> Corram, concentrem-se em torno de mim. A Itália precisa de dez, de 20 mil voluntários; reúnam-se de todas as partes, quantos seja possível, e aos Alpes! Mostremos aos italianos, à Europa, que queremos vencer. E venceremos!
> Milão, 25 de julho de 1848.

---

[14] *L'Echo des Alpes Maritimes*, cit.

[15] Gustavo Sacerdote, *La vita di Giuseppe Garibaldi*, cit., p. 379.

Nesse mesmo dia, o poderoso exército de Carlos Alberto, com seus generais que entendiam tudo da guerra no papel, foi derrotado pelos austríacos em Custoza.

No dia 30 de julho, com 6 mil homens, Garibaldi foi para Brescia, informava o jornal. Em 31 de julho, ele entrou na cidade, mas foi chamado a Milão em seguida: depois de terem derrotado as tropas do rei, nada parecia capaz de deter os austríacos em sua marcha para a capital lombarda. Garibaldi não chegou a tempo. Antes de seu retorno, o general Radetzky atacou Milão e Carlos Alberto logo abandonou a luta.

O batalhão Anzani – Mazzini é o porta-bandei

O vacilo de Carlos Alberto

Em Milão, o comandante-geral do exército do Piemonte não autorizou que o povo armasse barricadas, confiando em seus 45 mil homens. Mas às duas da manhã do dia 4 de agosto os austríacos atacaram a Porta Romana. Uma hora depois, os sardos perderam uma bateria, um batalhão foi preso e o inimigo bateu literalmente na porta da cidade, levando o Comitê de Defesa Pública a mandar tocar os sinos de todas as igrejas. Jovens, velhos, mulheres, rapazes se juntaram para construir as barricadas. À meia-noite do dia 4 de agosto, Milão estava em pé de guerra.

Naquele momento, o rei estava trancado no Palácio Greppi e os cônsules da Inglaterra e da França chegavam ao quartel-general de Radetzky, a 6 milhas de Milão. No caminho, a eles se somaram dois generais de Carlos Alberto. O general austríaco recebeu primeiro os generais, depois os diplomatas. Quando o francês falou em armistício, Radetzky perguntou: "Como armistício, se eles capitularam?".

Com os generais do rei, ele combinara que Carlos Alberto e suas tropas deixariam Milão imediatamente. Em troca, a cidade seria poupada e o passado esquecido. Qualquer cidadão que quisesse partir junto com as tropas sardas poderia fazê-lo.

Os milaneses só ficaram sabendo da capitulação no momento em que muitas carroças reais já estavam a caminho de Turim, escoltadas por um corpo de cavalaria. Foi uma confusão. Os populares atacaram os cavalos, gritando "Morte a Carlos Alberto, fomos traídos!". Outros foram para as barricadas. Uma multidão se reuniu debaixo das janelas do palácio, xingando o rei. O Duque de Gênova apareceu no balcão dizendo que Carlos Alberto não iria aparecer porque estava indisposto. Chegou-se a temer pela vida do rei. O povo atirou contra o palácio e de lá foi alvejado também.

Carlos Alberto só fugiu às duas da manhã, quando acabou a munição do povo. No dia 6, a Prefeitura de Milão anunciava que, em virtude da convenção assinada entre Carlos Alberto e Radetzky, o marechal ocuparia a cidade.

Informado da capitulação, Garibaldi se recusou a depor as armas e acusou os piemonteses de covardes e traidores. O Duque de Gênova recebe ordens para prendê-lo, se necessário, mas não consegue localizá-lo.

Em Nice, Anita deve ter tomado conhecimento da atitude do rei, que mereceu um editorial indignado falando em "incapacidade e traição".

No dia 21 de agosto, a seção "Théâtre de la Guerre" acabou. Mas Garibaldi continuava a desafiar os austríacos. Mandou Medici persegui-los até Germignana, onde o povo construía barricadas, e foi para Varese, tendo sido recebido de braços abertos pela população. Medici enfrentou 3 mil croatas e resistiu ao máximo antes de entrar na Suíça, onde deu gargalhadas ao saber que o inimigo festejava a vitória sobre 5 mil garibaldinos – eram cem, na verdade.

No dia 14 de agosto, tiritando de febre – disse que era malária contraída em Roverbella –, Garibaldi chega a Arona, seqüestra alguns barcos e atravessa o lago Maggiore, atingindo Luino.

Só no dia 30 Anita ficou sabendo da história – e pela metade. O jornal falava de um combate entre austríacos e as tropas de Garibaldi, em Luino, de modo vago: "Não conhecemos ainda os detalhes. O barco *Verbano* foi bombardeado em Laveno pelos austríacos, mas não se sabe se conseguiu se salvar".[16]

Garibaldi tinha escapado e atacara ainda um batalhão austríaco com quatrocentos soldados, fazendo 23 prisioneiros. Continuou a se movimentar pela região e o general Radetzky despachou 19 mil soldados para acabar com os italianos.

---

16 *L'Echo des Alpes Maritimes*, cit.

A luta em Luíno.

Durante dez dias, aparecendo aqui, sumindo acolá, andando em silêncio à noite, Garibaldi e seus homens enganaram os austríacos, numa espécie de treino para a epopéia que ele e Anita viveriam um ano depois.

No dia 4 de setembro, chegou a Nice a notícia publicada pela *Gazzeta di Milano*, informando que Garibaldi e duzentos homens haviam fugido pelo lago depois de extorquir 4.500 francos e fuzilar um sargento da gendarmaria.

Localizado por setecentos soldados austríacos, ele e seus companheiros reagiram com tamanha energia que conseguiram provocar uma desordem entre seus inimigos, escapando durante a noite, quando seus adversários já os imaginavam encurralados. Com 29 soldados e uma bandeira furada por uma bala de canhão, Garibaldi chegou finalmente à Suíça.

Essa experiência mostrou a Garibaldi que podia aplicar na Itália as táticas que aprendera na América do Sul: mover-se depressa, com pouca bagagem, em unidades pequenas que podiam ser dissolvidas rapidamente, e reaparecer nas montanhas cortando as linhas de comunicação do inimigo. Percebeu que voluntários defendendo seu território poderiam enfrentar exércitos muito maiores, compensando a falta de treinamento com ferocidade, desespero e coragem.

Preso e depois libertado em Lugano, doente e com febre, voltou clandestinamente para Nice no dia 10 de setembro, atravessando o território francês com o passaporte de um seu legionário, Francesco Risso. Revê Anita e volta para a Suíça, até conseguir uma autorização oficial para regressar ao território controlado pelo rei Carlos Alberto, a cujas ordens desobedecera novamente ao continuar lutando.

Ele encontrou a mulher e os filhos na casa do pescador Giuseppe Deidery, cuja família a tinha acolhido, em mais um sinal de que as coisas não iam bem entre nora e sogra. Anita passaria a maior parte do tempo com os Deidery. A senhora Deidery se tornaria mais tarde a mãe adotiva de Teresita.

Madame Deidery.

Pouco depois de retornar, lá está ele, falando de um balcão para a massa, na vizinha San Remo.

No dia 26 de setembro, a polícia de Nice comunica a ida de Garibaldi para Gênova. Anita estava com ele. Teresita e Ricciotti ficaram com os Deidery. Menotti estava no Real Colégio de Racconigi.

Ficaram em Gênova alguns dias. Nesse período, ele foi eleito deputado ao recém-criado Parlamento de Turim pelo povo de Cicagna e declarou: "Não tenho nada a não ser uma espada e minha consciência". Um novo navio recebeu seu nome. E Garibaldi abriu registro para novos voluntários, prometendo fazer uma guerra de extermínio contra os austríacos. Sonhava criar o Batalhão Italiano da Morte.

No dia 24 de outubro, com Anita a seu lado e 62 legionários, embarcou no vapor francês *Pharamond* com destino a Palermo, onde pretendia participar da luta pela independência da Sicília. Eles receberam a visita do governador antes da partida. Por toda a parte, viam-se retratos de Garibaldi.

Mas, ao fazerem escala no primeiro porto, o de Livorno, foram recebidos com uma enorme festa pela população, que gritava "Povo, Democracia!". O jornal *Concordia* resumiu o que se passou ali:

> Livorno, 26 de outubro.
> Garibaldi permanece conosco porque o coração e a mente de Garibaldi compreendem o povo toscano e o valor da inaugurada Constituinte italiana. Garibaldi não é insensível às demonstrações dos livornenses. Ele fica, esperando ser mais útil à Sicília em particular e à causa italiana. Desejamos que ele assuma o comando supremo de nossas tropas, para reconduzi-las à disciplina e ao amor da pátria, que sempre devem sentir. Ontem, tarde da noite, uma multidão insistia que o ilustre general não partisse. E ele aceitou retardar a partida por alguns dias. Se transferia à casa do egrégio concidadão Carlo Notary, onde já residia sua mulher.
> Mal chegou, soube da nova tentativa de insurreição na Lombardia. O comitê republicano de Lugano mandou bandos para a fronteira lombarda, com a missão de reiniciarem a insurreição. Aconteceram alguns combates, mas a disparidade de forças era imensa.

Dois dias depois, Anita estava ao lado dele na Ópera. Quando eles entraram, o teatro inteiro os aplaudiu. No dia 3 de novembro, deixaram Livorno, de trem, para Florença, levando 350 homens. Ali, do balcão da casa onde se hospedaram, Garibaldi saudou os toscanos, lembrando que, ao deixar Montevidéu, seu projeto era desembarcar na província.

No dia 9 de novembro, em Florença, divulgou um manifesto que dizia:

> Corro para onde o destino da Itália parece me chamar, não me divido de vós, não me separo do ânimo e da esperança. Encontrei em Livorno cidadãos incomparáveis empenhados no ressurgimento da nação italiana; em Florença, um ministério igual à grandeza dos tempos, porque digno do povo e da grande pátria comum; em toda a Toscana acorre a mim um povo impaciente de lavar aquela mancha que mãos venais e vendidas lançaram sobre o nome da Itália.[17]

---

[17] Giovanni Sforza, *Garibaldi in Toscana nel 1848* (Roma: Soc. Edit. Dante Alighieri, 1897), p. 63.

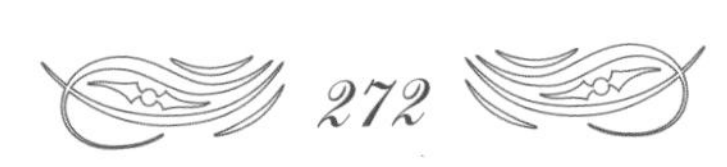

Dali, Anita voltou para casa. Era inverno e Garibaldi convenceu-a de que precisava cuidar das crianças, deixadas na casa dos Deidery. Sabia que ele e seus 350 companheiros teriam de atravessar os Apeninos, uma marcha difícil, ainda mais sob o frio intenso.

Em Nice ela continuou acompanhando a movimentação de seu herói pelas páginas dos jornais, muito embora as notícias tivessem de disputar espaço com as queixas sobre a multiplicação dos buldogues – no dia 18 de novembro, um cãozinho que ficou cara a cara com um deles acabou sendo muito maltratado na Tipografia Gillete, no *boulevard* de Pont Neuf.

Boulevard de Pont Neuf, em Nice.

Quem também estava cara a cara com os austríacos era Veneza e era para lá que Garibaldi se dirigia, passando antes por Ravenna. Mas em Bolonha, no meio do caminho, estava o general Zucchi com ordens expressas do primeiro-ministro do papa, Pellegrino Rossi, de impedir o ingresso dos garibaldinos no Estado pontifício. Duas companhias de guardas suíços fecharam os acessos. Os bolonheses tentaram reagir, os soldados dispersaram a multidão reunida na praça e ocupou-se o palácio comunal com soldados.

Nesse momento, Garibaldi chegou às portas da cidade. Os tambores soaram e uma multidão a pé e em carroças foi ao encontro do herói de Montevidéu. À uma da manhã, Garibaldi entrou em Bolonha, ladeado pelo padre Gavazzi de um lado e pelo general Latour, da guarda suíça, de outro.

Garibaldi passou pelo território controlado pelo papa e chegou a Ravenna. Estava se preparando para seguir até Veneza, quando recebeu a notícia de que Pellegrino Rossi havia sido assassinado e de que havia uma revolução em Roma.

BATTAGLIONE ITALIANO DELLA MORTE

1. Questo BATTAGLIONE si compone di scelti, e volonterosi individui italiani.

2. La sua insegna porta per epigrafe invariabile « INTERA INDIPENDENZA, o MORTE » La stessa epigrafe è segnata nel negro vessillo con cravatta tricolore, che si dispiega dal BATTAGLIONE.

3. Ogni individuo addetto al BATTAGLIONE DELLA MORTE, nello iscriversi, firmerà la scheda corrispondente, e farà solenne promessa sul proprio onore di sostenere la nazionale indipendenza sino al totale suo conseguimento, e di non abbandonare le bandiere, finchè la medesima non sia proclamata secondo i naturali geografici confini dell' ITALIA.

4. Questa solenne promessa verrà confermata, e ratificata ad alta voce in ogni Rivista del Comandante il Battaglione, o del Generale, portando ciascheduno la mano al cuore, e la seguente sarà la formula da pronunciarsi:

» SOLENNEMENTE PROMETTO, E GIURO E MECO VOI, COMMILITONI, PROMETTETE, DI COMBATTERE, SOSTENENDO L'ITALICA BANDIERA FINO AL PIENO CONSEGUIMENTO DELLA NAZIONALE INDIPENDENZA ».

Tutti risponderanno « GIURO ».

5. Il Battaglione si comporrà di ottocento individui almeno, di civil condizione, e di provati principii.

Si riceveranno dagli anni 18 ai 40. I provetti, ed anche maritati si riceveranno dai 40 ai 60, purchè sia dagli uffiziali sanitarii giustificato lo stato di fisica robustezza.

I minori dal 14 al 18 si riceveranno, se giunti alla prescritta misura, e col consenso de' loro genitori; molto più poi se al detto Corpo Militare il genitore appartenga.

6. L' uniforme è descritto nel Figurino annesso. I distintivi degli Uffiziali e Sotto-Uffiziali saranno stabiliti mediante contrassegni particolari.

7. L' uniforme è a carico dell' individuo; a carico però del Governo sarà l' armamento, e mantenimento.

8. Il Generale GARIBALDI ha già assunto per iscritto l' impegno di comandare il BATTAGLIONE, che si pone direttamente sotto gli ordini Suoi.

Il Battaglione italiano della Morte fondato da Garibaldi nel '48.

(Museo di Milano)

Batalhão italiano da morte.

Viva a República!

Anita foi a Roma – duas vezes, em janeiro e no final de julho de 1849 – e não viu o papa. Pio IX havia abandonado o Vaticano no dia 24 de novembro de 1848, depois do assassinato de seu primeiro-ministro Pellegrino Rossi e viveu sob a proteção dos napolitanos em Gaeta, até 12 de abril de 1850, quando voltou para casa acompanhado pelas tropas francesas.

Mas antes que ela conheça os monumentos e as belezas da chamada Cidade Eterna, tendo como trilha sonora o troar dos canhões, é preciso voltar ao assassinato que levou Garibaldi, finalmente, a lutar por Roma.

A recusa de Pio IX em enfrentar os austríacos, formalizada em abril de 1848, causou a demissão coletiva de seu ministério e funcionou como combustível para os agitadores. Os jornais se encheram de artigos atacando o papa. Nas ruas, o carreteiro Angelo Brunelti, conhecido como Ciceruacchio, mobilizava a massa com seus discursos. A insatisfação abrangia inclusive nobres, como Carlo Bonaparte di Canino e a princesa de Belgioioso.

Em setembro, o conde Pellegrino Rossi foi nomeado primeiro-ministro. Favorável a algumas reformas e casado com uma protestante, não era bem-visto por Gregório XVI, o papa anterior, mas dessa vez apoiara a neutralidade de Pio IX.

No segundo cargo mais poderoso de Roma, passou a ser o alvo preferido de jornalistas e revolucionários. Estava entrando no parlamento recém-instalado quando foi envolvido por um grupo de manifestantes, recebeu uma punhalada e morreu.

Assassinato de Pellegrino Rossi.

Seu assassino – um dos filhos de Ciceruacchio, segundo se disse – agiu por conta própria, mas deixou o governo acéfalo num momento crítico. O Circolo Popolare, espécie de frente única liderada pelos liberais, assumiu o comando das manifestações e, no dia 16 de novembro de 1848, a população reunida no Quirinal exigiu do papa uma Constituinte soberana e a inclusão de liberais em seu ministério. Pio IX rejeita a proposta. Informada, a massa força um dos portões. A guarda suíça atira, a revolta se alastra. Até canhões aparecem nas mãos da população. O papa cede e no dia 18 é empossado o novo governo.

Partitura de hino a Pio IX.

O povo pressiona o Papa.

Quando tudo parecia caminhar para uma solução pacífica, Pio IX foge para o reino de Nápoles, colocando-se sob a proteção do rei Fernando II de Bourbon.

Em Nice, onde Anita estava, o *L'Echo des Alpes Maritimes* informou, no dia 12 de dezembro, que havia "dezenas de jovens pelas ruas de Roma, cantando a *Marselhesa* e dando vivas à República". No dia 29, publicou outro despacho:

> Roma, 22 de dezembro: nós podemos desmentir com fundamento o boato de que Giuseppe Garibaldi teria rompido com Roma. Ele partiu ontem de manhã, para reencontrar sua legião.

Garibaldi soube da morte de Rossi e foi para Roma sozinho – sua legião ficou em Cesena. Chegou no dia 12 e recebeu a patente de tenente-coronel e uma missão que o manteria bem afastado: deveria guarnecer o porto de Fermo, no Adriático, embora seus soldados não tivessem nem armas, nem capotes de inverno.

Voltou a Cesena, onde dois de seus melhores homens, Tomasso Risso e Paolo Ramorino, companheiros desde os tempos do Uruguai, tinham se batido num duelo, que terminou com a morte de Risso, padrinho de batismo de Ricciotti. Passou o Natal marchando.

Entrou em Macerata no ano novo, foi recebido festivamente e teve seu nome incluído na lista de candidatos à Constituinte. De lá escreveu para Anita, contando as novidades:

> Amantíssima consorte, te envio uma carta pelo sr. Avigdor, pedindo que ele lhe entregue 200 francos. Caso tenha necessidade de mais, basta informá-lo, lembrando porém que hoje você é mulher de um tenente-coronel. Estou a serviço de Roma e a minha residência será por enquanto Macerata ou Fermo. Tomasso Risso morreu em um duelo com Ramorino. Dê um abraço por mim na mamãe e nas crianças e escreva-me dando notícia de todos.[1]

Anita não queria ficar em Nice. No dia 17 de janeiro, juntou os duzentos francos entregues pelo sr. Avigdor com outro tanto que pediu emprestado a Francesco Carpanetto, como prova o recibo assinado por ela, e partiu ao encontro do marido e das aventuras. Estava a caminho, com a diligência postal, quando Garibaldi foi indicado pelo Circolo Popolare de Macerata como candidato à Assembléia Nacional que iria representar o Estado Romano.

Foi a mais democrática eleição daqueles tempos: qualquer italiano maior de 21 anos podia votar e ser votado. Duzentos e cinqüenta mil romanos votaram e escolheram 142 constituintes – romanos todos, exceto o general Ferrari e Garibaldi, que, apesar do apoio de 528 legionários, acabou sendo o décimo terceiro entre os dezesseis candidatos inscritos em Macerata, com 2.690 votos.

---

[1] Ivan Bóris & Mino Milani, *Anita Garibaldi: Vita e morte di Ana Maria de Jesus*, cit., p. 89.

Garibaldi e sua tropa transferiram-se para Rieti e no dia 5 de fevereiro, com o poncho que era sua marca registrada, ele estava na passeata que levou os eleitos do Campidoglio ao Palácio da Chancelaria em Roma.

Com uma forte crise de artrite, só subiu as escadas carregado por Bueno, seu companheiro uruguaio. Dentro do prédio, depois dos discursos dos integrantes do governo provisório, o príncipe de Canino gritou "Viva a República", e a multidão repetiu como um eco. Garibaldi tomou a palavra:

> Está claro. E nós estamos aqui a discutir a forma? Creio firmemente que, depois de ter cessado outro sistema de governo, o mais conveniente hoje para Roma é a República. Será que os descendentes dos antigos romanos, os romanos de hoje, não são capazes de ser republicanos? Viva a República, o único governo digno de Roma![2]

Roma vira República

Por pouco a República não foi aprovada por aclamação, antes mesmo que se cumprissem as mínimas formalidades, como a verificação dos eleitos, sem o que nenhum daqueles homens poderia se considerar representante do povo romano.

À uma da manhã do dia 9 de fevereiro de 1849, o presidente da Assembléia leu os seguintes artigos:

1. O papa deixou de fato e de direito o governo temporal do Estado romano.
2. O pontífice romano terá as garantias necessárias para a independência no exercício de seus poderes espirituais.
3. A forma de governo do Estado Romano será a democracia pura e levará o glorioso nome de República romana.
4. A República romana terá com o resto da Itália a relação que exige a nacionalidade comum.

Uma hora mais tarde, cumpridas as formalidades que Garibaldi tentou deixar de lado, a República romana foi proclamada. Dos 154 membros presentes, onze votaram

[2] Jasper Ridley, *Garibaldi*, cit., p. 317.

contra e cinco se opuseram a que o papa perdesse seus poderes temporais. Nas cidades e vilas do antigo Estado Pontifício, a nova forma de governo foi aceita tranqüilamente.

No dia 18, Pio IX convidou as outras potências européias para intervirem em Roma, restabelecendo sua autoridade sobre o Estado Pontifício.

Era o pretexto que o governo da França buscava para entrar no circuito. Antes mesmo da morte de Pellegrino Rossi, no dia 28 de novembro, uma brigada francesa havia embarcado em direção a Civitavecchia, o porto mais próximo de Roma, para "pacificar" a capital do catolicismo. Foram tantos os protestos entre os deputados franceses que o presidente, recém-eleito, chamou-os de volta, declarando publicamente que apoiava qualquer disposição que garantisse a liberdade e a autoridade do papa, mas não votaria uma demonstração militar "perigosa para os interesses sacros e que poderia comprometer a paz européia".

Luís Napoleão Bonaparte – o mesmo que participara da revolta contra o papa na Romanha em 1831 e fora amigo de Mazzini em Londres – mudaria de discurso diante do pedido de Pio IX. Ainda precisava resolver dois problemas – a verba para a operação e a oposição dos liberais –, mas ia conseguir ambos, sempre alegando que só queria preservar Roma da invasão austríaca e conciliar Pio IX e o povo romano.

No começo de março, quem chegou a Roma foi Mazzini. Eleito deputado com 9 mil votos, antes do fim do mês já era um dos triúnviros, ao lado de Carlo Armellini e Aurelio Saffi.

Num primeiro momento, parecia que eles não ficariam sozinhos na luta contra os austríacos. No dia 12, o rei Carlos Alberto denunciou o armistício e declarou guerra aos austríacos. Mas parte de seus oficiais não tinha vontade de enfrentar ninguém, a aristocracia e o clero trabalhavam pelo inimigo e os novos recrutas estavam quase todos em funções burocráticas.

Radetzky, o comandante dos austríacos, levou a melhor novamente. Onze dias depois de entrar em combate, Carlos Alberto abdicou em favor de seu filho e foi para o exílio, onde morreria pouco depois. Seu sucessor, Vittorio Emmanuelle II, restabeleceu o armistício com a Áustria.

Na sua primeira passagem por Roma, no dia 23, Anita mal teve tempo de conhecer a cidade. Mandou uma carta para Carlos Notary, que a hospedara em Livorno, informou-se sobre o paradeiro do marido e seguiu para Rieti, na Umbria, 60 quilômetros a nordeste de Roma, onde chegou três dias depois. Ficaria ali um mês e meio.

Rieti fica numa zona bela e fértil, num altiplano a 400 metros acima do nível do mar. Teria sido fundada pelos sabinos, antes de Roma. Mesmo depois da queda do Império Romano, a cidade manteve certa independência e não foi muito molestada pelos bárbaros. Entregue por Carlos Magno ao pontífice romano, acabou devastada no século IX pelos sarracenos e quase destruída pelo rei da Sicília no século XII. Sofreu vários incêndios e caiu nas graças dos papas depois disso. Circundada de muros construídos no século XIII, tem vários lagos e uma cascata que é considerada uma das mais belas da Europa.

Anita foi hóspede do marquês Girolamo Coletti na Via Abruzzi, 31, onde se alojou também, por razões estratégicas, o Estado-Maior de Garibaldi. O nobre, que o considerava um bandido, acabou conquistado pelo casal.

Enquanto o marido procurava adestrar e armar seus homens, Anita passeou pelos arredores e percorreu seus lagos, escoltada pelo negro Aguiar e por um jovem legionário chamado Gaetano Maldini, conhecido como Gaetané. Algumas vezes usou a carruagem oferecida pelo marquês, mas preferia o cavalo e encomendou uma sela no valor de sete escudos e dez centavos.

Todas as tardes encontrava Garibaldi no Café Adelaide. O negro Aguiar ficava do lado de fora, enquanto ela conversava com a dona do lugar, Adelaide Petrilli, esperando pelo marido.

Organizou o hospital, para o qual Garibaldi havia requisitado 120 leitos, e tornou-se grande amiga do novo capelão dos legionários. Era Ugo Bassi, que havia se inscrito na legião, apesar de ter quase cinqüenta anos. Cristão apaixonado e revolucionário fervoroso, esse padre bolonhês usava agora a camisa vermelha dos legionários. Durante duas décadas fora tratado como um extravagante inofensivo pelos papas Gregório XVI e Pio IX. Mas, diante dos acontecimentos, acabou renegado pela Igreja.

Bassi apresentou a Anita a catedral construída no século XVI , com sua torre de 36 metros e seus lindos afrescos, e a abadessa do convento de San Benedetto.

No dia 8 de abril, graças à insistência do próprio Garibaldi, realizou-se a procissão de Páscoa. Diante do cortejo, ele desceu do cavalo e tirou o chapéu. Anita conti-

nuou montada, mas saudou a imagem da Madonna com a cabeça inclinada, relataram testemunhas.

Mas o intervalo ameno chegava ao fim. A situação militar de Roma se complicava dia a dia. O exército romano estava cercado e o comando geral propôs um plano de ataque, primeiro contra os napolitanos, depois contra os austríacos. No dia 12 de abril, Garibaldi recebeu ordens de partir para Agnani, a 55 quilômetros a sudoeste de Roma. Tinha 1.264 homens e quinhentos fuzis.

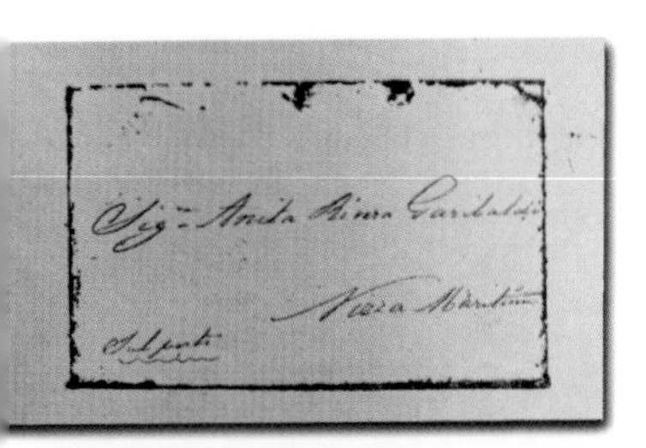

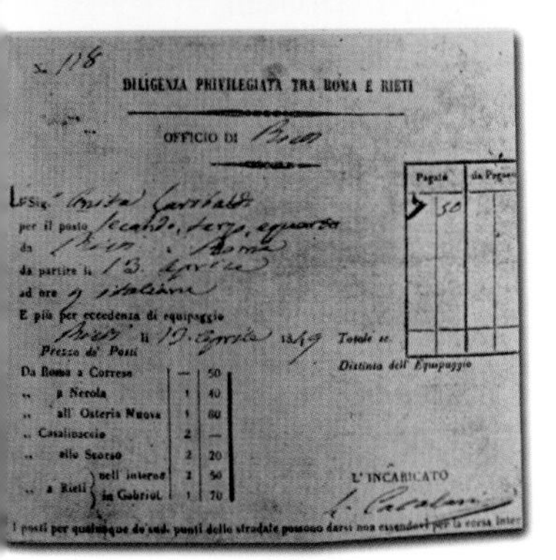

DILIGENZA PRIVILEGIATA TRA ROMA E RIETI

OFFICIO DI

per il posto

da

da partire li

ad ore

E più per eccedenza di equipaggio

Totale sc.

Distinta dell' Equipaggio

Prezzo de' Posti

Da Roma a Corrse	—	50
„ a Nerola	1	40
„ all' Osteria Nuova	1	80
„ Casalinaccio	2	—
„ allo Scorso	2	20
„ a Rieti nell' interno	2	50
„ a Rieti in Gabriol.	1	70

L' INCARICATO

I posti per qualunque de' sud. punti dello stradale possono darsi non essendovi per la corsa inter

Bilhete para Anita, trecho Rieti–Roma.

Anita não foi com ele. Estava doente, como Garibaldi informou a Carlos Notary por carta, e já carregava no ventre o embrião que a autópsia revelaria, quatro meses depois, em Mandriole. No dia 19, quando a Legião chegou a Subiaco, sabendo que ela ainda estava a caminho de Nice, Garibaldi lhe escreveu:

Comando da II Legião Italiana
Subiaco, 19 de abril de 1849
Amadíssima consorte.

Escrevo-te para dizer que me dirijo com a coluna para Agnani, onde chegarei talvez amanhã e onde não poderei determinar-te a duração de minha demora. Em Agnani receberei as espingardas e o resto do fardamento da gente.

Não estarei tranqüilo enquanto não tiver uma carta tua, que me assegure haver chegado a Nice.

Escreve-me logo; necessito de saber de ti, minha caríssima Anita – dize-me a impressão que tiveste pelos acontecimentos de Gênova e da Toscana. Tu, mulher forte e generosa, com que desprezo não olharás esta geração hermafrodita de italianos – estes meus patrícios, que tenho procurado enobrecê-los tantas vezes e que tão pouco mereciam. É verdade: a traição tem paralisado todo instinto corajoso, porém, seja como for, estamos desonrados; o nome italiano será o escárnio de todos os países.

Eu estou indignado verdadeiramente de pertencer a uma família que conta tantos covardes; mas não creias que eu esteja por isso desanimado!

Mais esperança nutro hoje do que nunca. Impunemente se pode desonrar um indivíduo, porém não se desonra uma nação. Os traidores agora são conhecidos. O coração da Itália palpita ainda – e se não está completamente são, é capaz ainda de extirpar as

partes infectas que o corroem. A reação, a força de traições e infâmias conseguiu descarar o povo – porém o povo não perdoará as infâmias e as traições na reação. Sabido de estupor, se levantará terrível e desta vez quebrará os vis instrumentos de sua desonra. Escreve-me, te repito, preciso de notícias tuas, de minha mãe e das crianças – não te aflijas por minha causa, eu estou, mais do que nunca, robusto e com meus 1.200 homens armados me julgo invencível. Roma toma um aspecto imponente. Ao redor dela se articularão os generosos e Deus nos ajudará. Apresenta minhas saudações ao Augusto, às famílias Galli, Gustavini, Court e a todos os amigos. Um beijo por mim nas crianças, à minha mãe que tanto recomendou.

Adeus, teu

G. Garibaldi.[3]

Escrita em italiano, a carta indica que ela já dominava a língua, tinha perfeito conhecimento do que se passava no campo da política e costumava discutir o assunto com ele.

Embora não se conheça a resposta de Anita, ela deve ter tido muito a comentar. Seis dias depois da carta, o general francês Charles Victor Oudinot instalou sua base de operações em Civitavecchia. Oficialmente, estava ali para ajudar os romanos a combater os austríacos, mas a assembléia romana não engoliu a desculpa e decretou o estado de assédio.

Com os franceses entrando em cena, desapareceram as razões pelas quais o triunvirato – em última instância, Mazzini – mantinha Garibaldi e seus estranhos legionários a uma distância segura de Roma.

Quatro dias depois do desembarque de Oudinot e sua tropa, a cidade estava cheia de soldados. Bandas militares tocavam ao mesmo tempo e clarins soavam a distância, mas a atenção da multidão era atraída por um grupo de homens diferentes e por um sujeito de barba ruiva que parecia ser o seu chefe.

3 Henrique Boiteux, *Anita Garibaldi*, cit., pp. 182-183.

Estranhos legionários

Eram magros e desmazelados, com cabelos longos e não aparados, barbudos, queimados pelo sol e cobertos pela poeira da viagem. Alguns tinham camisas vermelhas, mas a maior parte usava túnicas azuis mal cortadas, presas por cintos onde haviam pendurado grandes adagas.

Nas cabeças, negros chapéus calabreses de abas enormes e copas altas, com longas plumas. Muitos levavam ferros pontiagudos, uns poucos estavam armados com mosquetões. Sobre um cavalo tão branco quanto o poncho colocado sobre a camisa vermelha, sabre desembainhado, chapéu de feltro, ornamentado com uma longa pena de ema e, em torno do pescoço, um lenço amarrado frouxamente na frente, o chefe dos legionários era o que chamava mais a atenção. Os cabelos louros chegavam aos ombros e a barba era ruiva e farta. O povo gritava: "É Garibaldi, Garibaldi chegou". As mulheres diziam: "É lindo! É lindo!".

Legionários de Garibaldi em Roma.

Atrás dele, um negro com um poncho azul e um cavalo negro carregando uma lança enorme encimada por uma bandeirola vermelha. Decididamente, os saint-simonianos tinham feito escola...

Garibaldi aceitava gente de todo tipo em sua legião, montada em torno dos homens que com ele vieram de Montevidéu. Tinha uma máxima: um bom combate pela pátria e uma boa morte em seu favor honram uma vida inteira.

Seus oficiais também usavam camisa vermelha e um laço de gaúcho com o qual apanhavam bois pelos campos. Muitos de seus seguidores andavam com galinhas ou perus presos ao cinto. Ao acamparem, uns juntavam lenha e outros iam em

Legionário, por Gerolamo Induno.

busca da comida: bois, vitelas, aves, porcos, que esquartejavam ali mesmo, assavam e comiam com sal e pão, quando havia.

Ele mesmo não fazia nenhuma exigência quanto a acomodações. Descia do cavalo, retirava a sela para sobre ela descansar a cabeça e montava uma tenda usando a lança, a espada e o poncho.

Nas cidades, passava longas horas no campanário mais próximo. No campo, ia para o monte mais alto, estudar os arredores, tentando antecipar os movimentos do inimigo, notando cada lance do terreno. Na volta, com uma palavra, colocava os soldados em fila, fuzis em punho, prontos a obedecer suas ordens.

Sua legião não tinha uniforme, seus soldados mais pareciam um bando de selvagens, mas que ninguém se iludisse pelas aparências: havia disciplina rígida e um ato de covardia ou de furto era punido com a degradação ou com a morte.

Seu estilo de chefia pode ser avaliado pela carta que enviou a um de seus comandantes, um mês depois de ter entrado em Roma:

> Creia-me, só vós deveis comandar aqueles valorosos jovens, aquele núcleo de esperança da pátria. Vós não deveis limitar-vos a conduzi-los sobre o campo de batalha, mas também, como sabeis bem fazê-lo, tê-los como vossa família, velá-los, custodiá-los, separar-vos o menos possível deles [...] A partir de agora, deveis preparar a Legião para um encontro com os tedescos [austríacos]. Dizei aos legionários que se familiarizem com a idéia, que não tenham outro pensamento cada minuto do dia, cada momento de todo sono da noite. Que se familiarizem com a carga de ferro frio e a fincarem uma pungente baioneta (as afiaremos em Roma) no flanco de um canibal. Carga de ferro frio, mas sem ter a bondade de descarregar o fuzil. Dai uma ordem-do-dia à Legião, que obrigue os legionários a fazer a seguinte prece: "Deus, concedei-me a graça de poder introduzir todo o ferro da minha baioneta no peito de um tedesco sem ser digno de descarregar o meu fuzil, cuja bala servirá para trucidar outro tedesco não mais distante do que dez passos".
> Mãos à obra, meu caro coronel, coloque-se sobre a legião como o avaro sobre seu tesouro. Preparai os legionários para um dia de triunfo.

Quando chegou a Roma, não havia comida para seus homens. Garibaldi ficou furioso. Entrou no convento de San Silvestro a cavalo e deu uma hora para que as freiras o desocupassem. Tão logo elas saíram, seus homens entraram, esparramando-

se aos grupos pelo chão. Outros, menos cansados ou mais curiosos, foram ver o que as freiras tinham deixado para trás e encontraram cartas de amor, roupas de bebê e instrumentos eróticos. Pouco depois estavam exibindo ao povo como as religiosas passavam o tempo.

Fosse qual fosse a aparência e a disciplina da legião de Garibaldi, Roma precisava dela. Os franceses chegavam com 6 mil homens disciplinados e bem-armados, só na infantaria. A República romana tinha 10 mil soldados para defender a cidade e seus territórios, a outra metade de seu exército estava fora. Boa parte da tropa não tinha vínculos com o novo regime.

A figura de Garibaldi atraía os estudantes e os artistas, como assegurou um deles, mais tarde, numa conversa com o reverendo inglês H. R. Haweis:

> Eu não tinha idéia de me alistar. Eu era um jovem artista e só saí de curiosidade, mas , oh, jamais esquecerei aquele dia em que o vi no mercado, em seu belo cavalo branco, com seu aspecto nobre, seu rosto calmo e gentil, sua testa alta e lisa, sua barba e cabelos claros – todos disseram o mesmo. Ele nos lembrava de algo que não era diferente da cabeça de nosso Salvador nas galerias. Não pude resistir. Saí do meu estúdio. Fui atrás dele; milhares fizeram a mesma coisa. Ele só precisava aparecer. Todos o adorávamos; era inevitável.[4]

Jovem legionário.

Garibaldi e seus legionários foram encarregados de defender o setor mais importante das muralhas de Roma: o Gianicolo, entre a Porta Portese e a Porta Cavalleggeri. Tudo fazia prever que o primeiro ataque francês viesse por ali.

A chave da cidade

O Gianicolo era a chave e a salvaguarda da defesa, desde os tempos da Roma antiga. Numa Pompílio ali construiu um templo ao deus Giano [Jano],

---

[4] George Macaulay Trevelyan, *Garibaldi's defence of the Roman Republic*, cit., p. 119.

que tem duas caras e uma chave na mão e, segundo a lenda, ergueu a cidade de Antionópolis. A primeira fortificação do Gianicolo foi feita pelo neto de Numa, Marzio, para proteger os livros das leis, guardados na tumba do avô.

Perto do fim da Guerra dos Trinta Anos, por volta de 1642, o papa Urbano VIII havia estabelecido ali muralhas que, em 1849, continuavam a ser um obstáculo para canhões que só disparavam balas maciças e que não alcançavam mais do que 400 metros de distância. As muralhas eram inclinadas para trás, a partir da base até as pedras do baluarte, e seus bastiões tinham largas plataformas de terra, que lhe davam solidez e permitiam instalar baterias. Mas havia um problema: o relevo. Do lado de fora das muralhas, o chão estava num nível mais elevado, de modo que o exército inimigo poderia armar suas baterias na mesma altura ou até acima dos sitiados, a apenas uma centena de metros de distância, bombardeando-os dali. Nesse terreno elevado, os nobres romanos tinham construído algumas belas vilas, que seriam o cenário das batalhas mais fantásticas e vitais daquela guerra.

General Oudinot.

Se o general Oudinot achava mesmo que os romanos não se oporiam à entrada de suas tropas na cidade, o informe enviado a Paris pelo cônsul francês em Roma poderia ter feito com que ele mudasse de idéia:

As notícias são todas de resistência, se erguem barricadas. A ponte de Sant'Angelo, a ponte Molle, o Vaticano e muitos outros edifícios estão todos minados. Os franceses formam a colônia estrangeira mais indignada e protestam contra a ocupação, declarando-se prontos a ocupar a primeira fila nas barricadas romanas. As portas de Roma estão fechadas e é proibido aos viajantes deixar a cidade.

No dia 30 de abril, todos os sinos das igrejas de Roma soaram ao mesmo tempo. Uma sentinela colocada na muralha de São Pedro viu uma coluna de franceses se aproximando. Nos muros externos, os romanos haviam pichado um trecho da Constituição francesa aprovada no ano anterior: "A França respeita outras nacionalidades. Sua força nunca será usada contra a liberdade de nenhum povo".

Os soldados franceses ouviram uma banda entoando a *Marselhesa*, sem perceber que a letra cantada pelos italianos era uma paródia cáustica:

	Paródia
Allons enfants de la Patrie	Allons enfants de la sacristie
Le jour de gloire est arrivé	Le jour de honte est arrivé
Contre nous de la tyrannie	Par vous mais de la tyrannie
L'étendard sanglant est levé	L'étendard sanglant est sauvé
Mugir ces féroces soldats	Beugler ces féroces prélats
Ils viennent jusque dans nos bras	Ils vienent diriger vos bras
Égorger vos fils, vos compagnes	Fier assassins de la Romagne!
Aux armes, citoyens! Formez vos battaillons	Aux armes, sacristans! Formez vos bataillons
Marchons! Marchons!	Marchons! Marchons!
Qu'un sang impur abreuve nos sillons	Le pape est roi du droit de nos canons!

Oudinot dividiu seus homens em duas colunas: uma para atacar a Porta Cavalleggeri e a outra a Porta Angelica. As duas tinham encontro marcado na Piazza San Pietro. Mas o plano não deu certo: a distância entre as duas portas era grande e os bastiões e defesas estavam ocupados por gente do povo, manejando todas as armas existentes em Roma. Quem não estava armado assumiu a tarefa de carregar mortos e feridos e de recarregar as armas. As mulheres animavam seus homens e mandavam os filhos adolescentes para o batismo de fogo.

O ataque dos franceses a Roma.

Os franceses avançaram sob uma tempestade de metralha e fogo de mosquetões. Em meia hora, as baixas já eram

Franceses em torno de Roma.

Retirada dos feridos.

Combate corpo a corpo.

grandes e eles estiveram a ponto de abandonar o ataque.

Garibaldi, que tinha ocupado a Villa Corsini, também chamada de Cassino dos Quatro Ventos, subiu ao terraço e percebeu que era o momento de entrar em ação, impedindo que o inimigo ocupasse as posições elevadas do lado de fora das muralhas, e comandou uma daquelas cargas de baioneta a que os combatentes da Legião Italiana do Uruguai estavam acostumados. Além de sua própria legião, com mais de mil homens, ele contava com um regimento de quase trezentos estudantes e artistas de Roma – que mantiveram a Villa Pamphilli, outro local estratégico, contra toda uma brigada de franceses – e novecentos outros voluntários dos Estados romanos.

As notícias ainda andavam devagar em 1849. Em Nice, Anita só ficou sabendo do ataque do dia 30 de abril na segunda-feira, 7 de maio, quando o jornal publicou despacho enviado no dia 1º, contando o que se passara e fazendo um balanço do combate: para os franceses, quatro canhões apreendidos, seiscentos mortos, 1.500 feridos e 420 prisioneiros, entre eles um oficial superior e catorze subalternos. Entre os romanos, duzentos homens mortos ou feridos. Garibaldi tinha sido uma peça fundamental para rechaçar o ataque, completava a notícia.

O jornal exagerou no número de mortos, feridos e prisioneiros inimigos – na verdade, tinham sido trezentos mortos, 530 feridos e 260 prisioneiros, contra 214 baixas, entre mortos, feridos e um único prisioneiro, o sacerdote Ugo Bassi, detido quando consolava um moribundo –, mas a essência estava correta.

A ousadia de Nino Bixio

Durante esse combate ocorreu um dos mais audaciosos ataques da história militar. O major francês Picard estava entrincheirado numa casa com trezentos soldados. Nino Bixio, um guarda-marinha que tinha sido líder juvenil em Gênova aos dezesseis anos, dois anos antes, e tornara-se o braço-direito de Garibaldi, esporeia seu cavalo, abre o portão, invade a casa, avança sobre o major sem apear e o agarra pelos cabelos, gritando: "Rendam-se!". Arrastado no meio de seus soldados, o major dá a ordem de rendição e toda a companhia foi levada prisioneira ao quartel-general dos romanos. Bixio foi mortalmente ferido no último combate em Roma. Ao ser transportado para a ambulância, num gesto irônico, bateu continência para o irmão, que lutava pelos franceses.

Nino Bixio e sua ousadia.

Embora duas granadas francesas tivessem dilacerado uma pintura de Rafael, quatro atingido o teto da Capela Sistina, sete, o museu e a biblioteca do Vaticano, e setenta tiros estivessem incrustados na Basílica de São Pedro, Roma viveu uma noite de festa, com cafés e praças lotados e o povo cantando a versão satírica da *Marselhesa*. Enquanto o povo comemorava, Garibaldi estava sendo atendido por um médico a quem enviara o seguinte bilhete: "Venha até mim depois do escurecer. Fui ferido, mas ninguém precisa saber".

Ele tinha levado uma bala no estômago, mas continuou montado até o fim do combate. Ao descer, a sela estava cheia de sangue. Mesmo ferido, quis seguir atrás dos franceses e impor-lhes uma derrota total. Foi impedido pelo triunvirato, que apostava

30 de abril, tropas de Garibaldi expulsam os franceses.

num acordo com Luís Napoleão e não queria tripudiar sobre o inimigo. Pensando nisso, Mazzini ordenou que os prisioneiros fossem bem-tratados e devolveu-os, recebendo Ugo Bassi de volta, na esperança de que a Assembléia francesa tomasse as dores da recém-nascida República Romana. Mas, em Paris, a última eleição colocara uma coligação de direita no controle do parlamento e a jogada de Mazzini não deu certo.

Garibaldi escreveu sua versão do combate para Anita, com bom humor:

> Ontem, combatemos e vencemos. Os servos do imperador dos franceses fugiram como ovelhas depois de um combate que durou quase o dia inteiro. [...] Teu belo poncho foi furado por três balas e a minha barriga resistiu a uma contusão razoável (seria ridículo se eu morresse pela barriga). [...] Meu ferimento não me impede de andar a cavalo e fazer o serviço. [...] Teu alazão é sempre o mais belo.[5]

Dois dias depois do primeiro ataque dos franceses, o comitê das barricadas conclamava:

> Povo! O general Oudinot prometeu nos pagar – e em dinheiro! Bem, deixemos que ele pague, se puder, por todas as tapeçarias de Rafael atingidas pelas balas dos franceses. Deixemos que ele pague pelas baixas, não, não pelas baixas, mas pelo insulto lançado contra Michelangelo. Napoleão levou para Paris nossas obras-primas e, de certo modo, o gênio italiano recebeu assim a admiração do estrangeiro, como uma recompensa por sua conquista.
>
> Não é assim hoje. O governo francês invade nosso território e demonstra sua singular predileção por Roma, tão distante, e seu desejo de destruí-la, em vez de tê-la exposto à impaciência do terrível general Zucchi e às negociações entre Radetzky e Gioberti, ambos a muitas semanas do Tibre.
>
> E. Cernesuchi
> V. Cattabenni
> V. Caldesi.

Usando o engenheiro Ferdinand de Lesseps – o construtor do canal do Panamá – como emissário, os franceses ganharam tempo discutindo um acordo de paz, enquanto traziam mais 14 mil soldados prontos para lutar.

Confiando na possibilidade do armistício, o governo romano mandou 10 mil homens, comandados pelo general Roselli, atacar o exército de 10 mil napolitanos que avançava a partir do sul. Garibaldi, agora também general, foi junto, com seus 2.300 legionários.

Em Velletri, a 40 quilômetros ao sul de Roma, mandou Ugo Bassi avisar seu superior e atacou o inimigo, bem mais numeroso, contrariando uma ordem de Roselli, que só queria agir quando todas as tropas estivessem reunidas.

---

[5] Ivan Bóris & Mino Milani, *Anita Garibaldi: Vita e morte di Ana Maria de Jesus*, cit., p. 94.

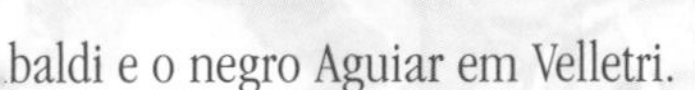
baldi e o negro Aguiar em Velletri.

Depois da vitória.

No meio da confusão, ele, Bueno e o negro Aguiar foram derrubados e pisoteados pelos cavalos amigos e inimigos. Garibaldi se levanta, moído e rasgado, monta na sela, os lanceiros se reorganizam e soam a carga em toda a linha. O general arma seus dois canhões e em meia hora empurra os inimigos para dentro da cidade.

Foi quando Ugo Bassi voltou com a resposta: emburrado por causa da desobediência, Roselli mandou dizer que não poderia mover sua tropa porque ela ainda não tinha comido. Quem veio em seu auxílio foi Luciano Manara.

Luciano Manara

Sua brigada tinha seiscentos voluntários milaneses, reunidos depois da derrota para os austríacos, sob as ordens de Manara, um jovem aristocrata que se tornara herói durante as Cinco Jornadas. Barrado em Civitavecchia por Oudinot, que lhe perguntou o que aqueles lombardos iam fazer em Roma, já que não tinham nada a ver com o problema, Manara respondeu: "E vocês, não vêm de Paris, Lyon, ou de Bordeaux?".

Os franceses acabaram permitindo que eles passassem, sob a promessa de que não entrariam em Roma antes do dia 4 de maio, quando esperavam já ter dominado a cidade. Manara e seus homens, evidentemente, quebraram o prometido.

Quando a brigada Manara chegou, ainda viu alguns jovens soldados de Garibaldi dançando, felizes, debaixo das balas inimigas. Eles não pararam o baile nem quando um tiro de canhão matou dois bailarinos.

Roselli finalmente se mexe, tarde demais para um assalto a Velletri, mas não para cortar a retirada dos napolitanos. Garibaldi propõe ir atrás deles com soldados descansados, mas seu superior não aceita. Acha que os napolitanos podem não

Luciano Manara.

Roma comemora a derrota dos franceses.

estar fugindo, mas se preparando para um contra-ataque no dia seguinte. Garibaldi discorda, garante que os napolitanos vão fugir durante a noite. Pela manhã, constatam que ele estava certo.

Foi uma noite longa e dolorosa para Garibaldi. O médico constatou pisaduras sobre o lado direito, tornozelo, joelho, antebraço, cotovelo, ombro. No dorso da mão havia a marca nítida de uma ferradura. Mas o sofrimento maior era saber que a indecisão de Roselli permitira aos inimigos escapar. Escreveu a Anita, sem entrar em detalhes, falando da fuga dos napolitanos.

Chamado de volta a Roma, cobriu 45 quilômetros em uma noite e chegou à capital no dia 31 de maio, antes que seus inimigos percebessem que estivera ausente.

Ficou na cama e mandou nova carta para a mulher, ainda festejando a vitória e reclamando um pouco: "Te escrevo sempre e tu não me respondes. Diz ao Augusto que a causa do povo jamais será perdida. [...] A Legião Italiana é digna de Roma antiga. Não te aflijas e ama o sempre teu José".[6]

No dia 1º, o general Oudinot comunicou aos romanos que a idéia do armistício fora abandonada e que atacariam novamente, não antes do dia 4, para permitir assim aos franceses abandonar a cidade. Garibaldi escreve outra vez a Anita, criticando o desinteresse de outros italianos pelo destino da República romana:

> Ninguém entre a belicosa população do Piemonte, da Líguria, acena com uma demonstração hostil contra os eternos inimigos da Itália? Bem, diga a nossos concidadãos que se unam às mulheres e às crianças, implorem do Onipotente a vitória para quem combate a Santíssima batalha. Tu, mulher de alma sublime, fala à multidão de covardes, de traidores e mostra a eles que este punhado de homens, guiados pela mão de Deus, estão dispostos a repetir a generosa resolução de que é cheia a história de nossos pais. Não posso continuar, porque não me deixam. [...][7]

Forças desiguais

Os romanos estavam em clara desvantagem. O exército da República romana nunca ultrapassou os 18.668 homens, dos quais 11.628 eram soldados regulares e 7.040 irregulares. E esses números incluíam a intendência e os paramédicos, o estado-maior e os adolescentes da Legião da Esperança.

Inicialmente, tinham 84 canhões enferrujados ou com os canos defeituosos. Outros 24 vieram de vários locais ou foram fundidos durante o assédio. Faltavam também os projéteis e, para produzi-los, foi preciso manter quatro fornos acesos dia e noite. Mulheres e crianças fabricavam cartuchos e as espoletas eram colocadas duran-

---

6 *Ibid.*, p. 95.

7 *Ibid.*, p. 96.

te a noite. As munições eram escassas e os artesãos que fabricavam sinos passaram a produzir balas e granadas.

Oudinot tinha 30 mil homens, 3.500 cavalos e 76 peças de artilharia, trinta delas de sítio. Os fuzis franceses também eram mais poderosos – de percussão, usados pela primeira vez em 1840.

No dia 2 de junho de 1849, consciente da gravidade da situação, Mazzini mandou um bilhete a Garibaldi: "Escreva o que você exige para a defesa de Roma. Será feito".

Resposta de Garibaldi: "Já que você me pergunta, não posso existir para o bem da República senão de dois modos: ditador com plenos poderes ou simples soldado. Escolha".

Foi incumbido de defender a margem do Tibre. Na noite do dia 2 de junho, estava sendo medicado num pequeno albergue da Via delle Carrozze quando ouviu o barulho dos canhões na direção do Gianicolo. Levantou da cama, afivelou a espada, deu ordens para que os legionários se reunissem na Piazza San Pietro e saiu.

A confusão era total. À meia-noite, entre sábado e domingo, um dia antes do prazo estipulado, os franceses tinham iniciado o ataque. Uma parte do exército cruzara o Tibre para o norte da cidade, atacando os defensores da Porta del Popolo. A outra

Os franceses atacam novamente.

parte atacara Villa Corsini, Villa Pamphilli e o Vascello, um edifício muito sólido, de três andares, construído sobre a estrada, com altas muralhas na frente, jardim e majestoso vale de plantação circundado por um muro mais baixo, 100 metros para fora da Porta San Pancrazio.

Foi um dia de batalhas terríveis, gestos extremos de coragem, ousadias cuja lembrança os italianos preservam até hoje. A jornada – catorze horas de combate contra duas brigadas – custou mil feridos e 180 mortos. Perderam Villa Corsini e Villa Pamphilli e só dois oficiais de Garibaldi saíram ilesos. A defesa de Garibaldi restringia-se agora ao Vascello e a algumas casinholas reconquistadas aos franceses. No dia seguinte, já sabia que estavam perdidos e que a única esperança era cair com glória.

No dia 12 de junho, Oudinot deu doze horas para que a cidade se rendesse, encaminhando ao comando romano um comunicado que deveria ser divulgado a toda a população:

> Habitantes de Roma.
> Não viemos trazer a guerra. Viemos apoiar a ordem com a liberdade. A intenção do nosso governo foi mal compreendida. O trabalho de assédio é que nos conduziu debaixo de vossos muros. E não fizemos mais do que responder de vez em quando ao fogo de vossas baterias. Se aproxima o instante em que a necessidade da guerra produz uma terrível calamidade. Poupem uma cidade repleta de tanta gloriosa memória. Se insistem em recusar, só a vós incumbirá a responsabilidade pelo desastre irreparável.
>
> O general-chefe representante do povo Oudinot di Reggio.[8]

Garibaldi mudara seu quartel-general para a Villa Savorelli. Da torre, mais alta do que a Porta de San Pancrazio, ele podia ver o movimento dos inimigos e a situação dos seus no Vascello. Nesse pequeno balcão de madeira desguarnecido, ele tomava seu café da manhã, fazendo os soldados franceses praticar o tiro ao alvo.

O ministro da Guerra visitou o lugar no dia seguinte e ordenou que o balcão fosse cercado com sacos de areia, mas a casa continuou tão visada pelo fogo do inimigo que parte de seus comandantes morreu debaixo de bombas.

Foi dali que ele escreveu para Anita, no dia 21 de junho. A carta, despachada três dias depois, jamais foi lida por ela, como se verá adiante.

---

[8] Elpis Melena, *Garibaldi's memoirs*, cit., p. 128.

Minha cara Anita.

Eu sei que tu estiveste e talvez ainda estejas doente. Desejo ver tua caligrafia e a da minha mãe para tranqüilizar-me.

Os galos-frades do cardeal Oudinot se contentam em bombardear-nos e nós estamos tão acostumados que não fazemos caso. Aqui mulheres e crianças correm atrás das bolas de ferro e brigam pela sua posse.

Nós combatemos sobre o Gianicolo e este povo é digno de sua passada grandeza. Aqui eles vivem, morrem e suportam amputações ao grito de "Viva a República!". Uma hora de nossa vida em Roma vale um século de existência comum! Feliz minha mãe de haver-me gerado numa época tão bela para a Itália!

Em casa, na noite passada, trinta dos nossos homens surpreenderam numa casa fora do muro uns 150 galos-frades, usaram a baioneta, mataram um capitão e três soldados; fizeram quatro prisioneiros e numerosos feridos. Tivemos um sargento morto e um soldado ferido. Os nossos homens pertenciam ao Regimento União.

Procure ficar boa em breve. Beije mamãe e as crianças por mim. Menotti alegrou-me com sua segunda carta, pelo que sou grato.

Ame-me muito.

Teu Garibaldi[9]

Na noite seguinte, os franceses bombardearam as muralhas e abriram uma brecha, capturando dois bastiões. Mazzini quis que Garibaldi retomasse os dois locais, mas ele se recusou a comandar um morticínio inútil. Naquele dia, Mazzini percebeu que Roma estava perdida.

Durante a noite, os franceses montaram canhões do lado de dentro das muralhas. Na manhã de 27 de junho, a Villa Savorelli era quase um monte de escombros. Garibaldi moveu seu quartel-general para a Villa Corsini. O dia 26 amanheceu com muita neblina, escondendo a ação dos inimigos, que continuavam o bombardeio. O campanário da igreja de São Pedro em Montorio caiu e seu teto foi destruído. O bastião número 9 foi dilacerado.

Esse bombardeio gerou protestos dos diplomatas da Grã-Bretanha, Prússia, Países-Baixos, Dinamarca, Estados Unidos, Portugal, Confederação Suíça e outros, mas Oudinot respondeu a todos que o momento da negociação tinha passado e que era preciso agir com vigor.

---

[9] Wolfgang Ludwig Rau, *Anita Garibaldi, o perfil de uma heroína brasileira*, cit., p. 379.

Ataque francês à Villa Savorelli.

Só resistiam o bastião número oito e o Vascello, que se tornou o alvo predileto dos seis canhões franceses colocados a 150 passos de distância. Mas a casa também acabou arrasada pelo canhoneio e, quando os franceses abriram uma brecha ao lado da San Pancrazio, Garibaldi levou Medici e seus homens do Vascello para a Villa Savorelli. Os soldados de Medici deixaram as ruínas do lado de fora e assumiram as de dentro. A queda de Roma era questão de horas.

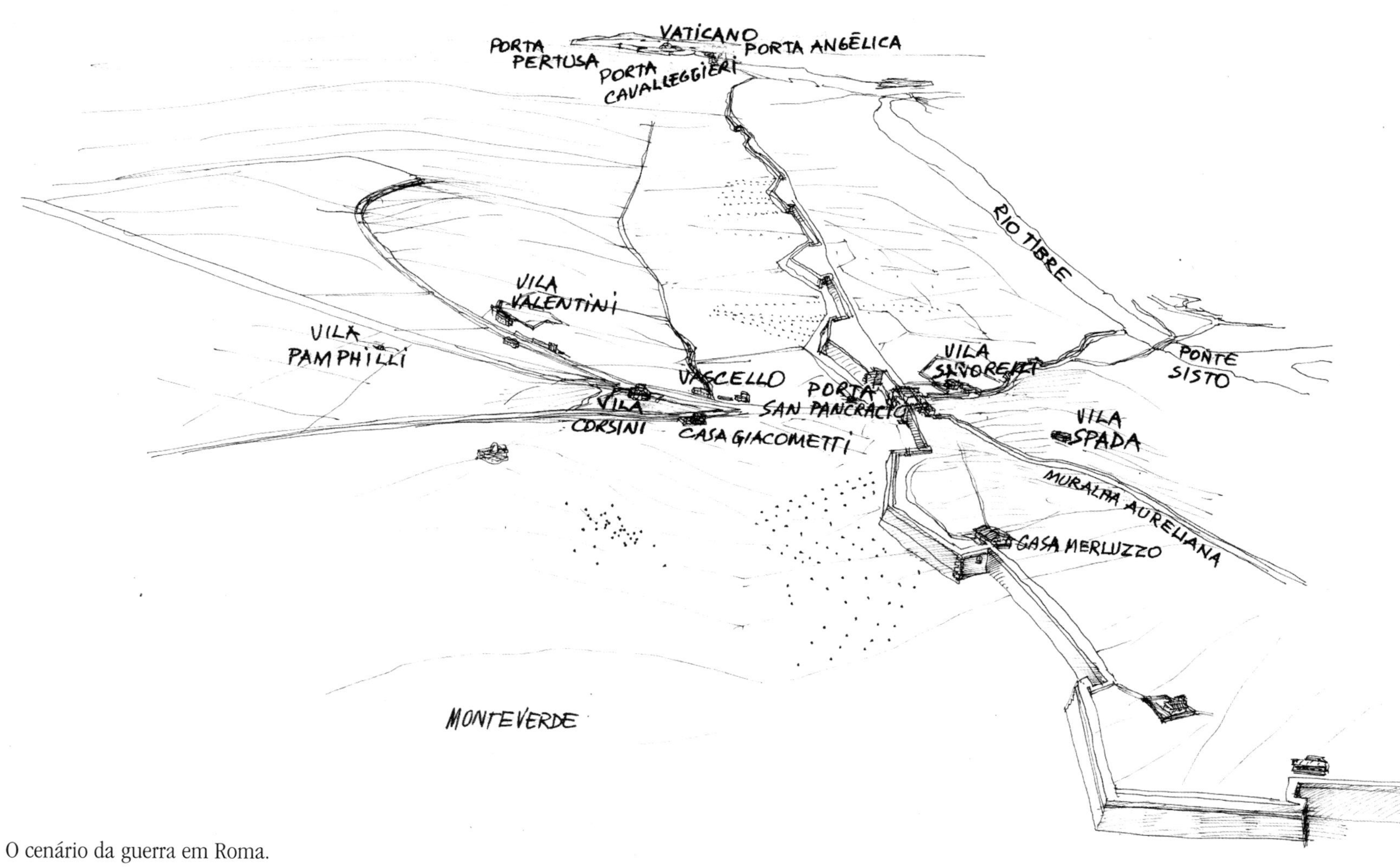

O cenário da guerra em Roma.

Mais um soldado

Garibaldi estava com seus oficiais, todos em mangas de camisa, no terceiro andar da Villa Spada, seu mais recente quartel-general, comendo um pedaço de pão duro com queijo, quando ouviu passos apressados do lado de fora. A porta se abriu. Entrou uma mulher. O general correu até ela, abraçou-a, virou-se para seus companheiros e disse: "Eis a minha Anita; temos um soldado a mais!".[1]

Quem a levou da Porta San Pancrazio até o quartel-general dos legionários foi Felice Orrigoni, que lutara em Montevidéu. Diante do general, ele relatou os últimos lances do percurso de Anita:

O ataque a Villa Spada.

– O senhor sabe, general, como ela se divertiu no caminho para cá?

– Não.

– Parando em San Pietro, Montorio, para olhar as baterias francesas. Nós dois estávamos cobertos de areia por causa das bombas que atingiam as muralhas. E quando eu

[1] Wolfgang Ludwig Rau, *Anita Garibaldi, o perfil de uma heroína brasileira*, cit., p. 381.

disse para ela, "vamos adiante, vamos adiante, não adianta sermos mortos aqui", ela respondeu: "Meu caro, o que você pensa do modo como os franceses, bons católicos, estão deixando as igrejas?".[2]

Anita deve ter saído de Nice no dia 6 de junho, ao saber do primeiro ataque francês a Roma, noticiado pelo *L'Echo des Alpes Maritimes*. Passou por Gênova, onde Nina Castellini, amiga desde Montevidéu, lhe pagou a passagem num barco para Livorno. Dali seguiu com a diligência postal por um caminho tortuoso. No final, montou num cavalo, deixando a bagagem para ser recuperada mais tarde. Logo após sua chegada, escreveu a Nina:

> Caríssima amiga.
> Roma, 26 de junho de 1849.
> Escrevo-te para informar-te da minha feliz chegada depois de uma perigosa viagem, passando pelos austríacos que ocupam a Toscana, que atravessei para atingir Roma. Aqui as coisas vão bem de dia e de noite nos divertimos com os franceses, que perdem o seu tempo. Meu marido vai beníssimo, mas anda muito ocupado. Peço-te que saúdes teu marido e que beijes por mim teus filhos. Minhas lembranças ao senhor Camilo, à tua mãe, a todos os amigos.
>
> Tua afeiçoadíssima
> Anita Garibaldi[3]

A ironia é evidente. Os romanos já tinham abandonado as defesas construídas por Urbano VIII e tentavam desesperadamente manter o controle sobre a segunda linha de defesa, estabelecida mais para dentro da cidade, junto às muralhas aurelianas. Construídas milhares de anos antes da invenção da pólvora, ajudaram as legiões de Belisário a repelir os godos no século VI e ainda eram a única proteção da maior parte de Roma. Mas suas paredes perpendiculares e pequenas torres quadradas não podiam resistir aos canhões modernos.

---

2 Ivan Bóris & Mino Milani, *Anita Garibaldi: Vita e morte di Ana Maria de Jesus*, cit., p. 101.

3 Wolfgang Ludwig Rau, *op. cit.*, p. 381.

As cenas que Emilio Dandolo, o guerreiro historiador da Brigada Manara, registrara no começo de junho tinham ficado para trás. Sua previsão estava correta:

> Em Roma reconhecemos, com pesar, o mesmo aspecto que Milão apresentara durante os últimos meses de sua liberdade. Parecíamos observar as mesmas arrogantes preocupações com as questões triviais, enquanto as de importância vital eram negligenciadas. Havia a mesma superabundância de estandartes, de penachos, de distintivos, o mesmo tilintar de espadas nas ruas, e os vários uniformes dos oficiais, um diferente do outro, todos eles mais aptos para o embelezamento da cena do que para o serviço militar; todas as dragonas jogadas, como se fosse ao acaso, sobre os ombros dos indivíduos, cujas faces pareciam declarar que não estavam aptos a recebê-las; quando, além disso tudo, o aplauso de um povo não afeito à guerra, ecoando das janelas e dos cafés, parecia indicar claramente que havíamos chegado a tempo para assistir à última cena de uma comédia absurda.[4]

Anita e Garibaldi passavam a noite no quartel-general de Villa Spada, dormindo o mínimo necessário, sobre um monte de palha. Durante o dia, acompanhada por Orrigoni e Gaetané, ela ia descansar um pouco no número 59 da Via delle Carrozze, numa casa que continua em pé e abriga hoje uma tratoria, tendo na parede uma placa que relembra a estada do casal.

A Roma que ela conheceu estava marcada pela guerra. Ainda assim em muitos momentos, a cidade parecia estar em festa.

Roma, julho de 1849

Dois anos antes de virar República, Roma tinha 175.883 habitantes, católicos em sua grande maioria. O censo identificava ainda 564 turcos e hereges, mas não mencionava os judeus, que desde 1814 vinham sendo perseguidos: perderam empregos públicos e o lugar nas escolas e foram obrigados a viver nos guetos até 17 de abril de 1848, quando Pio IX determinou a demolição dos seus muros.

---

[4] George Macaulay Trevelyan, *Garibaldi's defence of the Roman Republic*, cit., pp. 122-123.

Apesar do ataque francês, Roma continuava rivalizando com Paris como centro cosmopolita do mundo artístico. Ingleses, belgas, holandeses e até franceses, que ganhavam a vida fazendo cópias dos quadros clássicos, se alistaram para lutar. Depois dos combates, lotavam os cafés, onde faziam sucesso as mulheres magras e pálidas, vestindo saiotes pregueados até o tornozelo e jaquetas curtas de mangas longas. Calçavam sapatos de salto baixo, não usavam pó-de-arroz nos cabelos, apenas chapéus de feltro. As mais audazes vestiam-se à la *garçon*, com sobrecasaca, camisa, gravata, colete e bengala.

Todos liam *Don Pirlione*, um jornalzinho satírico de 31 cm de largura por 33 cm de altura que durou 234 números a partir de março de 1848, quando Pio IX assinou a Constituição. Seu símbolo era um homem envolto numa espécie de capa, com um grande chapéu escondendo o rosto. Sua epígrafe dá uma boa idéia do conteúdo: "Leia-me se quiser, senão me dobre e enfie onde quiser, que não dou bola para a etiqueta".

Mas na Roma em guerra não eram só os cafés que estavam lotados. Os hospitais também. O palácio papal no Quirinal passou a ser usado pelos convalescentes. Lá a escritora inglesa Margaret Fuller procurava animar os feridos:

Naqueles belos jardins eu caminho com eles – um de tipóia, o outro de muletas. O jardineiro exibe todas as suas obras hídricas aos defensores do país e apanha flores para mim, que sou amiga deles. Há um ou dois dias nos sentamos no pequeno pavilhão do papa, onde ele costumava dar audiências privadas. O sol se punha gloriosamente no monte Mario, onde brilhavam as barracas brancas dos franceses entre as árvores. Ouviam-se tiros de canhão a intervalos.

Dois garotos de olhos brilhantes sentavam-se aos nossos pés e colhiam ansiosamente cada palavra proferida pelos heróis do dia. Era uma bela hora, roubada das ruínas e dos pesares; e contavam-se histórias cheias de graça e de *pathos*, como nos jardins de Boccaccio, somente com espírito muito diferente – com nobres esperanças para os homens, com reverência para as mulheres.[5]

[5] *Ibid.*, p. 197-198.

Dois dias depois da chegada de Anita, os romanos acenderam fogueiras e soltaram rojões na tradicional celebração de São Pedro e São Paulo, como se nada estivesse acontecendo. A tristeza só transparecia quando passava um enterro – e foram 64 naquele dia.

Do lado de fora das muralhas, os franceses preparavam o ataque final e se surpreenderam ao ver a cidade toda iluminada. Mais que uma festa, era um ato de desafio aos invasores. Cada janela exibia lanternas em verde, branco e vermelho. O Coliseu e a Igreja de São Pedro foram decorados com as mesmas cores. Mas, pelas nove da noite, o céu tremeu com o barulho de trovões e uma chuva torrencial apagou as fogueiras. A área bombardeada do lado de fora da muralha de Aurélio tornou-se um mar de lama e ao som dos raios somou-se o troar dos canhões.

Silenciosos, os soldados franceses tiritavam sob a chuva, aguardando a ordem de atacar. À meia-noite o aguaceiro amainou e os canhões silenciaram. Houve tranqüilidade durante duas horas na cidade às escuras. Mas então as trombetas soaram sinalizando o avanço e da muralha de Aurélio veio a réplica dos clarins dos defensores.

Ao primeiro som, Garibaldi ergueu-se, pegou a espada e gritou ao passar pela porta do quartel-general: "Vamos, é o ataque final!".

Os franceses aglomeraram-se atrás das velhas muralhas, lutando apenas com as baionetas, ocupando uma terra de ninguém. No meio da confusão viram Garibaldi

A luta final.

Na terra de ninguém.

com a espada desembainhada, cantando o hino da Itália. Quando o dia chegou, os italianos haviam recuperado parte da muralha, mas, ao longo da manhã, sob a artilharia e o fogo dos rifles, tiveram de voltar sua atenção para a Villa Spada, onde Garibaldi e parte de suas tropas estavam cercados.

Emilio Dandolo estava lá e relata:

> Villa Spada foi cercada; corremos até a casa, bloqueando as portas e nos defendendo pelas janelas. As balas de canhão caíam pesadamente, espalhando devastação e morte, as balas dos Caçadores de Vincennes zuniam certeiras através das janelas despedaçadas. É enlouquecedor lutar dentro dos limites de uma casa, onde uma bala de canhão pode ricochetear nas paredes, e onde, se você não for morto assim, pode ser esmagado sob os escombros; onde o ar, impregnado de fumaça e pólvora, traz o gemido dos feridos mais distintamente até os ouvidos, e onde os pés escorregam no chão ensangüentado, enquanto todo o edifício rola e treme com o ressoar dos canhonaços. A defesa já durava duas horas. Manara passava continuamente de uma sala a outra, tentando reanimar os combatentes com a sua presença e palavras. Eu o segui, distraído pela ansiedade, sem notícias de Morosini; uma bala, ricocheteando na parede, feriu meu braço direito. "Per Dio!", exclamou Manara, que estava em pé ao meu lado. "Sempre atingem você?"[6]

[6] *Ibid.*, p. 223.

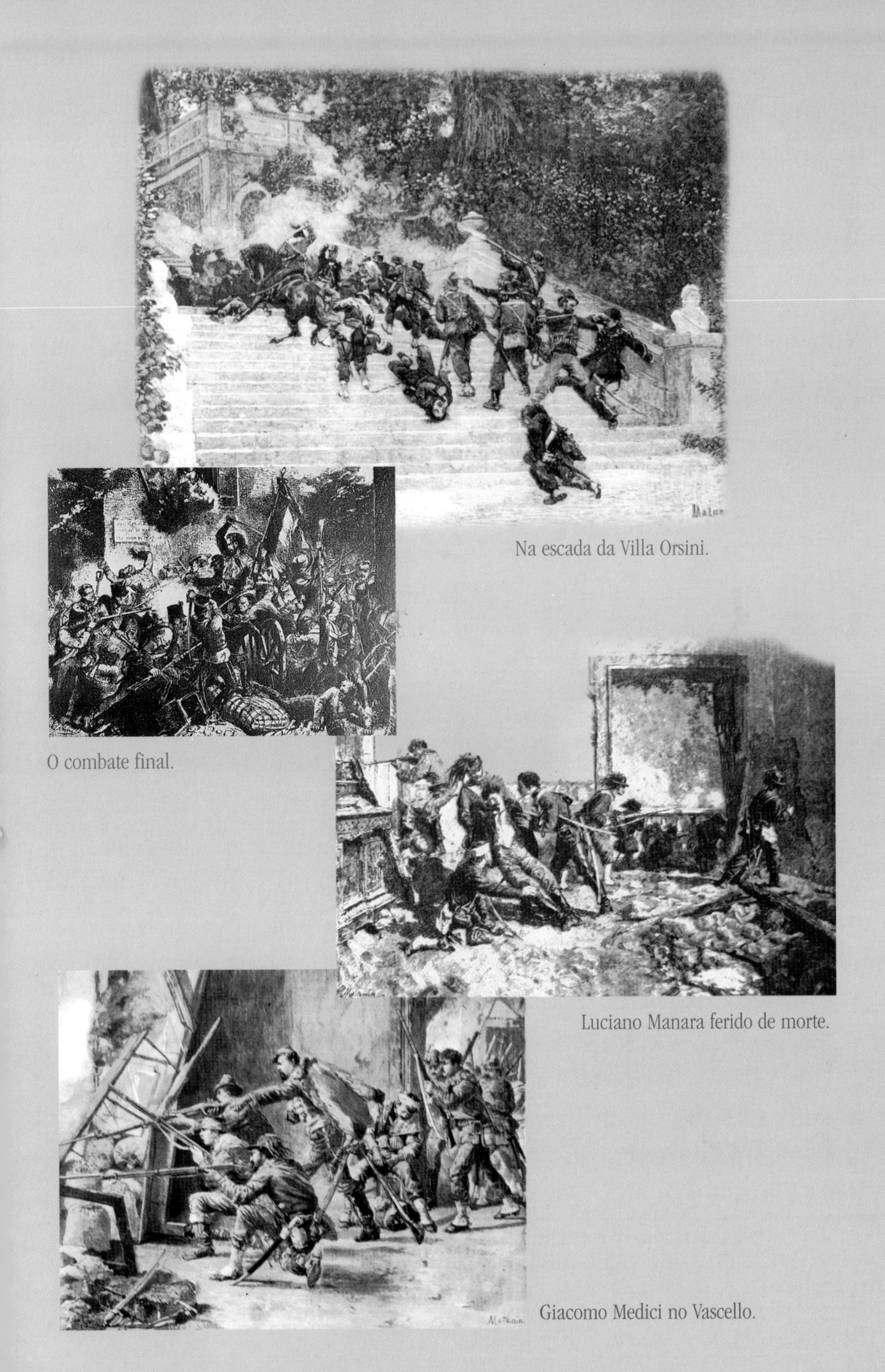

Na escada da Villa Orsini.

O combate final.

Luciano Manara ferido de morte.

Giacomo Medici no Vascello.

Quando a munição dos italianos acabou, Garibaldi tentou um ataque final e desesperado com espadas e baionetas. Um companheiro do general, Candido Augusto Vecchi, capitão da 1ª Legião Italiana, jamais esqueceu aqueles momentos:

> Não havia um lugar onde pôr os pés, a não ser sobre o corpo dos mortos e feridos. Garibaldi foi maior do que eu já tinha visto, maior do que qualquer um que eu tenha visto. Sua espada parecia iluminada. O sangue de um novo adversário lavava o de outro que acabara de cair.[7]

Bombardeio da ponte Molle. A noite de 29 para 30 de junho.

Manara recebe uma bala no peito na janela da Villa Spada, onde estava vendo o último recuo dos franceses; é levado para a ambulância e fala para o médico: "Deixe-me morrer depressa, estou sofrendo muito". Villa Spada teve de ser desocupada. Foi negociada uma trégua para que cada lado pudesse recolher os mortos e feridos.

A Assembléia estava em sessão permanente desde a manhã do dia 30, simplesmente esperando e lendo os boletins de campo, enquanto discutia inutilmente o que fazer. Mazzini tinha ido ver as tropas, exaustas, perdidas. Quando entrou no prédio, estava pálido como um morto, segundo um americano que viu a cena. O próprio Mazzini daria sua versão daqueles momentos, anos mais tarde:

> Muitos oficiais, os romanos principalmente, queriam levar a defesa da cidade a seu extremo; pensamento nobre, mas impossível de ser concretizado. A discussão se pro-

7 John Parris, *The lion of Caprera,* cit., p. 105, nota 4.

longava no Palácio Corsini. Peguei uma folha de papel e escrevi na parte de cima as três propostas em três colunas:

Capitulação;

Resistência palmo a palmo, com guerra de barricadas dentro de Roma;

O governo, as tropas e a Assembléia saem da capital para enfrentar os austríacos.

Convidei todos a assinarem a proposta que preferiam. Ninguém assinou pela capitulação. Todos se manifestaram de acordo com sua consciência.

Saí da sala. Garibaldi me seguiu, perguntando se poderia saber qual era o meu desejo. Respondi que não tinha nada a esconder dele e que meu desejo era, sumariamente, levar todo o material de guerra ou destruir tudo em Roma, marchar rapidamente para longe da cidade, passando entre os franceses e os austríacos; atravessar a Toscana, perto de Arezzo, reunindo provisões para a tropa e depois cair sobre Bolonha, enfrentando os austríacos e, conseguindo provocar a insurreição na Romanha, mudar assim o teatro da guerra, substituindo um inimigo por outro.

O exército francês ficaria reduzido a permanecer inerte na cidade quase deserta ou teria que se desmascarar, ajudando os austríacos. A primeira parte do projeto foi a que Garibaldi tentou realizar depois.

Então, fui para a Assembléia, pedi que retirassem o público e apresentei essa proposta. No corredor encontrei Cernuschi, que já tinha no bolso a fórmula "renunciando à defesa", que finalmente foi adotada, mas ele me prometeu retardar a apresentação.

Encontrei a Assembléia inteiramente mudada, em pânico, desanimada. A minha proposta foi seguida de um longo silêncio, finalmente cortado por Cernuschi, que, pálido e vivamente comovido, se aproximou da tribuna e falou contra a partida do governo, da Assembléia e do Exército. Foi seguido por outro. A mim parecia que a idéia de continuar com a guerra até o extermínio tinha sido apresentada como algo elementar para um partido republicano no poder, que não tinha preparado o ânimo da Assembléia. Erro capital! A discussão tornou-se amarga. Os argumentos eram pueris e baixos. Finalmente, pela primeira vez em Roma, perdi a calma e me tornei pouco parlamentar. Acusei a Assembléia de covardia e os adverti que o povo estava pronto a derrotar todos eles e depois abandonei a sala, dizendo que ia esperar a decisão deles.

Quando saí, fui chamado por Garibaldi, que propunha como único caminho a liberação do Trastevere; com isso poderia prolongar a defesa por alguns dias mais. Mas eles chegaram ao decreto que se conhece.[8]

---

[8] Jessie White Mario, *Garibaldi e i suoi tempi*, cit., p. 163.

Garibaldi tinha recebido uma mensagem urgente para ir à Assembléia e galopou até o Capitólio. No caminho, ficou sabendo que o negro Aguiar, seu braço-direito, tinha morrido, atingido por uma bala de canhão.

A morte do negro Aguiar.

Coberto de sangue e pó, as roupas rasgadas por balas e golpes de baioneta, e a espada tão torta que só entrou na bainha pela metade, ele foi saudado com vivas ao entrar na Assembléia. "Para a tribuna", gritaram. Subiu os degraus lentamente e disse:

> É impossível levar a defesa adiante. Foram cometidos erros, mas não é hora de acusar ninguém. Vamos deixar Roma com todos os voluntários armados que quiserem nos acompanhar. Onde estivermos, lá estará Roma.[9]

Cernuschi tinha sido o motor das barricadas, a encarnação do povo. Leu sua proposta com lágrimas nos olhos:

> Sou um ardente defensor do meu país, como nenhum outro. Mas tenho de dizer-lhe que não restam armas com as quais possamos nos opor aos franceses. Roma e seu povo precisam resignar-se com a ocupação.[10]

Foi ele quem redigiu a proposta colocada em votação: "Em nome de Deus e do povo, a Assembléia Constituinte romana cessa uma defesa agora impossível e fica em seu posto".

---

[9] Jessie White Mario, *Vita di Garibaldi* (Itália: Ristampa, 1945), p. 137.
[10] *Ibid.*, p. 138.

Não se ouviu uma só palavra quando ele terminou a leitura. Aprovaram a deliberação, acrescentando apenas que "o triunvirato é encarregado da execução do presente decreto".

Mazzini recusou-se a cumprir a tarefa e outro triunvirato foi eleito. Quem comunicou o decreto a Oudinot foi o general Roselli:

> General.
> Cabe a mim comunicar-lhe o decreto da Assembléia Constituinte romana anexo, em conseqüência do qual, de minha parte, farei cessar imediatamente as hostilidades, como espero que o senhor faça também.
> Informo ainda que esta noite uma representação do município terá a honra de ir ao seu quartel-general. Solicitando que acuse o recebimento desta, lhe desejo saúde.
> Roselli[11]

A República ameaçada.

Por sugestão de Mazzini, Garibaldi foi nomeado comandante-em-chefe do derrotado Exército romano. No dia 2 de julho, o ministro plenipotenciário dos Estados Unidos encontrou o marido de Anita na rua e informou-lhe que havia um passaporte americano com nome falso para ele, a mulher e seus oficiais, além de uma corveta à sua disposição em Civitavecchia para levá-los em segurança. Garibaldi recusou, mas Mazzini aceitou e partiu, dias depois, sob o nome de George Moore.

Naquela tarde, a Piazza San Pietro estava repleta de romanos e a cidade, fora de si. O enterro de Manara foi acompanhado por quatrocentos soldados apenas – entre eles cem feridos –, o resto da Legião de Garibaldi. Não havia oficiais. Nas janelas e balcões o povo chorava e Ugo Bassi rezou a oração fúnebre.

Nos muros, começavam a ser afixadas cópias do seguinte comunicado da Assembléia:

---

[11] Gustavo Sacerdote, *La vita di Giuseppe Garibaldi*, cit., p. 430.

Romanos, uma nuvem surge entre vós e o futuro; é uma nuvem passageira. Permanecei constantes na consciência dos vossos direitos e na fé pela qual morrerão, apóstolos armados, muitos dos melhores dentre vós. Deus quer que Roma seja grande e seja livre. E Roma será. A vossa missão não é inútil. Representa a vitória dos mártires, dos quais o sepulcro é a escada do céu. E quando o céu vier a esplender, radioso na sua ressurreição por vós – quando, nos próximos momentos, o preço do sacrifício que vós orgulhosamente pagastes com a honra vos for compensado –, podereis então vos recordar dos homens que atravessaram a vossa vida, que hoje sofrem com as vossas dores, e combatereis, amanhã, seguros da importância das vossas investidas, as vossas novas batalhas.[12]

Porta San Pancrazio.

[12] Jessie White Mario, *Garibaldi e i suoi tempi*, cit., p. 165.

enário da luta.

Porta de San Pancrazio.

O quartel francês.

Villa Savorelli.

Casa Merluzzo.

San Pietro, em Montorio.

Vista geral de Roma sob ataque.

Villa Savorelli: Garibaldi
está na torre.

Caçada pelos austríacos

Na noite de 1º de julho, Anita jantou com Garibaldi e os oficiais mais próximos na casa da Via delle Carrozze. Já não era mais necessário guardar os muros da cidade: o destino de Roma fora selado. Estavam ali, entre outros, o uruguaio Bueno e o suíço Hoffstetter, cujo diário é o mais importante documento para acompanhar essa fase derradeira da vida de Anita. Ugo Bassi não apareceu; ficou concedendo a extrema-unção aos moribundos e cerrando os olhos dos mortos. Durante o jantar, Anita resistiu aos argumentos do marido, que pretendia que ela permanecesse em Roma:

O anúncio da queda de Roma.

DISPACCIO TELEGRAFICO

ROMA

È CADUTA

Quartier generale Casa Papadopoli

li 6 Luglio 1849.

Il Comandante del 2.° Corpo d'Armata di Riserva

IL TENENTE MARESCIALLO

CONTE THURN

Per li fratelli Penada e li figli del fu Giuseppe.

L'ANNUNZIO UFFICIALE DELLA CADUTA DELLA REPUBBLICA ROMANA
(Milano: Museo del Risorgimento).

> A minha boa Anita, ofendida com as minhas recomendações para que ficasse, tinha decidido acompanhar-me. As observações que fiz sobre a vida cheia de perigos e incômodos, em meio a tantos inimigos, eram mais um estímulo para aquela mulher corajosa; e em vão lembrei que ela estava grávida. Na primeira casa que encontrou, pediu a uma senhora que lhe cortasse os cabelos, vestiu-se de homem e montou num cavalo.[1]

---

1 George Macaulay Trevelyan, *Garibaldi's defence of Roman Republic*, cit., p. 230.

Na manhã do dia 2, enquanto ela cortava os cabelos, ele foi para a Piazza San Pietro, o maior espaço público da cidade. Corria pelas ruas o rumor de que o general ia sair para continuar a luta, tentando alcançar Veneza, o último bastião de resistência aos austríacos. Na praça, suas tropas e uma multidão de romanos esperavam pelo herói que não queria se render. O pintor holandês Jan Philip Koëlman, que estava em Roma para estudar e acabou entrando na guerra, viu quando ele chegou:

> Em meio à massa ondulante que da Via del Borgo se dirigia à Piazza San Pietro, vimos o penacho negro de Garibaldi. Estava cercado, não pelos oficiais do estado-maior, que se encontravam no meio da gente e tentavam inutilmente se reunir, mas pelos cidadãos e pelas mulheres que avançavam sobre ele de todos os lados. Ele conseguiu apenas alcançar, vagarosamente e com dificuldade, o obelisco egípcio do meio da Piazza. Ali se deteve, virou o seu cavalo, e, quando os seus oficiais se reuniram a ele, fez sinal com a mão para cessarem as saudações. Após repetir o gesto energicamente, a praça ficou quieta como um túmulo.[2]

A voz de Garibaldi se fez ouvir sobre a massa enorme e agora silenciosa:

> A sorte, que hoje nos traiu, sorrirá para nós amanhã. Estou saindo de Roma. Aqueles que quiserem continuar a guerra contra o estrangeiro, venham comigo. Não ofereço pagamento, quartel ou comida. Ofereço somente fome, sede, marchas forçadas, batalhas e morte. Os que amam este país com seu coração, e não com seus lábios apenas, sigam-me! [3]

Daniele Manin, líder de Veneza.

Garibaldi tinha três objetivos: não se render em território italiano, sublevar a província e juntar-se a Daniele Manin, que proclamara a República em Veneza no dia 22 de março de 1848 e havia nove meses suportava o cerco dos austríacos.

Ele marcou o encontro final para as seis da tarde na Piazza San Giovanne in Laterano, onde moravam os papas antes de se mudarem para Avignon. Calças de homem, botas lar-

---

[2] *Ibid.*, p. 231.

[3] *Ibidem.*

gas, chapéu de feltro com uma pluma de ema e cabelos curtos, Anita estava lá. Ciceruacchio também, levando seus dois filhos, o menor com treze anos, bem como Ugo Bassi, Bueno e os poucos legionários que haviam sobrevivido.

Os muitos romanos que foram se despedir trepavam nas carruagens ou subiam nos ombros uns dos outros para ver a saída, por volta das oito da noite. Deixaram Roma 3.900 homens, sendo oitocentos cavaleiros. Cada um deles levava pólvora para oitenta disparos apenas. Tinham várias carroças e um único canhão – o general Roselli não liberou as outras baterias, que acabaram nas mãos dos franceses.

Nas redondezas, os aguardavam 40 mil inimigos – franceses, espanhóis e napolitanos. Mais ao norte, 15 mil austríacos e 2 mil toscanos. Ao todo, eram nove os generais dispostos a acabar de vez com Garibaldi e suas tropas: três franceses, quatro austríacos, um espanhol e um napolitano.

Mas a experiência de guerrilha no Brasil e no Uruguai foi decisiva. Antes de deixar a cidade, Garibaldi espalhou que ia enfrentar os napolitanos. E a coluna principal começou realmente a avançar pela Via Casilina, que sai do leste de Roma e segue em direção ao sul, enquanto a cavalaria se espalhava em todas as direções para localizar as colunas francesas. Quando se certificou de onde eles estavam, cochichou novas ordens, tomando o rumo norte e fazendo a tropa marchar rapidamente e em silêncio absoluto. Até acender um cigarro era proibido.

Prontos para a partida.

Uma hora depois, duas colunas inimigas saíram à procura deles, uma para o sul, outra para o leste.

Começava assim uma retirada que fez escola e continua a ser estudada nas academias militares: mudanças bruscas de rumo, operações de despiste, rapidez e disciplina surpreendentes para o que deveria ser apenas um bando em fuga, mas desnorteou cinco exércitos inimigos, percorrendo 550 quilômetros em um mês.

Na Piazza San Pietro, ao descrever como seria a empreitada, Garibaldi não exagerara. Marchariam das duas às dez da manhã, parando durante as horas mais quentes, até as cinco da tarde, retomando a caminhada até as dez da noite, quando acampariam quatro horas, no máximo. Poucos dias depois do início da retirada, trocaram as carroças por animais de carga, para percorrer mais facilmente as trilhas das montanhas. Propositalmente, muitos pedidos de mantimentos foram aumentados, só para confundir os austríacos. À noite, grandes fogueiras ardiam num ponto, como se estivessem acampados ali, enquanto partiam acelerado e em silêncio noutra direção.

Como acontecera nos pampas da Farroupilha, a cavalaria seria a arma mais ativa e, muitas vezes, se afastaria mais de 50 quilômetros da coluna principal, descrita deste modo por Hoffstetter:

> Na frente, cavalgava Garibaldi ao lado de sua heróica mulher, seguido por seu estado-maior, visível de longe pelo poncho branco que balançava ao vento fresco da montanha. Seguiam-no poucos lanceiros. [...] Vinha depois a nova cavalaria, dois a dois, um comboio longo com uniforme pitoresco. Chapéu com pena, camisa vermelha, armamento variado – uma parte tinha carabina e baioneta como os dragões – davam àquela cavalaria improvisada uma imagem estranha.[4]

Às sete da manhã do dia 3 chegavam a Tivoli, a mais antiga e bela entre as muitas cidades que iriam percorrer nas semanas seguintes. Depois de uma noite inteira de caminhada tensa e silente, descansaram o dia todo sob as oliveiras. No horizonte, a cúpula desenhada por Michelangelo para a Basílica de São Pedro era perfeitamente visível.

---

[4] Biblioteca Classensa, *La Romagna i Garibaldi* (Ravenna: Longo Editore, 1982), p. 34.

Retomaram a marcha à noite e 36 horas depois de terem partido chegaram a Monterotondo: haviam percorrido um desnorteante semicírculo de 100 quilômetros em torno de Roma. Garibaldi, que estava completando 42 anos, mandou uma parte de seus homens cruzar o rio Tibre duas vezes, para confundir ainda mais as tropas francesas, e levou o restante de seu pessoal para o outro lado, até alcançarem Terni, 80 quilômetros a nordeste de Roma.

Terni

Fundada pelos úmbrios em 672 a. C., teve importância comercial até ser dominada pelos romanos. Exposta às invasões bárbaras, por sua posição estratégica junto à estrada flamínia, foi entregue ao antipapa Vittorio IV por Frederico Barba-Roxa e acabou destruída, depois que seus moradores hostilizaram o novo senhor. Recuperou a prosperidade no século XIII ao se tornar uma espécie de entreposto para o comércio entre Florença e o

Abruzzo. Durante a Segunda Guerra Mundial, foi intensamente bombardeada, porque ali funcionavam muitas indústrias, entre elas uma fábrica de armas.

Diante dos muros de Terni, num elegante uniforme branco, estava o coronel inglês Hugh Forbes, que tinha lutado em Veneza e comandava seiscentos voluntários italianos que se juntaram a Garibaldi. O general mandou a cavalaria vasculhar as vizinhanças e ficou em Terni até o dia seguinte. Seus homens estavam exaustos. Anita, grávida de cinco meses, mais ainda.

Os franceses ainda os seguiram por algum tempo antes de desistir, mas os austríacos, espanhóis e napolitanos continuaram no seu encalço. Havia espiões por toda parte: padres, donos de terras, camponeses indicavam cada passo dado pelo que era chamado "o bando do famigerado Garibaldi" – e daí para baixo.

As deserções aumentavam e as mulas já não eram capazes de carregar as armas abandonadas, que iam ficando nas mãos de gente que parecia ser de confiança.

Para manter a disciplina, Garibaldi baixou uma drástica e sumária ordem-do-dia:

> Artigo único.
> Quem se fizer culpado de furto de objeto de qualquer valor e natureza se tornará passível de pena de morte. [5]

De Terni foram para Cesi, construída em torno do monte conhecido como Rocca di Cesi, que domina todo o vale e foi vital para a sobrevivência da comuna durante a Idade Média.

A parada seguinte aconteceu em Todi, uma obra de arte incrustada sobre o vale onde o Tibre se retorce em curvas. Recebidos com banda de música, foram alojados no jardim de um pequeno convento, onde os soldados construíram um caramanchão onde Anita desfrutou da paisagem – os austríacos estavam em Perugia, a quase 50 quilômetros de distância; fora, portanto, do alcance de sua visão.

Hoffstetter registrou também momentos descontraídos em que Anita, sentada numa rocha, conversava e ria com Garibaldi, Ugo Bassi, Ciceruacchio e os oficiais, enquanto costurava uma barraca para ela e o marido. Foi numa dessas ocasiões que ouviu a história de sua própria fuga durante a batalha de Curitibanos, e o fecho glorioso da narrativa de Garibaldi: "Sim, meus senhores, minha mulher é valente!".[6]

---

5 Wolfgang Ludwig Rau, *Anita Garibaldi, o perfil de uma heroína brasileira*, cit., p. 393.

6 George Macaulay Trevelyan, *Garibaldi's defence of Roman Republic*, cit., p. 247.

Na praça central de Todi, ele conseguiu dinheiro e mantimentos e trocou duzentas carabinas velhas pelas armas da guarda civil local. No caminho para Orvieto, puniu com a morte o furto de uma galinha.

Passaram a noite numa fenda dos Apeninos. Anita, enciumada, esperou até a meia-noite pelo marido, que tinha voltado a Todi e dormiu na barraca que havia feito.

Pela manhã, atravessaram os vinhedos que circundam Orvieto, subiram até o platô, a 300 metros de altitude, onde fica a cidade, e encontraram seus portões fechados.

Com medo de represálias, os 9 mil moradores não queriam abrigar os soldados, embora prometessem lhes entregar pão, carne e vinho. Só abriram as portas depois de muita conversa.

A parada seguinte foi em Ficulle, um vilarejo medieval também instalado sobre um cume e cercado de montanhas. Ali, no dia 15, Anita encontrou Giovanni Bracchetti e Gioacchino Biggi. Pediu-lhes algumas frutas. Os dois informaram que na cidade não havia, mas seria fácil obtê-las na horta dos frades. Ela não concordou e repetiu duas vezes: "Não roubem nada dos frades!".[7]

Naquela noite, como em muitas outras, Anita e Garibaldi dormiram ao ar livre.

Duas semanas após terem deixado Roma, estavam a apenas 85 quilômetros da cidade. Depois de uma noite chuvosa em Salci, junto à fronteira toscana, atravessaram duas vezes o mesmo rio, para despistar, e chegaram a Cetona, no dia 17 de julho. Foram recebidos como heróis pelo prefeito Rodolfo Gigli e pela população inteira, que gritava: "Viva Garibaldi, rei da Itália!".[8]

Cetona

De origem etrusca, a vila desenvolveu-se em torno de um castelo durante a Idade Média, acompanhando com linhas circulares de edificações o monte sobre o qual foi erigida. Perto dali, no parque conhecido como Belvedere e em 25 cavernas, foram descobertos vestígios arqueológicos que remon-

---

[7] Wolfgang Ludwig Rau, *Anita Garibaldi, o perfil de uma heroína brasileira*, cit., p. 396.

[8] Ivan Bóris & Mino Milani, *Anita Garibaldi: Vita e morte di Ana Maria de Jesus*, cit., p. 115.

tam a 40 mil anos, cujos achados estão hoje no museu da cidade dedicado ao período pré-histórico.

Tratada como rainha pela mulher do prefeito, Amalia Gigli, ela trocou as roupas de homem por um vestido de seda verde-escuro, feito às pressas para ela pela costureira Lucrezia Benvenutti e fez boa figura no jantar realizado no Belvedere, ao lado das damas da cidade.

Um soldado roubou um brinco de ouro de uma ourivesaria e foi condenado à morte. As mulheres da cidade pediram a ajuda de Anita, que convenceu Garibaldi a perdoá-lo – algo que não pôde ou não quis fazer no caso do ladrão da galinha. No dia seguinte, 18 de julho, antes de partir, diante do povo reunido, Garibaldi desembainhou a espada e jurou lutar pela unificação da Itália pelo resto de sua vida.

Pretendia seguir para Chiusi, mas o bispo e o pároco-chefe haviam erguido uma barricada diante da porta de acesso à cidade, forçando a vanguarda garibaldina a recuar. Quando ela fez meia-volta, alguns moradores atiraram. Um dos soldados acabou morrendo em Cetona e Garibaldi decidiu retaliar.

Na vizinha Sarteano, entrou com os cavalos na Igreja de San Francisco, situada fora dos muros da cidade, e a transformou em estrebaria, prendendo os padres.

Sarteano

Situada a 10 quilômetros de Chiusi e a 573 metros acima do nível do mar, nas colinas do monte Cetona, Sarteano teve seu auge com os etruscos e durante o Império Romano foi um centro de arte e elegância. Sua localização evitou que fosse destroçada pelos bárbaros, mas não a salvou de outros conquistadores. O castelo que ainda existe, por exemplo, foi reconstruído pelo menos três vezes.

Problemas num convento.

Os garibaldinos saquearam o convento, levando tudo que era possível transportar. Os sarteaneses reagiram, fechando as três portas da cidade. Garibaldi acampou ao relento, mas Anita, já doente, ficou numa fazenda, com a permissão dos moradores.

No dia 19, seguiram viagem, levando os padres, que só seriam libertados em Foiano della Chiana. Foi a única vez em que Garibaldi atacou um monastério. Para manter a disciplina das tropas, preferia acampar fora das muralhas das cidades amigas, dando preferência a conventos. Mas, de modo geral, o relacionamento entre seus homens e os religiosos era respeitoso.

Cada vila ou cidade recebia à sua maneira os garibaldinos. Em Montepulciano, no dia 20 de julho, foram muito bem-tratados – melhor do que Anita gostaria, como se verá. A cidade, no alto de uma colina, é uma das mais elevadas da região. De suas muralhas e fortificações, de onde se vê a Úmbria e o sul da Toscana, qualquer aproximação dos inimigos seria percebida a tempo.

Foi organizado um banquete no Mosteiro dos Capuchinhos. Anita não ficou até o fim: retirou-se diante da solicitude com que o marido atendia as moças da cidade em sua barraca montada na pequena praça em frente ao convento. No fim da tarde, foram para Torrita. E em 21 de julho, para Forjano, debaixo de chuva, onde Anita e Garibaldi recusam convites das autoridades para banquetes e homenagens, preferindo descansar numa pequena casa. Mas não tiveram a boa noite de sono com que certamente sonhavam. De madrugada, um oficial acordou Garibaldi para informá-lo de que Bueno, seu companheiro desde as lutas no Uruguai, estava desertando com vinte homens. Garibaldi interveio e conseguiu fazer com que o velho amigo voltasse à tropa, ainda que por pouco tempo.

No fim da tarde, como sempre, levantaram acampamento e tentaram alcançar Arezzo pela estrada geral. Mudaram de rumo e chegaram ao sopé dos Apeninos. Em Castiglione, prenderam um soldado austríaco disfarçado de camponês que levava despachos pedindo reforços. Diante de Garibaldi, ele confessou que quatro companhias já estavam a caminho. Mas a ameaça não se consumou.

No dia 22 marcham para Arezzo, pela estrada principal. Capturam outro correio e percebem que os austríacos estavam desorientados e supervalorizavam as forças italianas. Garibaldi não atacou Arezzo. Ficou pelos arredores e no dia 24 saiu para Monterchi e Citerna, ocupando dois mosteiros e estacionando por três dias, apesar do risco de serem alcançados. No segundo dia de acampamento, Anita pôde ver as divisões austríacas, de vários milhares de homens, entrando, uma a uma, no vale abaixo.

Embora as flores da primavera já tivessem caído, ciprestes, pinheiros e carvalhos garantiam a sombra. Anita cochilou debaixo de um caramanchão de sempre-vivas. Garibaldi localizou os austríacos ao sul, em Monterchi, outra cidadezinha na colina inferior, a apenas 1 quilômetro e meio de Citerna, e levantou acampamento.

Com três ou quatro vezes mais soldados, os generais austríacos estavam certos de terem finalmente cercado o italiano. Mas não conheciam bem a região e se fiavam num mapa. Garibaldi consultou alguns camponeses, que lhe mostraram a estrada que subia até a Bocca Trabaria, pela qual chegaram a San Giustino, marchando na escuridão, em fila única. Pelo caminho difícil ficaram mulas e boa parte das munições. Alguns soldados se perderam e foram capturados pelos austríacos.

A tropa, extenuada, passou parte do dia 27 descansando, a pouca distância dos austríacos, que não os atacaram – na verdade, os adversários de Garibaldi sempre superestimaram suas forças e nutriam por ele um temor exagerado.

Finalmente, a longa coluna de 2 mil homens que Hoffstetter descreveu como "uma bela cobra comprida" começou a subir a estradinha em espiral para Bocca Trabaria. Na primeira fila, Anita, ao lado de Garibaldi e seu poncho branco. Na ma-

drugada de 28 de julho, depois de um breve descanso, partiram novamente, chegando às dez da manhã em Mercatello.

As patrulhas que foram vistoriar as redondezas descobrem o inimigo 5 milhas à frente. Há austríacos também para os lados de Arezzo. Garibaldi segue em reconhecimento até perto de Sant'Angelo di Vado. Anita vem logo atrás. Anda quieta, parece cansada demais, mas se propõe fazer um reconhecimento. Garibaldi não concorda.

O caminho para o vale do rio Foglia ainda está desimpedido e por ele marcham até o anoitecer, quando se reúnem numa elevação diante de Sant'Angelo di Vado.

Foi nessa noite que Bueno desertou, levando vinte cavaleiros e vários burros, em direção a San Marino. Garibaldi fez um só comentário: "Graças a Deus que esse tipo desapareceu!".[9]

Outra deserção: a do major de cavalaria Mueller, que saiu com cinqüenta cavaleiros para um reconhecimento e simplesmente não voltou. Teria se entregado ao inimigo.

No dia 29, a coluna parte para Macerata Feltria. A retaguarda de cavalaria, deixada em Sant'Angelo di Vado, foi surpreendida e massacrada. Havia uma ordem para matar quem fosse preso e os camponeses tinham de cooperar, se não quisessem ter suas casas e lavouras incendiadas.

Chegaram a Macerata Feltria às nove da noite. Ali encontram Giovanni Battista Culiolo, conhecido como Major Leggero. Um dos veteranos de Montevidéu, ele tinha se ferido em Roma no dia 29 de junho, não pudera sair com Garibaldi e agora se incorporava ao grupo. Leggero vestia roupas de burguês e levava duas pistolas. Tinha vindo com a diligência do correio. Era homem do mar e Garibaldi ficou feliz em vê-lo – poderia ser útil na travessia para Veneza.

Anita estava muito cansada e dormiu com o marido sobre um monte de palha, numa espécie de cabana formada por quatro pilastras e usada para guardar veículos.

Major Leggero.

[9] Wolfgang Ludwig Rau, *Anita Garibaldi, o perfil de uma heroína brasileira*, cit., p. 407.

Em Macerata ele comunicou ao estado-maior que iam entrar na República de San Marino. No dia 30, divididos em grupos, chegam a Carpegna. Acampam num convento de capuchinhos e partem às onze da noite, sem água nem comida. Na madrugada do dia 31, retomam a marcha para San Marino, o velho refúgio de todos os perseguidos.

Morte em Mandriole

San Marino, a menor e mais antiga República independente do mundo, é cinco vezes menor do que o município de Laguna – tem 63 quilômetros quadrados – e está literalmente encastelada no monte Titano, 740 metros acima do nível do Adriático, a apenas 10 quilômetros de distância em linha reta.

San Marino, no alto do monte Titano.

Segundo a lenda, a pequena comunidade cristã herdou o nome de seu fundador, Marino, um especialista em rochas que veio da ilha de Arbe, na Dalmácia, para aquele local impraticável durante a dominação de Diocleciano (284-305).

Desde os primeiros tempos até recentemente, San Marino ofereceu asilo aos perseguidos – durante a Segunda Guerra Mundial, mais de 100 mil europeus se refugiaram ali. Mas o caso que aqui se relata era diferente. Na manhã do dia 29 de julho de 1849, Francesco Nullo procurou Domenico Maria Belzoppi, o regente de San Marino, em nome do general Giuseppe Garibaldi e pediu autorização para atravessarem o território da República, seguindo por mar em direção a Veneza.

O regente sabia que os austríacos estavam atrás das tropas de Garibaldi – vários desertores já haviam entrado no seu território – e que tinha havido um combate duro na vizinha Sant'Angelo di Vado.

Escreveu um bilhete ao general pedindo que, em nome da segurança da República, desistisse da idéia. E concluiu:

> Esperamos que receba de bom grado essa comunicação e que os princípios que professais vos façam interessar-se pela conservação deste antigo asilo de paz e liberdade, impedindo todo conflito que tememos ser inevitável, caso se concretize o vosso objetivo.[1]

Garibaldi ainda tentou outra abordagem. Ao cair da noite do dia 30, o padre Ugo Bassi, os olhos ardentes de febre, foi ao encontro do regente, para explicar que não lhes restava alternativa. Belzoppi repetiu o que havia exposto na carta e a filha dele gravou a cena:

> O pobre Ugo, com um acento de dor, expressou o miserável estado da legião inteira, que precisava de pão e de repouso, exposta a uma carnificina inútil pelas mãos dos austríacos que os desentocariam dos montes, se a nossa terra lhes negasse a hospitalidade.
>
> Papai se comoveu até as lágrimas e o consolou, assegurando que mandaria víveres e medicamentos. Todos se mobilizaram para conseguir alimentos para os pobres garibaldinos; até as freiras, os franciscanos e os capuchinhos deram o que podiam para alimentar aqueles pobres desamparados.

---

[1] Emilia Belzoppi, *Passato remoto, ma sempre presente. Memorie* (Scritti Garibaldini), p. 41.

Ao surgir do sol do dia 30 [na verdade, foi na manhã de 31, PM], estávamos para levar o prometido socorro quando do monte Tassona se ouviu o som de descargas de mosquetes cujo eco repercutia lugubremente de monte em monte e chegava ao nosso ouvido e doía em nosso coração. Esse foi o último confronto e, embora tenham oposto desesperada defesa, com falta de tudo, foram constrangidos a se retirar para o nosso território.[2]

Tentando comandar aqueles soldados exaustos e antecipadamente derrotados estava uma mulher febril e grávida – Anita –, como narra Garibaldi:

Rumo a San Marino.

Quando eu estava me aproximando da sede daquela excelente República, eles me enviaram uma delegação. Ao ser informado, avancei para me encontrar com ela. Enquanto eu estava conversando com a delegação de San Marino, um corpo de austríacos apareceu em nossa retaguarda, e causou tal confusão que todos começaram a fugir, quase sem ver o inimigo, pelo menos a maior parte. Advertido de tal contratempo, retrocedi, encontrei as pessoas fugindo e a minha valorosa Anita que, com o coronel Forbes, fazia todo esforço para deter os fugitivos. Aquela mulher incomparável, incapaz de qualquer temor, tinha o desprezo no rosto e não podia aceitar passivamente tanto pânico em homens que pouco tempo antes eram capazes de lutar valorosamente.[3]

O esforço de Anita não foi suficiente para reanimar a tropa, que deixou para trás a única peça de artilharia. Às nove da manhã do dia 31 de julho de 1849, os 1.500 soldados a que havia se reduzido a tropa que partiu de Roma entraram apressadamente em San Marino.

Últimas ordens.

---

2 *Ibid.*, p. 42.

3 Giuseppe Garibaldi, *Memorie di Garibaldi: In una delle redazioni anteriori alla definitiva del 1872*, cit., p. 203.

Oreste Brizi estava lá e observou a entrada dos legionários:

> Viam-se garotos de doze a quinze anos, ainda aterrorizados pelo último encontro, depois do qual tinham jogado fora as armas para correrem mais depressa; viam-se cavaleiros a pé e peões a cavalo; uniformes de diversas cores e de várias e estranhas maneiras, armamentos imundos, destroçados e confusos, armas incompletas e enferrujadas, cavalos enfraquecidos e mal arreados, soldados com os punhais na cintura e a cartucheira à frente como bandoleiros; chapéus vermelhos, de plumas arrasadas, casacos brancos e longas barbas, mas não canhões, nem disciplina, nem ordem militar, sem a qual o entusiasmo e a coragem individual não contam e mal se combate contra exércitos regulares, bem armados, instruídos, disciplinados, aguerridos.[4]

No salão de audiências do palácio, com seu poncho branco e sua não menos inseparável camisa vermelha, o chefe desses desvalidos estabeleceu com o regente o seguinte diálogo:

> – Cidadão presidente! Venho a vós como refugiado, acolhei-me como tal: os meus soldados estão desesperados. Aqui deporemos as armas e aqui cessará a guerra pela independência da Itália. A vós não envergonhará interpor-vos diante do inimigo pela salvação daqueles que me seguiram!
>
> – Seja bem-vindo o refugiado. Daremos rações a vossos soldados, hospedaremos vossos feridos. Aceito de coração o encargo que me confiai, me é grato cumprir um ofício generoso, mas, general, deveis me dar a contrapartida; deveis poupar a esta República o desastre da guerra.[5]

Garibaldi e Belzoppi apertaram as mãos num acordo informal e o general foi para o convento dos Capuchinhos, onde estavam sendo abrigados os feridos. Ficou indignado com a tropa que havia ocupado o local, fez um discurso exigindo que eles respeitassem tudo e todos, ameaçou os insubordinados de fuzilamento e escreveu sua última ordem-do-dia como comandante daquela legião:

---

[4] Oreste Brizi, *Le bande garibaldiane a San Marino* (Scritti Garibaldini), p. 59.

[5] Emilia Belzoppi, *op. cit.*, p. 43.

San Marino, 31 de julho de 1849.

Nós estamos nesta terra de refúgio e devemos ter o melhor comportamento possível para com nossos generosos anfitriões. De certo modo, nós também merecemos a consideração, devido ao nosso infortúnio.

Soldados, eu os libero do dever de me seguirem. Voltem a suas casas, mas lembrem que a Itália permanece na escravidão e na vergonha. A guerra romana pela independência da Itália terminou.[6]

Naquela mesma tarde, as autoridades de San Marino negociaram com o arquiduque austríaco Ernest os seguintes termos de rendição para os garibaldinos:

1. Os italianos entregariam suas armas aos san-marinenses, que as repassariam aos austríacos.
2. Divididos em pequenos grupos e desarmados, os homens poderiam voltar para casa em segurança, salvo os acusados de delitos comuns.
3. Garibaldi e Anita embarcariam para os Estados Unidos.

Mas era preciso obter a aprovação do general Gorzkowsky, que estava em Bolonha, e a situação ficou pendente. Nesse meio tempo, Garibaldi já tinha ido para o Café Simoncini, próximo à porta oeste, onde Ugo Bassi havia se hospedado na noite anterior. Anita ficou nos capuchinhos, e o dono do café, Lorenzo Simoncini, chocou-se com a sua condição:

Café Simoncini.

6 George Macaulay Trevelyan, *Garibaldi's defence of Roman Republic*, cit., p. 277.

> Foi nesse momento [ao abrir a porta para Garibaldi, PM] que soube que a heróica Anita, mulher do general, gravemente enferma, estava quase ao relento, debaixo do portal do convento dos capuchinhos. Mandei um dos meus filhos buscá-la e conduzi-la até o marido que a estava esperando. Ele a encontrou deitada no chão nu, abatida com tanto sofrimento, mas corajosa e confiante; apoiada no braço do meu filho, veio à minha casa onde havia aprontado um bom leito e toda maneira de alimento e cura. Minha mulher e minha jovem filha não a abandonaram um instante e não lhe faltaram com o pobre conforto da verdadeira hospitalidade.[7]

Lorenzo Simoncini, muitos anos depois.

O emissário de San Marino entregou a Garibaldi a carta com os termos negociados da rendição. O general leu a carta, achou que era um engodo, vestiu o uniforme e juntou-se a Anita e a seu estado-maior. Depois de uma conversa reservada, redigiu uma pequena mensagem e foi se sentar numa pedra, do lado de fora do café, olhando um mapa e fumando. A seu lado, três san-marinenses, a quem pediu explicações sobre os caminhos para sair do lugar. De repente, ergueu-se e disse: "A quem quiser seguir-me eu ofereço novos combates, sofrimento e exílio; pactos com o inimigo, jamais!".[8]

O recado de Garibaldi – entregue na manhã seguinte ao regente Belzoppi – era o seguinte: "Cidadãos representativos da República: as condições impostas pelos austríacos são inaceitáveis e por isso nós evacuaremos seu território. Seu, G. Garibaldi".[9]

O general decidira partir com um punhado de companheiros fiéis, deixando a maior parte da tropa para trás. Mas havia um problema:

---

[7] Lorenzo Simoncini, *Giuseppe Garibaldi e Ugo Bassi in San Marino 29 luglio 1849* (Scritti Garibaldini), p. 185.

[8] George Macaulay Trevelyan, *op. cit.*, p. 280.

[9] *Ibid.*, p. 278.

> Um caríssimo e bem doloroso estorvo era a minha Anita, com uma gravidez avançada e doente. Supliquei para que ela ficasse naquela terra de refúgio, onde um asilo poderia se crer assegurado e onde tantos habitantes tinham se mostrado tão carinhosos. Não adiantou. Aquele coração viril e generoso se irritava sempre que eu tocava no assunto e me fazia calar com uma frase: "Você quer me deixar...".[10]

Nenhum argumento a convenceria. Durante a tarde, na casa comercial de Teresa Cecchetti, na Rua Borgo Maggiore, trocara o vestido de brocado preto confeccionado em Cetona, com que chegara a San Marino, por uma roupa cor-de-rosa de camponesa, mais apropriada. (O vestido está hoje no Museu Garibaldino da República de San Marino. Quase foi destruído em 1944, quando a cidade foi bombardeada pelos ingleses.)

A partida foi tão rápida que o padre Ugo Bassi teve de largar pela metade, sobre a mesa, a carta que estava escrevendo. Anita só teve tempo de abraçar e beijar a mulher e a filha de Simoncini e disse: "Senhora, não tenho meios para recompensá-la, mas me lembrarei sempre dos favores que recebi de vocês".[11]

Garibaldi saiu na calada da noite, com Anita e 185 companheiros, divididos em dois grupos. Na manhã do dia seguinte, quando o restante da tropa recebeu a notícia, houve confusão: alguns soldados pegaram em armas, mas não sabiam o que fazer. Finalmente renderam-se e foram embora, como um bando de refugiados. Enquanto alguns se beijavam e abraçavam, outros iam desesperados e tristes.

Para escapar dos austríacos e sair de San Marino, Anita, Garibaldi e seus companheiros tiveram a ajuda de Nicola Zani, conhecido como Bardarlon. Ele conhecia como poucos aqueles caminhos: ganhava a vida guiando imigrantes, desertores do exército e os que procuravam fugir da convocação militar. Uma dúzia de vezes, foi até Roma a pé – um percurso de 300 quilômetros – e já havia sido preso com fugitivos do exército austríaco.

Zani conduziu o grupo pela estrada Acquaviva, descendo o monte Titano. Levavam pão, vinho e melancias e cruzaram o rio Marecchia perto de onde ele recebe as

---

[10] Giuseppe Garibaldi, *op. cit.*, p. 204.

[11] Lorenzo Simoncini, *op. cit.*, p. 184.

águas do rio San Marino. Na aldeia de Musano, descansaram da uma às três da manhã, perto da igreja. Anita piorava rapidamente.

No fim da tarde do dia 1º, estavam próximos ao Adriático, na planície da Romanha. Ali o guia deu meia-volta. Ao se despedir, Garibaldi lhe disse: "Até mais, caro Zani; agradeço pelo seu trabalho. Em dez anos, espero, eu o verei novamente, com mais sorte".[12]

Estava certo, como se explicará adiante. Pouco depois das dez da noite, chegaram a Cesenatico, onde treze barcos de pesca típicos da região – os *bragozzi*, de velas triangulares vermelhas ou alaranjadas, que se tornariam o símbolo da cidade – estavam ancorados no canal.

Os *bragozzi*.

Os garibaldinos prenderam sete soldados austríacos, dois oficiais vindos de Ravenna e dois soldados de linha e convocaram 35 pescadores para manejar os barcos. A preparação para a partida durou sete horas e Anita passou esse tempo todo deitada no cais, ardendo em febre. Para superar a maré agitada demais, Garibaldi fundeou alguns *bragozzi* o mais distante que pôde e fez com que os pescadores puxassem os outros até lá com o auxílio de cordas, num trabalho insano que durou a noite toda.

Às oito da manhã do dia 2, Garibaldi voltou à terra suando em bicas para apanhar Anita. Voltou-se para um de seus oficiais, Domenico Piva, e pediu algum dinheiro. O rapaz deu o que tinha e o general explicou: "Não é para mim. Minha mulher se sente mal, compre-me um pouco de açúcar, um pouco de rum, um pouco de óleo, de *sardella* e também alguns cigarros para mim. Quando tiver, lhe restituo tudo".[13]

Em seguida, mandou que seus homens se aprontassem e foi até onde haviam deixado os cavalos, beijou o dele na testa e o entregou a um rapaz que cuidava do porto. Este perguntou o que deveria fazer com o animal e Garibaldi respondeu: "Faça o que quiser, desde que não o deixe cair nas mãos dos austríacos."[14]

Finalmente embarcaram rumo a Veneza, distante 150 milhas. O barco em que Anita estava tinha mais dez passageiros. Apesar do empréstimo do rapaz, faltava água e ela reclamava de sede constantemente. Navegaram o dia todo até a noite surgir, belíssima:

---

[12] George Macaulay Trevelyan, *op.cit.*, p. 283.

[13] Mino Milani, *Giuseppe Garibaldi: biografia crítica*, cit., p. 211.

[14] *Ibidem*.

> Era lua cheia e eu vi subir com uma sensação de desprazer a companheira dos navegantes, que tantas vezes contemplara como um adorador venera seu deus. Lua bela como nunca tinha visto, mas para nós, desventuradamente, bela demais! A lua foi fatal naquela noite.[15]

A 49 milhas ao norte de Cesenatico, encontram uma esquadra inimiga controlando o delta do rio Pó e bloqueando o acesso a Veneza. Garibaldi ainda alertou seus companheiros para que escapassem do clarão denunciador da lua. Tarde demais: o brigue *Oriente* localizou-os, fez a manobra e veio na direção dos *bragozzi*, sinalizando para o resto da esquadra e para os soldados em terra com disparos e tiros de canhão.

O general tentou passar entre o *Oriente* e a costa, ignorando o canhoneio, mas os outros barcos de pesca recuaram e ele não quis abandonar seus companheiros. Ao nascer do dia, o canhoneio continuava e alguns barcos já estavam em poder do inimigo. Oito *bragozzi* e 162 legionários foram capturados.

Cinco barcos conseguiram escapar e na manhã do dia 3 alcançaram uma localidade chamada de Pialazza, 8 quilômetros ao norte de Magnavacca, numa praia de areia escura e cheia de conchas, de mar aberto.

Na hora do desembarque, Garibaldi carregou Anita nos braços. A água batia em seu peito e ela se queixava de dores no estômago. O general ordenou aos companheiros que saíssem em pequenos grupos, para procurar abrigo. Não podia abandonar Anita. Leggero ficou com ele.

Ali na praia, despediu-se de Ugo Bassi e de Ciceruacchio com seus dois filhos. O padre ainda lhe disse que ia procurar um casebre onde pudesse trocar a roupa que usava por outra – ele estava com calças vermelhas tiradas do cadáver de um soldado francês e presenteadas a ele, alguns dias antes. Ciceruacchio abraçou afetuosamente o general e se foi com os filhos.

Bassi, Giovanni Livraghi, Ciceruacchio e seus filhos Luigi e Lorenzo, Francesco Laudadio, Lorenzo Parodi, Luigi Rossi, Gaetano Fraternali, Paolo Baccigalupi e dom Stefano Ramorino, capelão militar, se dispersaram, foram capturados pelos austríacos e fuzilados.

---

[15] George Macaulay Trevelyan, *op. cit.*, p. 237.

Garibaldi mal tinha saído da água quando o coronel Gioacchino Bonnet, filiado à Jovem Itália e que participara da defesa de Roma, o encontrou. Conhecido como Nino Bonnet, ele era um homem rico e influente. Havia lutado com os republicanos e conhecera Garibaldi em Ravenna. Seus irmãos haviam lutado em Roma. Tinha sido informado secretamente da intenção de Garibaldi de ir a Veneza e também da movimentação dos austríacos, na noite do dia 2, sobre a ponta extrema do quebra-mar de Magnavacca, e, graças à luz da lua, viu os *bragozzi* de vento em popa, indo na direção de Veneza.

Nino Bonnet.

Durante uma hora, Bonnet observou os barcos avançando sem ser molestados. Em seguida, deixou ali um companheiro, Giovanni Vitali, e voltou à cidadezinha de Comacchio.

Perto da meia-noite, acordou com o barulho dos canhões. Disparou para Magnavacca e cruzou no caminho com Vitali, que vinha avisá-lo. Só se via o fogo da artilharia. Cento e cinqüenta soldados austríacos ocupavam a praia e o porto, sem saber bem o que fazer.

Quando o comandante dos austríacos reuniu os soldados para lhes dar novas ordens, Bonnet montou em seu cavalo e foi para onde os *bragozzi* pareciam estar se dirigindo. Meia hora depois, junto às dunas, viu uns poucos barcos aportados na areia, a 1 quilômetro de distância. Apeou do cavalo e pediu que seu companheiro fosse até a Fazenda Cavallina, que poderia abrigar os fugitivos.

Pouco adiante, encontrou três *bragozzi* na areia. Seus ocupantes estavam saindo apressados, um para cada lado. Garibaldi, vestido de colono, com água pelo peito, carregava Anita.

Bonnet tentou juntar os objetos espalhados pela praia, onde deveria estar a bagagem de Anita. Umas quinze pessoas olhavam a movimentação, até que uma bala de canhão caiu ali perto e todos saíram correndo. Ficou só um morador acompanhando a cena, curioso. Era Battista Barillari, o Baramoro, que costumava andar pela praia, apanhando lenha trazida pelo mar.

Anita não pode ficar em pé e Bonnet aponta para uma casinha e pede que Baramoro guie Anita, Garibaldi e Leggero até lá, enquanto ele vai até a Fazenda Cavallina.

Cabana onde Anita se refugiou.

Carregando Anita, os três caminham duas centenas de metros, ultrapassam uma pequena duna e chegam à Cabana Cavalieri, onde mora a viúva Caterina. Anita, com muita sede por causa da febre, bebe um pouco de água.

Bonnet volta com um companheiro, Battista Carli. Eles tiram Anita da cabana e a carregam por duas horas, até a Fazenda Cavallina, de Giovanni Felleti, o Spadazza, que havia sido preso com Bonnet. São apenas 2 quilômetros, mas o caminho é pantanoso e difícil.

Ficam na fazenda uma hora e meia, para que Anita se recupere um pouco. Ela toma uma sopa e pergunta a Bonnet sobre os perigos que ameaçam Garibaldi e depois pede um pente e uma tesoura e implora para que o marido corte a barba e o cabelo. A princípio ele concorda, mas depois muda de idéia – não quer se desfigurar.

Antonio Patrignani.

Bonnet convence Garibaldi a desistir da viagem a Veneza e a separar-se de Anita. Ela também parece aceitar – ficará escondida na casa de verão de Antonio Patrignani, coronel da Guarda Nacional, porta-bandeira de Comacchio e amigo de Bonnet.

Garibaldi agradece o que ele está fazendo:

– Você é o meu anjo da guarda, a âncora da minha esperança. Só me restou você. Todos os outros me abandonaram!

– General, meu irmão Gaetano morreu a seu lado, combatendo pela liberdade romana. Eu vou salvá-los ou morrer com vocês.

Bonnet acompanha Anita, Garibaldi e Leggero por algum tempo, depois vai a Comacchio organizar a fuga de Garibaldi. Já estavam andando havia mais de hora, quando ela se lembrou de que deixara 2 mil liras num lenço. Carli volta para buscar, não encontra e Bonnet quer dar uma lição nos ladrões. Garibaldi recusa a idéia: "Deixa quieto, deixa que levem, eu não preciso mesmo de dinheiro".[16]

Em Comacchio, Bonnet encontra Ugo Bassi e Giovanni Livraghi. Recomenda aos dois que fujam dali, mas Bassi está tranqüilo – acha que os austríacos não vão fazer nada contra um padre. Os dois foram presos, levados a Bolonha e fuzilados depois de um julgamento sumário.

Anita é carregada.

Ugo Bassi é preso e condenado.

[16] Umberto Beseghi, *Il maggiore Leggero e il trafegamento di Garibaldi: La veritá sulla morte di Anita* (Ravenna: S. T. E. R. & M., 1932), p. 57.

Gaspare Matteucci.

Teresa de Carli Patrignani.

Com Gaspare Matteucci, Bonnet consegue um barco. Estuda o melhor caminho a seguir pela intrincada rede de canais da região e pede a Girolamo Carli e Mariano Cavallari para pegar seus passageiros na casa Zanetto.

Enquanto isso, Anita, numa charrete, segue em direção a seu esconderijo. No caminho, encontram a dona da casa, Teresa de Carli Patrignani, que tinha ido às compras naquela manhã de 3 de agosto e voltava para a casa de veraneio da família numa carruagem de um só lugar.

Perto do meio-dia entram na Villa Zanetto. Anita é colocada numa cama confortável e toma uma sopa substanciosa. Reage um pouco e conta a Teresa as peripécias por que passou, fala de sua saúde e do filho que carrega na barriga. Teresa nunca mais iria esquecer daquelas horas e as descreveria mais tarde, já bem idosa, aos filhos e netos. Dizia que Anita, mesmo destruída pela febre, mantinha seu espírito indômito:

– Se os austríacos chegarem, vão reconhecê-la?

– Certamente, os combatemos face a face.[17]

[17] *Ibid.*, p. 58.

A dona da casa acende algumas velas diante da imagem da Madonna e começa a rezar. Anita, muito fraca, cruza os dedos numa prece muda. Depois, Teresa escreve um bilhete para avisar o marido e o manda por um camponês.

Bonnet os encontra ali e Patrignani chega finalmente, porém com más notícias: o governador da província, um simpatizante dos republicanos, lhe informara que já sabiam que Garibaldi e Anita estavam escondidos na casa dele.

É preciso ir. Bonnet explica ao casal que chegou a hora da separação. Anita, quase chorando, pede que a deixe morrer ao lado do marido. Garibaldi também quer que ela fique, mas Anita reage: "Você quer me deixar!".

Garibaldi olha para Bonnet e diz, vencido: "Você não pode imaginar quantos e quais serviços me prestou essa mulher...".

Garibaldi e Leggero trocam de roupa com Bonnet e Patrignani, que dá a Garibaldi uma bolsa com algum dinheiro. No fundo do barco, colocam um colchão e almofadas para Anita. Sobre ele, um lençol com as iniciais da dona da casa.

A esperteza de Teresa e a sorte de Bonnet

Quando descobriram as iniciais TDP – Teresa de Carli Patrignani – no lençol de Anita, a senhora ficou em má situação. Mas conseguiu escapar do castigo usando um estratagema: no inquérito, conduzido pelas autoridades eclesiásticas, como era a regra na Itália de então, ela declarou que agiu movida pela caridade e que não sabia quem eram as pessoas a quem dera abrigo. Mas, em confissão, diante do mesmo padre responsável pela investigação, admitiu que sabia que tinha hospedado dois fugitivos: Anita e Garibaldi. Como um padre tem de manter segredo sobre o que ouve durante a confissão, Teresa acabou inocentada.
Nino Bonnet deu informações falsas sobre o paradeiro de Garibaldi. E foi preso em Ravenna. Esteve no quartel-general austríaco em Bolonha, na mesma cela que o padre Ugo Bassi e seu companheiro Giovanni Livraghi. Só não teve o mesmo destino porque o general Gorzkowski caiu em desgraça por ter deixado Garibaldi escapar. O general foi substituído pelo general Strassoldo. Bonnet ficou 35 dias preso e terminou libertado.

Sede da Fattoria Guccioli.

Perto das seis da tarde, Bonnet embarca Anita, Garibaldi e Leggero. Ouvem-se os sinos. Na margem da laguna, Bonnet se despede e volta para Comacchio, onde encontra o feitor da Fattoria Guccioli, Stefano Ravaglia, a quem avisa que deverá receber dois oficiais de alta patente e a mulher de um deles, doente. Bonnet é quem cuida da fazenda, na ausência de seus donos.

O barco dribla os austríacos e à meia-noite chega à casinha do cantoneiro,* junto à estrada municipal que leva a Comacchio, bem perto da cidade. Ali está Gaspare Matteucci, que percebe que um barco só não era suficiente e consegue outro, onde embarca Leggero. A viagem segue até um solitário posto de guarda no meio da laguna, onde chegam às 3 da manhã.

Quando já estavam perto, o guarda pergunta, da margem: "Quem vem lá?".

Girolamo Carli, o barqueiro, desembarca e diz que estão levando presos aqueles três indivíduos, a mando do administrador de Valli, Celesti Bonnet.

O guarda pergunta se não é Garibaldi. Garibaldi está em Veneza, responde o barqueiro.

Dali em diante, com o dia prestes a clarear, os barqueiros não querem seguir viagem. Carli dirá, em suas memórias, que sua missão terminava ali. Diante do impasse, Matteucci, o outro barqueiro, vai avisar Bonnet.

No posto de guarda oferecem cama e comida. Garibaldi não aceita e acomoda Anita sobre o colchão, numa espécie de puxado feito de junco.

Ao saber do problema, Bonnet vai até a casa de Michele Guidi, contrabandista de peixe, bate na janela fechada, acorda-o e o contrata para que pegue os três no posto de guarda e os leve até o dique conhecido como *argine del Rino*, para onde mandará sua charrete. Caso não dê tempo, deveriam levá-los a pé até a Fattoria Guccioli. Man-

---

* Sm (cantão+eiro). Empregado que tem a seu cargo a conservação e guarda de um cantão de estrada.

da um bilhete explicando tudo a Garibaldi e avisando que ficará em Ravenna com o engenheiro Montanari preparando um esconderijo para eles e que os encontrará mais tarde na Fattoria.

O contrabandista chama seu irmão Mariano, o Arma Branca, e às oito da manhã do dia 4 de agosto os dois deixam o posto de guarda com seus passageiros. Ao meio-dia chegam a Chiavica Bedoni, no dique esquerdo do Po di Primaro, depois de terem percorrido 18 quilômetros pela laguna. Ali encontram dois filhos do caseiro do local, conhecidos dos contrabandistas, que vão olhar a vizinhança e vêem um barco com soldados austríacos indo em direção a Comacchio.

Anita rumo à Fattoria.

Anita está sem cor e não pára em pé. Garibaldi se desespera. Pede uma sopa, esperando dar-lhe um pouco de vigor. Os rapazes sugerem fazer um caldo de peixe, o general se irrita: quer sopa de carne. Os rapazes conseguem uma galinha no vizinho e fazem a sopa, mas Anita tem um espasmo violento e não consegue tomar nada.

Garibaldi quer um médico a qualquer custo. O mais próximo fica em San Alberto. É Pietro Naninni, um liberal. O general pega uma folha de sua caderneta e escreve um bilhete para dois republicanos de San Alberto, os irmãos Manetti, pedindo que tragam

o médico para a Fattoria Guccioli. Na estrada, por sorte, o contrabandista cruza justamente com um dos destinatários, que está numa charrete. Os dois voltam correndo em direção ao local onde Garibaldi, Leggero e o outro contrabandista tentam carregar Anita.

Percorrer 3 quilômetros de terreno cultivado, carregando uma pessoa doente nos braços, seria quase impossível. Por isso, colocam o colchão na charrete e partem em direção à Fattoria, enquanto Michele Guidi retoma o caminho para San Alberto, para avisar o dr. Naninni.

O percurso é difícil. Garibaldi vai ao lado tentando proteger Anita do sol de verão, que continua forte às cinco da tarde, com um guarda-chuva. O jovem Manetti procura conter o cavalo jovem e fogoso, impondo-lhe uma andadura lenta e menos sacolejante. Leggero tenta confortar Garibaldi. A cada obstáculo, os três erguem o veículo.

O dr. Naninni examina Anita.

Anita pede água, num fio de voz. Não há o que beber, embora o terreno esteja coberto de poças de água parada, verde. Garibaldi tenta consolar a mulher: "Tenha paciência, logo chegaremos num asilo seguro".[18]

Anita parece sorrir e tenta conter os gemidos. Com um lenço de seda, Garibaldi tira a espuma que aparece no canto de sua boca.

A Fattoria já está visível e Anita, num fio de voz, diz para Garibaldi: "José... meus filhos!".[19]

Chegam finalmente à sede da fazenda dos Gucciolli. Stefano, o feitor, ainda está em Ravenna e o irmão dele, num estábulo próximo, mas o dr. Naninni já chegou. Uns vinte camponeses estão diante do casarão, aguardando para receber o pagamento semanal.

---

[18] *Ibid.*, p. 67.

[19] *Ibid.*, p. 68.

Garibaldi chama Gaspare Baldini, amigo dos Ravaglia, que veio para uma caçada, e pergunta se ele é o dono da casa (o depoimento de Baldini na polícia é uma fonte de informação importante para reconstituir o momento).

O médico se aproxima da charrete e dá uma olhada em Anita. Percebe imediatamente a gravidade da situação. Ordena à irmã de Giuseppe, Giovanna, que providencie uma cama. Garibaldi implora ao médico:

Quarto onde Anita morreu, até hoje preservado.

– Doutor, salve essa mulher!

– Vamos levá-la para cima.

Os quatro pegam o colchão. Giovanna Ravaglia, irmã do feitor, molha os lábios de Anita e limpa a espuma formada em sua boca. Carregando o colchão com dificuldade, eles entram na casa, andam 10 metros até a escada e sobem nove degraus de

A morte de Anita.

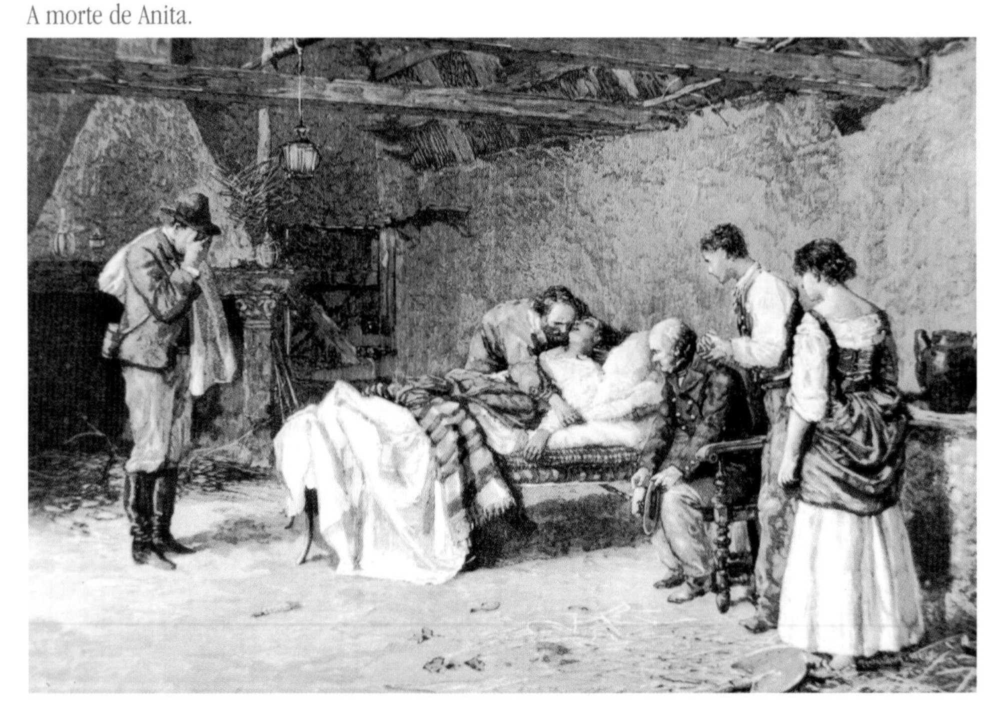

1,20 metro de largura. É preciso então girar o colchão sobre si mesmo no platô estreito e galgar outros nove lances antes de alcançar o primeiro andar do casarão.

O quarto fica à esquerda de quem sobe e tem 4 metros de comprimento por 3 de largura. O piso de tijolos, colocados sobre uma estrutura de madeira, balança um pouco quando se caminha pesadamente sobre ele.

Não há muitos móveis – apenas uma cama, uma banqueta e um pequeno baú. Finalmente, colocam o colchão e Anita sobre a cama estreita.

Garibaldi segura a mão da mulher. São sete horas e 45 minutos da noite de 4 de agosto de 1849. Ana Maria de Jesus Ribeiro, Anita Garibaldi, está morta.

Nessa época do ano, estrelas cadentes são comuns em Ravenna. Entre o povo da região, muitos juram que, na exata hora da morte de Anita, um bólido imenso, cor de sangue, percorreu o céu e mergulhou no mar.

Epílogo

Quando percebeu que Anita estava morta, Garibaldi chamou por ela, sacudiu-a e depois ficou chorando ao lado da cama, imóvel. Mas não havia tempo para absorver o choque. E Leggero tomou a iniciativa: "General, o senhor precisa ir embora. Os austríacos estão próximos. Por favor, por seus filhos, pela Itália!".[1]

Garibaldi não queria partir. Leggero insistiu até ele reagir, finalmente. Recomendou que dessem uma sepultura honrada a Anita, embalsamando o corpo e providenciando um funeral digno. Nesse momento, colocou a mão na testa e disse: "Oh, o que eu perdi! Perdi algo muito caro para mim, aquela que me salvou a vida!".[2]

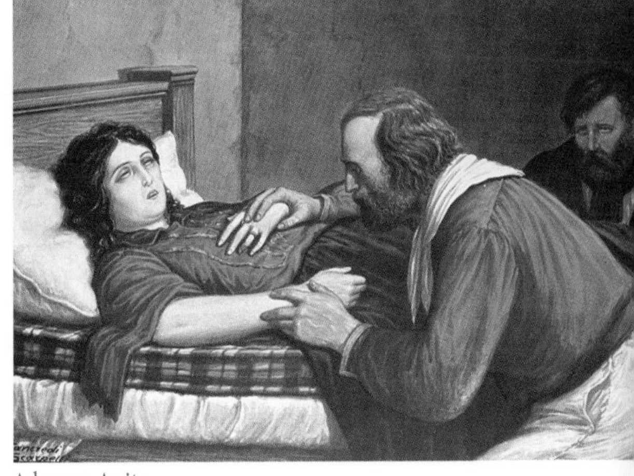

Adeus a Anita.

Giuseppe Ravaglia, que a irmã tinha mandado chamar, explica que não é possível providenciar um enterro. Faz sentido, há um prêmio pela cabeça de Garibaldi e cadeia para quem o auxiliar de qualquer modo. Os austríacos estão por toda parte, mas, para Garibaldi, uma sepultura anônima é

[1] Umberto Beseghi, *Il maggiore Leggero*, cit., p. 69.

[2] *Ibid.*, p. 199.

quase pior que a morte. Em seus escritos, ele confessa que tem horror de desaparecer no mar ou não ser enterrado e cita diversas vezes um poema em que Foscolo clama por uma pedra que possa distinguir seus ossos de tantos outros espalhados pela terra e pelo mar.*

Por isso, pede que coloquem uma marca qualquer sobre a cova de Anita, diz que virá buscá-la mais tarde e recomenda que guardem o embrulho deixado no quarto. São os pertences dela, depois arrolados pela polícia: uma saia de algodão florido com fundo roxo, igual ao tecido do manto com capuz, um par de calças de algodão fino branco com tiras e as iniciais A. G. bordadas em vermelho, um par de botinas novas de pelica cor de vinho, dois pares de sapatos e dois pares de meias de lã, um bege, outro preto.

A Gaspare Baldini, que ajudara a levá-la até o quarto e continuava por ali, Garibaldi oferece o anel de ouro que tirou do dedo da mulher. Baldini não aceita e recusa-se também a receber a moeda de ouro que o general lhe estende. Às nove da noite, a charrete guiada pelo dr. Naninni, com Garibaldi e o major Leggero, deixa a Fattoria Gucciolli.

Gaspare Baldini.

Pouco depois, Stefano Ravaglia chega e resolve sepultar o corpo de Anita o mais rapidamente possível. Enrola-o num lençol e o recobre com uma esteira de junco. Ajudado por Luigi Petroncini e Pietro Patella, o Rumagna, Stefano leva o corpo numa carroça até a Motta della Pastorara, uma pequena elevação de areia, distante uns 800 metros da sede da fazenda.

Petroncini cava a areia – receberia como paga o colchão, a coberta e as almofadas, mais tarde apreendidos pela polícia – e

Coluna maçônica na Motta Della Pasterara.

* *Un sasso/che distigua le mie dalle infinite/ossa che in terra e in mar semina morte.*

os três colocam o corpo de Anita na cova, recobrindo-o apressadamente com a areia escura.

No dia seguinte, Nino Bonnet voltou à Fattoria e perguntou a Stefano Ravaglia onde estava o corpo de Anita. Ele explicou que a enterrara "perto do moinho". Bonnet quer dar-lhe uma sepultura mais adequada. Os dois discutem e enfim Ravaglia promete cuidar do assunto. Mas não deu tempo.

No dia 10 de agosto de 1849, emergindo da areia, a mão de Anita foi descoberta pelos três garotos, como já se relatou. Informado por Federico Bonvicini, o juiz Giuseppe Francesconi foi até lá, mandou abrir a cova rasa e determinou ao dr. Luigi Fuschini, do Hospital de Ravenna, que fizesse a autópsia.

O médico constatou a traquéia rota, um sinal circular em torno do pescoço, olhos e língua saltados – decorrentes do processo de putrefação – e concluiu erradamente que ela fora estrangulada. O equívoco circulou de boca em boca e produziu várias lendas: Garibaldi teria matado a mulher que lhe atrapalhava a fuga. Anita tinha muitas jóias e fora vítima de um latrocínio. Aumentada por fofocas e denúncias anônimas, a história passou por Ravenna, Bolonha e Roma, até chegar a Viena, onde o governo austríaco ordenou uma investigação detalhada.

O dr. Naninni se escondeu e os irmãos Ravaglia foram presos, acusados de cumplicidade em assassinato e furto. Mas outras testemunhas, como Gaspare Baldini, foram interrogadas e no dia 1º de setembro o Tribunal de Ravenna reconheceu que não havia base para acusar os Ravaglia de homicídio. Eles são transferidos para Bolonha, para serem processados pela lei militar, por terem acolhido um foragido. Mas, para sorte dos dois, que nem estavam na Fattoria quando Garibaldi chegou trazendo Anita, o general Strassoldo substituiu o general Gorzkowski e eles foram libertados no dia 7 de setembro de 1849.

Não era o fim do transtorno para Stefano e Giuseppe. Atrás das jóias de Anita, apareceu Stefano Pelloni, conhecido como Passatore, o ladrão mais famoso das redondezas. Deu uma surra no feitor e no irmão – que acabou morrendo em conseqüência dos ferimentos – mas, evidentemente, nada conseguiu.

Depois da autópsia, o corpo de Anita foi enterrado no cemitério de San Alberto pelo padre Francesco Burzatti. Ali ficaria dez anos, até que a sua filha, Teresita, recebeu a seguinte carta:

Lovere, 7 de agosto de 1859.

Minha cara Teresa.

No cemitério de Mandriole, perto de Comacchio, repousam os ossos de tua mãe. O meu desejo é que sejam transferidos para Nápoles e sepultados ao lado das relíquias da minha mãe. Como é provável que eu me aproxime daquele lugarejo, espero ordenar que a transferência seja feita. Creio que estou bem informado da situação dos restos sagrados da tua mãe, religiosamente conservados pelo povo bom da região. Espero que tu os conheça e, sobretudo, que a querida lembrança daquela que te deu a vida te provoque constantemente o sentido da virtude por ela ensinado. Hoje você é uma mulher, Teresa, e leva um nome honrado. Sob a proteção de tua cara *mamma* Deidery, você seguirá pela via do dever e eu sou confortado pela idéia de que minha vida poderá tranqüilamente terminar entre os braços de minha dileta filha.

Teu pela vida,
Giuseppe Garibaldi[3]

Do momento em que saiu da Fattoria Guccciolli, até aquele agosto de 1859, a trajetória de Garibaldi foi, sem exagero, cinematográfica. Na noite da morte de Anita, ele e Leggero foram levados para Forli. Começava a funcionar a Trafila – uma clandestina rede de solidariedade que os colocaria a salvo. Entre os que ajudaram Garibaldi e Leggero, já no fim de suas forças, um padre, dom Giovanni Veritá, carregou o general nas costas durante a travessia de um rio e os guiou até a Toscana.

Garibaldi chegou a Gênova no dia 7 de setembro. Estava para ser preso quando o Parlamento de Turim lhe concedeu o desterro. No dia 16, embarcou para a Tunísia. Mas não conseguiu desembarcar e foi para Gibraltar. Depois de uma parada na Argélia em abril de 1850, chegou por fim aos Estados Unidos, onde conseguiu emprego como operário numa fábrica de sabão, antes de tornar-se capitão marítimo na rota do Pacífico, China e Austrália. Deu a volta

Garibaldi festejado em Londres.

[3] Ivan Bóris & Mino Milani, *Anita Garibaldi: Vita e morte di Ana Maria de Jesus*, cit., p. 167.

A batalha de Como, 1859.

Garibaldi e Vittorio Emmanuelle II, 1859.

ao mundo e regressou à Itália em 1854. Dois anos mais tarde, comprou parte da ilha Caprera, junto à Sicília, tornando-se agricultor.

Garibaldi em uma estampa popular francesa.

Em 1859, Napoleão III, da França, e Vittorio Emmanuelle II, do Piemonte-Sardenha, estabelecem uma aliança militar. Os austríacos exigem que os piemonteses desmobilizem seu exército. É o pretexto para o início da segunda guerra da independência. Em abril, tropas austríacas entram no Piemonte. Em maio, Garibaldi, comandando os Caçadores dos Alpes, recebe ordem do governo piemontês para entrar na Lombardia e ocupa a cidade de Varese. No dia 8 de junho, Napoleão III e Vittorio Emmanuelle II entram triunfalmente em Milão. Quatro dias depois, o general e seus Caçadores dos Alpes ocupam Brescia.

No fim de julho, ele está em Lovere sofrendo com seu reumatismo, quando recebe o convite para assumir o comando das foças toscanas. Pede demissão do comando dos Caçadores dos Alpes e escreve para Teresa. É assim, vitorioso, que volta a Romanha, como a Bardarlon havia previsto ao sair de San Marino, dez anos antes.

Os restos de Anita já não estão mais no cemitério de San Alberto. Numa noite escura de junho de 1859, com o ambiente conturbado pela perspectiva de revolução na Romanha e temendo que alguém pudesse profanar a memória da mulher de Garibaldi, Francesco Manetti, o Chicazza, que acompanhara o dr. Naninni naquele 4 de agosto na Fattoria Gucciolli, exumou os restos mortais e os guardou na casa dele.

O padre Francesco Burzatti ficou sabendo e convenceu-o a devolver a caixa. Com a autorização do cardeal Falconieri, arcebispo de Ravenna, colocou os ossos numa caixa, esta em outra maior e a guardou num piso falso construído junto à sacristia exatamente para esse fim – o terceiro "enterro" de Anita.

Mas a caixa só ficaria dois meses no chão do pequeno oratório à esquerda do altar.

No dia 20 de setembro de 1859, Garibaldi chegou a Ravenna. Estava acompanhado por Menotti, Teresa e alguns amigos, entre os quais estava a escritora Esperanza von Schwarz – Elpis Melena –, e, ao longo da estrada, a população saudava-o como a um herói de volta à sua pátria.

Quando chegou ao palácio do governo, foi recebido pelo marquês de Rorá, intendente de Ravenna, enquanto o povo se aglomerava do lado de fora. Ninguém arredou o pé até às seis da tarde, quando o general apareceu no balcão e fez um pequeno discurso.

Garibaldi lembrou sua salvação, dez anos antes, agradeceu o empenho daquele mesmo povo e convidou todos a voltarem ao palácio no dia seguinte, quando faria questão de apertar a mão de cada um deles.

Dois dias depois, ao lado de Menotti, Teresa, Esperanza e uns poucos amigos, chegou à Fattoria Gucciolli. Os filhos de Anita puderam então conhecer o quarto onde a mãe deles tinha morrido. Nada havia mudado – e até hoje o local continua o mesmo, transformado em atração turística.

Se o general queria sossego e tranqüilidade para rememorar os momentos vividos naquela casa, não conseguiu. À mesa, recebeu dezoito convidados. E muito mais gente bateu à porta dos Ravaglia, para falar com Garibaldi. As conversas foram descontraídas. Cada um tinha um detalhe a lembrar, uma curiosidade, uma piada. À noite, o grupo deixou a casa. Eis o relato de Elpis Melena:

> O número de veículos que nos seguia agora beirava os cinqüenta. Andamos 1 milha e então o cortejo parou diante de uma pequena capela isolada onde um padre nos esperava e convidou-nos a entrar na modesta Casa de Deus. Logo, eu e meus companheiros descobrimos a razão do convite; fomos levados a uma pequena sala próxima ao altar, profusamente decorada com flores frescas escolhidas e grinaldas. Na sala estava um caixão coberto de negro. O caixão continha as cinzas da inesquecível Anita Garibaldi! Com muito choro nós colocamos as grinaldas sobre o caixão, enquanto rezávamos, com o coração cheio de lembranças.[4]

[4] Elpis Melena, *Garibaldi's memoirs,* cit., p. 186.

Igreja de San Alberto.

No banco de honra, Garibaldi percebe que faltam ali alguns dos que o ajudaram na fuga. Reconhece Antonio Patrignani e pergunta sobre sua mulher, Teresa. Fica sabendo que ela está doente e deseja melhoras. Terminada a cerimônia, o general passa por Ravenna e vai a Bolonha, sempre recebido com festas.

No dia 25 de setembro, acompanhado de forma solene pela banda de San Alberto, um batalhão de jovens leva o corpo de Anita até Ravenna. Na frente, o pároco de Mandriole, que lhe assegurara um enterro cristão e zelara por seus restos mortais, carregando uma cruz. Dali o caixão foi para Nice, onde, no dia 11 de novembro de 1859, uma missa assistida por muitos dos que a tinham conhecido na cidade precedeu o sepultamento no Cemitério del Castello, ao lado da mãe de Garibaldi.

O general não estava lá, mas em Rimini, completamente envolvido pela política e pela guerra – comandando uma subscrição para comprar 1 milhão de fuzis e propondo atacar o Estado Pontifício, para o que dependia do rei Vittorio Emmanuelle II.

Em 1931, como parte das comemorações do cinqüentenário da morte de Garibaldi, os restos de Anita foram trasladados para uma Itália dominada pelo fascismo. A tumba foi aberta no dia 20 de dezembro de 1931, na presença apenas de representantes da Prefeitura de Nice e do Consulado da Itália. Retirada a lápide, o muro foi quebrado e surgiu uma caixa rústica, bem conservada e trancada com duas fechaduras metálicas. Não havia nenhuma inscrição, apenas uma espécie de almofada e um barrete adornado por florezinhas brancas, vermelhas e azuis, circundado pelas palavras *União Garibaldina*.

Ezio Garibaldi, filho de Ricciotti e neto de Anita, chegou a Nice no dia 23 de dezembro. Só então a caixa é aberta. Sob uma espessa mortalha de lã, numa caixa menor sem tampa e forrada internamente de papel azul, estão os ossos.

Eles foram examinados pelo médico do consulado italiano que atestou serem de mulher adulta, de estrutura frágil e não muito alta. Pelo estado dos ossos, o médico calculou que a morte deveria ter ocorrido na metade do século XIX. Tudo correspondia. A caixa foi fechada novamente.

Em Nice, Ezio Garibaldi recebe o documento de traslado dos restos de Anita – 1931.

Redige-se uma ata e todos assinam. O representante da Prefeitura de Nice vira-se para Ezio e diz: "É um pouco da nossa história que vai embora".[5]

Comovido, o neto de Anita não diz nada, apenas aperta a mão de seu interlocutor.

[5] Erika Garibaldi, *Dallle Mandriole al Gianicolo* (Roma: Istituto Internazionale di Studi Giuseppe Garibaldi, 1995), p. 12.

A caixa é levada nos braços até a praça do cemitério. Ali, colocada dentro de outra maior, forrada de zinco, foi embarcada num furgão, levada até a fronteira e transferida para um carro funerário da Prefeitura de Gênova.

Às nove e meia da manhã seguinte, depois de ter sido carregada nos ombros até o Panteão de Gênova, a caixa foi colocada num dos nichos à esquerda do altar maior, ao lado da tumba de Nino Bixio e de Raffaello Canzio.

Cinco meses e seis dias depois, no dia 1º de junho de 1932, 300 mil pessoas viram a passagem do féretro de Anita pelas ruas de Gênova, com destino a Roma.

Quando ia entrar na Praça Corvetto, onde as autoridades o aguardavam, aos pés da estátua de Mazzini, diante de centenas de bandeiras, um coro de crianças começou a cantar o hino de Garibaldi:

O caixão de Anita em Gênova.

Si scopron le tombe, si levano i morti
I martiri nostri son tutti risorti
Le spade nel pugno, gli allori alle chiome,
La fiamma ed il nome – d'Italia nel cor.[6]

[6] Aldo A. Mola, *Garibaldi vivo* (Milão: Nuove Edizione Gabriele Mazzota, 1982), p. 312.

Coberta pela bandeira da Jovem Itália, que a unificação em 1861 transformara no pavilhão nacional, a caixa de madeira é carregada por seis garibaldinos. O cortejo se move. Como escolta do caixão, cinco *camicie rosse* – os soldados de Garibaldi – e cinco *camicie nere* – os soldados de Mussolini. Caem flores das janelas e terraços. Na Piazza de Ferrari o cortejo pára. Aos pés do monumento a Garibaldi há uma tríplice fileira de galhardetes. Um corneteiro soa o toque de atenção, todos se curvam diante do caixão e faz-se silêncio.

Mais adiante, o cortejo percorre um tapete de flores, em meio a uma chuva de pétalas, enquanto hidroaviões passam sobre a multidão num vôo rasante.

Junto da estação de trem, o prefeito discursa, manifestando o orgulho de Gênova por ter abrigado, ainda que temporariamente, os restos de Anita. O féretro é retirado do carro fúnebre por um grupo de garibaldinos e vai para a sala de honra da estação ferroviária, toda decorada em vermelho, onde é colocado sobre um catafalco artístico, em torno do qual veteranos e legionários montam guarda. À meia-noite, o trem especial parte para Roma.

Oito da manhã. Uma multidão espera atrás dos cordões colocados na Piazza dei Cinquecento. Junto à estação ferroviária, camisas vermelhas, caçadores dos Alpes, mutilados, voluntários, representantes do partido de Mussolini, em perfeita ordem. Enfileirados, os carabineiros, o 1º Regimento de Artilharia, os policiais metropolitanos e cem garotos do grupamento Pequenos Italianos – os escoteiros do fascismo.

Toda a estação foi decorada com coroas de louros, bandeiras e tecido bege. Na saleta real, até o piso foi recoberto por veludo cor de creme. Ali estão os descendentes de Anita.

Ministros, autoridades, presidentes dos vários poderes da República vão chegando aos poucos. Às oito e quarenta, palmas, gritos, aclamações: era o *duce* que entrava na praça. Benito Mussolini em pessoa. Recebeu as homenagens de todos e foi para a marquise esperar a chegada do trem.

A locomotiva parou exatamente às oito horas e 45 minutos. Mal ela despontou no começo da estação, o maestro que comandava a banda da Milícia ergueu a batuta. Os músicos atacaram o hino fascista *Giovinezza* e logo depois o hino de Garibaldi.

O vagão que levava a caixa com os restos de Anita estacionou bem diante do *duce*. Mussolini fez a saudação fascista, estendendo o braço direito a 90 graus. De outro vagão desceu Ezio Garibaldi vestindo uma camisa vermelha, sua mãe, dona Constanza, viúva de Ricciotti, e o tenente-coronel Menotti Garibaldi, irmão de Ezio.

Nos ombros de cinco garibaldinos, a caixa sai do vagão, coberta por uma bandeira tricolor. A mesma que em 1872 havia sido colocada, por ordem de Garibaldi, sobre o caixão de Giuseppe Mazzini e era guardada como uma relíquia por Egisto Sivelli, o único sobrevivente da expedição que conseguiu unificar a Itália.

Depois de passar pela saleta real nos ombros de integrantes da Federação Nacional dos Voluntários Garibaldinos, a caixa deixa a estação e é colocada sobre um automóvel.

Um maço de rosas colocado pela família enfeita o caixão de Anita. Ao lado, as coroas de louros da cidade de Gênova, do governador de Roma e uma de bronze, enviada pelo governo brasileiro.

O cortejo entra na praça ao som do hino garibaldino. Mussolini caminha atrás do automóvel, tendo a seu lado os descendentes de Anita. Em seguida, as outras autoridades. Na entrada da Praça do Centenário, soldados, veteranos de guerra e crianças uniformizadas repetem, solenes, *il saluto romano* diante do caixão que passa.

Cortejo em Roma.

Mussolini segue o cortejo até a metade da Avenida Principessa di Piemonte. Ali, saúda mais uma vez o caixão, recebe os cumprimentos da família e das autoridades e volta ao Palácio Veneza, sede do governo.

O cortejo volta a andar. Na frente, um pelotão de policiais metropolitanos a cavalo, em uniforme de gala. Cinco ônibus levam os inválidos e os mutilados, ao som de hinos patrióticos.

O governo brasileiro enviou uma missão especial. França, Grécia, Hungria, Polônia, Uruguai e Albânia estão representados por seus embaixadores. Atrás desses senhores enfarpelados, levas e levas de gente uniformizada, das muitas organizações de que os regimes autoritários se valem para manter o controle social: 2 mil garibaldinos e caçadores dos Alpes, a Associação dos Medalhas de Ouro, as Mães e Viúvas dos Cadutti, os Jovens Fascistas, os Mutilados de Guerra, Voluntários, Fitas Azuis, Audazes, Combatentes, Veteranos e Sobreviventes, Associação Nacional dos Professores, Ferroviários, Telegrafistas (sempre com o indispensável adjetivo Fascistas), dos encarregados das empresas estatais, funcionários públicos, confederações sindicais, entidades esportivas. No fim do cortejo, mais um pelotão de policiais metropolitanos.

Anita ganha um monumento.

O povo mesmo ficou nas calçadas. Uma multidão impressionante. No bairro popular do Trastevere, não há uma janela vazia. Diante do monumento de Garibaldi, enfeitado com coroas de todas as autoridades possíveis e imagináveis, nova parada. As bandeiras se inclinam na direção da estátua.

Mas Anita não ficará ali, ao lado da estátua do marido. Ganhou um monumento só dela, a pouca distância. Projeto do escultor Mario Rutelli, registra uma das cenas mais fortes da vida daquela catarinense e que ocorreu do outro lado do oceano: montada num cavalo que parece empinar, ela carrega sobre a sela um recém-nascido.

Se o traslado já foi tão solene, não é difícil imaginar a pompa que cercou o enterro propriamente dito. Seus descendentes avançam lentamente. Ao lado deles, o tenente Malcovati, um mutilado de guerra, seis vezes condecorado por bravura. Eles seguram a caixa e a depositam na tumba construída na base do monumento.

Enquanto todas as autoridades faziam a saudação fascista, a tumba era lacrada. O relógio marcava dez horas e 45 minutos do dia 2 de junho de 1932.

Ezio, em voz alta e clara, grita e a multidão responde:

– Anita Garibaldi!

– Presente!

O hino de Garibaldi é entoado por várias fanfarras e cantado pela massa. Aos pés do monumento, o prefeito de Gênova entrega o pergaminho que oficializa o traslado dos restos de Anita. O documento é assinado pelos descendentes de Garibaldi. A grande coroa de bronze enviada pelo Brasil é colocada diante da pedra que fecha o sepulcro.

Luigi Caroli.

Cento e dezessete anos depois de sua morte, Anita Garibaldi, ou Ana Maria de Jesus Ribeiro, está em Roma. Mas continua longe dos restos de Garibaldi.

O general não encerrou sua vida militar quando deixou a Itália em 1849, nem sua vida amorosa, quando se tornou viúvo, na mesma data. Em janeiro de 1860, aos 52 anos, Garibaldi casou-se com a marquesa Giuseppina Raimondi, de dezoito anos, depois de uma intensa troca de cartas de amor. Mas ela estava grávida de Luigi Caroli, um

oficial da cavalaria, e continuou a encontrar-se com ele, depois de noiva. Na saída do oratório particular do marquês Giorgio Raimondi, em Fino Mornasco, onde ocorreu a cerimônia, o velho general recebeu uma carta anônima. Abriu o envelope, virou-se para a mulher e perguntou: "C'é vero?".

A capela do conde.

Giuseppina Raimondi.

Francesca Armosino e Garibaldi.

Giuseppina balança a cabeça numa concordância silenciosa e Garibaldi explode: "Puttana!!".

Começava assim o longo processo de anulação do matrimônio dos dois, sob o duvidoso argumento de que a união não tinha sido consumada. O processo terminaria em janeiro de 1880, depois de um apelo ao papa.

O empenho do general em conseguir a anulação tinha nome e sobrenome. Na ilha Caprera, Garibaldi tinha uma governanta fiel, Francesca Armosino. Uma mulher do povo, que mantinha a ordem na casa do general e o consolava nas noites mais solitárias. Com Francesca, ele teve três filhos – Clelia, Rosa e Manlio –, cuja situação jurídica se oficializaria com o casamento. E os dois finalmente se casaram no dia 26 de janeiro de 1880, numa cerimônia rápida e discreta.

Dois anos mais tarde, aos 75 anos, no dia 2 de junho, Garibaldi morreu. As exéquias se realizaram em Caprera, com a presença até do rei Umberto I. Seus restos mortais foram enterrados num sarcófago de rocha natural, acima do solo, onde continuam até hoje.

Quase cinqüenta anos depois, quando Mussolini decidiu que os ossos de Anita deveriam ir para a Itália, o neto Ezio

propôs o óbvio: que ela fosse enterrada na ilha Caprera, ao lado do general. E assim ficou acertado.

Mas, quando o neto de Anita chegou a Nice para cuidar da burocracia, ficou sabendo que Clelia, filha de dona Francesca Armosino, ameaçara jogar-se ao mar se os restos de sua avó fossem levados para a ilha Caprera!

Quase cem anos depois de ter abandonado o marido e sua terra para juntar-se a Giuseppe Garibaldi, os ossos de Anita ganharam um monumento de bronze e toda a cerimônia que o fascismo pôde arregimentar. Mas não conseguiram um espaço ao lado dos restos de seu grande amor.

Garibaldi com sua última filha, Clelia.

Garibaldi em fim de carreira.

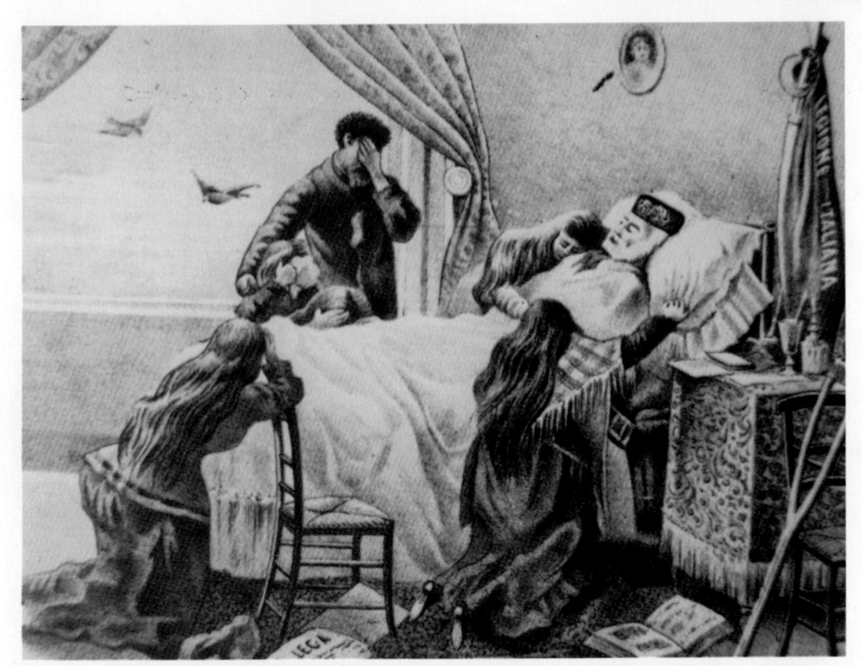

A morte de Garibaldi.

G. GARIBALDI

Bibliografia

Abita, S.; Fusco, M.A. *Garibaldi nell'iconografia dei suoi tempi*. Milão, Rusconi Immagini, 1982.

Amicucci, Ermano. *G.B. Bottero, giornalista del Risorgimento*. Turim, Società Editrice Torinese, 1935.

Barelli, Hervé. *Vieux Nice. Guide historique et architectural*. Collectione Equilibre, Serre Editeur, 1997.

Bento, Cláudio Moreira. *Estrangeiros e descendentes na história militar do Rio Grande do Sul – 1635 a 1870*. Porto Alegre, Nação, 1976.

________. *O exército farrapo e os seus chefes*. Rio de Janeiro, Biblioteca do Exército, 1993.

________. *A grande festa dos lanceiros*. Recife, Universidade Federal de Pernambuco, 1971.

________. *Porto Alegre, memória dos sítios farrapos e da administração de Caxias*. Pelotas, IHTRGS, 1989.

Beseghi, Umberto. *Il maggiore Leggero e il trafugamento di Garibaldi – La veritá sulla morte di Anita*. Ravenna, S. T. E. R. & M., 1932.

________. *Ugo Bassi: L'apostolo*. Florença, Marzocco, 1946.

________. *Ugo Bassi: Il martire*. Florença, Marzocco, 1946.

Bianciardi, Luciano. *Antistoria del risorgimento: dàghela avanti un passo!* Milão, Tea Due, 1995.

Boiteux, Henrique. *A República Catarinense: Notas para sua História*. Rio de Janeiro, Xerox/ Arquivo Público do Estado de Santa Catarina, 1985.

________. *Annita Garibaldi*. Rio de Janeiro, Imprensa Naval, 1935.

Boiteux, Lucas Alexandre. *A Marinha Imperial na Revolução Farroupilha*. Rio de Janeiro, Imprensa Naval, 1935.

Bóris, Ivan; Milani, Mino. *Anita Garibaldi: Vita e morte di Ana Maria de Jesus*. Milão, Camunia, 1995.

Bottaro, Mario; Paternostro, Mario. *Storia del Teatro a Genova*. Gênova, Edizioni Ezagraphy, 1984.

BRACCONNAY, Pe. Claudio María. *La legión francesa en la defensa de Montevideo*. Montevidéu, Claudio Garicia & Cia Editores, 1943.

BRITO, Paulo José Miguel de. *Memória política sobre a capitania de Santa Catarina*. Florianópolis, Livraria Central, 1932.

BURONZI, Mario. *Garibaldi*. Bolonha, Puente Nova Editore, 1973.

CABRAL, Oswaldo Rodrigues. *História de Santa Catarina*. Florianópolis, Lunardelli, 1970.

________. *Notas históricas sobre a fundação da póvoa de Santo Antonio dos Anjos da Laguna*. Florianópolis, Idesc, 1976.

CAMPANELLA, Anthony P. *Giuseppe Garibaldi e la tradizione garibaldina: una bibliografia dal 1807 al 1970*. Genebra, Comitato dell'istituto internazionale di studi garibaldini, 1971.

CANDELORO, Giorgio. *Storia dell'Italia moderna*. Milão, Feltrinelli, 1995.

CANDIDO, Salvatore. *Giuseppe Garibaldi nel rio della Plata, 1841-1848*. Florença, Valmartine Editora, 1972.

________. *La rivoluzione riograndense nel carteggio inedito di due giornaliste mazziniani: Luigi Rosseti e G. B. Cuneo, 1837-1840*. Florença, Valmartine Editora, 1973.

________. *Giuseppe Garibaldi: dalla aventura marinara al comando riograndense della flota in Uruguay*. Roma, Ministerio di Defesa, 1982.

CIPRELLI, Natale. *Anita Garibaldi in una Fotografia del 1849*. Pescara, Tipografia Modernografico, 1979.

COLLOR, Lindolfo. *Garibaldi e a Guerra dos Farrapos*. Rio de Janeiro, Civilização Brasileira, 1977.

COMPAN, André. *La Société Niçoise en 1860*. Nice, Nice Historique, 1960. N. spécial du centenaire.

CURATOLO, Giacomo Emilio. *Garibaldi e le donne*. Roma, Imp. Polygotte, 1913.

________. *Anneddoti garibaldini*. Roma, A.F. Formiggini Editore, 1929.

________. *Anita Garibaldi, l'eroina dell'amore*. Roma, Edizioni Fratelli Treves-Treccani-Tumminelli, 1932.

DALL'ALBA, João Leonir. *Laguna antes de 1880: Documentário*. Florianópolis, Lunardelli/UDESC, 1979.

DAVIES, Peter. *Giuseppe Garibaldi, a biography*. Londres, 1934.

DEBRET, J. B. *Viagem pitoresca e histórica ao Brasil: aquarelas e desenhos que não foram reproduzidos na edição de Firmin Diderot – 1834*. Paris, R. de Castro Maya, 1954. Acervo da Biblioteca Pública do Estado de Santa Catarina, Setor de Obras Raras.

________. *Viagem pitoresca e histórica ao Brasil*. Belo Horizonte, Itatiaia/ São Paulo, Edusp, 1989.

DUMAS, Alexandre. *Memórias de José Garibaldi: Traduzidas do manuscrito original*. Rio Grande do Sul, Estado do RG Sul, 1907.

DUPREY, J. Andre. *Uruguay en el corazón de los franceses*. Montevidéu, Ediciones del Bichito, 1960.

FABBRINI, Giovanni. *La morte di Anita e la fuga di Garibaldi attraverso da Romagna*. Milão, Casa Editora Bietti, 1932.

FREIRE, Carlos Menck; VARESE, Juan Antonio. *Viaje al antiguo Montevideo: Retrospectiva gráfico-testemonial*. Montevidéu, Libreria Linardi y Risso, 1996.

FRISCHAUER, Paul. *Garibaldi el heróe de dos mundos*. Buenos Aires, Editorial Claridad, 1944.

GARIBALDI, Erika. *Dalle Mandriole al Gianicolo*. Roma, Ist. Internazionale di Studi Giuseppe Garibaldi, 1995.

________; MASSA, Gaetano; RÉTI, Giorgy. *Anita Garibaldi: eroina dei due mondi*. Roma, Ist. Internazionale di Studi Giuseppe Garibaldi, Quaderni Storiografici 11, 1995.

________; ________; VIVIANI, Ambrogio. *Le donne di Garibaldi*. Roma, Ist. Internazionale di Studi Giuseppe Garibaldi, Quaderni Storiografici 14, 1995.

GARIBALDI, Giuseppe. *Lettere ad Anita e ad altre donne*. Roma, G.E. Curatolo/A.F. Formiggini, 1926.

________. *Memorie di Garibaldi*. Roma, Real Comissão Editora, 1872.

________. *Memorie di Garibaldi: In una delle redazioni anteriori alla definitiva del 1872*. Bolonha, L. Cappelli Editore, 1932.

GERSON, Brasil. *Garibaldi e Anita: Farrapos, Balaios e Cabanos – Uma guerra por um porto ou Rosas contra Montevidéu – As revoluções liberais européias*. Rio de Janeiro, Editora Souza, 1953.

________. *Garibaldi e Anita, guerrilheiros do liberalismo*. São Paulo, José Buskatsky, 1971.

GIAMPAOLO, L.; BERTOLONE, M. *La prima campagna di Garibaldi in Italia 1848/1849*. Varese, Musi Civici di Varese Editore, 1950.

GRIMALDI, Ugoberto Alfassio. *Giuseppe Garibaldi; l'autoritratto*. Milão, Critica Sociale, 1985.

GUERAZZI, F. D. *Lo assedio di Roma*. Milão, Libreria Editrice Dante Alighieri, 1870.

GUERZONI, Giuseppe. *Garibaldi: 1807/1859*. Florença, G. Barbèra Editore, 1882.

________. *Garibaldi: 1860/1882*. Florença, G. Barbèra Editore, 1882.

________. *L'eroe dei due mondi*. Milão, Armando Curcio Editore, 1961.

HARO, Martim Afonso Palma de (org.). *Ilha de Santa Catarina: Relatos de viajantes estrangeiros nos séculos XVIII e XIX*. Florianópolis, Editora UFSC/Lunardelli, 1990.

HIBBERT, Christopher. *Garibaldi and his enemies*. Londres, Little Brown and Company, 1965.

HORACIO, Arredondo. Los Apuntes Estadísticos del doctor Andrés Lamas. *Revista del Instituto Histórico y Geográfico del Uruguay*, Tomo I, nº I, Montevidéu, 1928.

IRIARTE, Tomas de. *Memorias de el sitio de Montevideo*. Buenos Aires, Editorial y Libreria Goncourt, 1969.

LANCELLOTTI, Arturo. *Garibaldi*. Roma, Fratelli Palombi Editore, 1960.

MARASCO, Giuseppe. *L'Amazzone Rosa*. Liguria, Edizioni Sabatelli, 1985.

MARIO, Jessie White. *Garibaldi e i suoi tempi*. Milão, Treves, 1884.

________. *Vita di Garibaldi*. Itália, Ristampa, 1945.

MELENA, Elpis. *Garibaldi's memoirs*. Sarasota/Flórida, International Institute of Garibaldian Studies, 1981.

MILANI, Mino. *Giuseppe Garibaldi, biografia critica*. Milão, V. Mursia Editore, 1982.

MOLA, Aldo A. *Garibaldi Vivo: Antologia critica degli scritti con documenti inediti*. Milão, Gabriele Mizzotta Editore, 1982.

MONTANELLI, Indro; NOZZA, Mario. *Garibaldi*. Milão, Rizzoli Editori, 1962.

________. *L'Italia del risorgimento*. Milão, Rizzoli Editori, 1998.

MULINACCI, Mino. *La bella Figlia del lago: Cronaca intima del matrimonio fallito di Giuseppe Garibaldi con la Marchesina Raimondi*. Milão, V. Mursia Editore, 1978.

NAHUN, Benjamin. *Manual de História del Uruguay – 1830/1903*. Montevidéu, Ediciones de la Banda Oriental, 1998.

NOVAIS, Fernando (coord. geral); ALENCASTRO, Luis Felipe de. (org. vol.). *História da vida privada no Brasil: Império*. São Paulo, Cia. das Letras, 1997.

OSORIO FILHO, Fernando. *Mulheres farroupilhas*. Porto Alegre, Livraria do Globo, 1935.

PAIVA, Everardo. *Museo Storico Garibaldino*. Roma, 1924.

PARRIS, John. *The lion of Caprera*. Nova York, David McKay Company Inc., 1962.

PAZZAGLIA, Ricardo. *La repubblica romana ha i giorni contati*. Milão, Mondadori, 1998.

PEDRO BARRAN, José. *Historia de la sensibilidad en el Uruguay. La cultura Bárbara: 1800-1860*. Montevidéu, Ediciones de la Banda Oriental, 1990.

PEREIRA FILHO, Carlos da Costa. *Navios na costa: iconografia náutica da costa catarinense*. São Francisco do Sul, Associação Amigos do Museu do Mar, 1994.

PEREDA, Setembrino E. *Garibaldi en el Uruguay*. Montevidéu, Imprenta El Siglo Ilustrado, 1916.

PIAZZA, Walter Fernando. *A colonização de Santa Catarina*. Porto Alegre, Editora Palloti, 1982.

________. *A epopéia açoriana: 1748-1756*. Florianópolis, Edição do Conselho Estadual de Cultura, 1987.

________. *Santa Catarina: Sua história*. Florianópolis, Lunardelli/UFSC, 1983.

POLEGGI, Fiorella Caraceni. *Genova Guida*. Gênova, Sagep Editrice, 1992.

RAGAZAN, Franco. *Teatri Storici in Liguria*. Sagep Editrice, 1991.

RAMA, Carlos M. *Garibaldi y el Uruguay*. Montevidéu, Ediciones Nuestro Tiempo, 1968.

RAU, Wolfgang Ludwig. *Anita Garibaldi – O perfil de uma heroína brasileira*. Florianópolis, Edeme, 1975.

________. *Cronologia de Giuseppe e Anita Garibaldi, 1807-1882*. Florianópolis, Conselho Estadual de Cultura/IOESC, 1982.

________. *Onde nasceu a Lagunense Anita Garibaldi*. Florianópolis/Laguna, Edeme, 1983.

________. *A heroína Anita Garibaldi – uma revelação farroupilha em território catarinense. Breve análise de sua personalidade*. Florianópolis, Ed. do Autor/Elbert Ind. Gráfica Ltda., 1986.

________. *As sucessoras de Anita Garibaldi – Marquesa Giuseppina Raimondi (1860) e Dona Francesca Armosino (1880)*. Florianópolis, Ed. do Autor/ Elbert Ind. Gráfica Ltda., 1987.

________. *Vida e morte de José e Anita Garibaldi – Cronologia ampliada, 1807-1882*. Laguna, Edição do Autor/ Elbert Ind. Gráfica Ltda., 1989. Comemoração do Sesquicentenário da República Juliana Catarinense 1839/1989.

REITZ, P. Raulino. *Flora Ilustrada Catarinense*. Itajaí, Conselho Nacional de Desenvolvimento Científico e Tecnológico/Instituto Brasileiro de Desenvolvimento Florestal/Herbário Barbosa Rodrigues, 1978.

_______. *Os nomes populares das plantas de Santa Catarina*. Itajaí, Herbário Barbosa Rodrigues, 1959.

RIDLEY, Jasper. *Garibaldi*. Londres, Constable Publisher, 1974.

ROMANO, Ugolini. *Garibaldi, genesi di un mito*. Roma, Edizione Dell'Ateneo /Istituto per la Storia del Risorgimento Italiano/Comitato di Roma, 1982.

SACERDOTE, Gustavo. *La vita di Giuseppe Garibaldi*. Milão, Rizzoli, 1933.

SAMARA, Eni Mesquita (org.). *As idéias e os números do gênero: Argentina, Brasil e Chile no século XIX*. São Paulo, HUCITEC-CEDHAL/USP/Fundação Vitae, 1997.

_______. *As mulheres, o poder e a família: São Paulo século XIX*. São Paulo, Marco Zero/Secretaria de Educação e Cultura de São Paulo, 1989.

SANT'ANA, Elma. *Menotti: O Garibaldi brasileiro*. Mostardas, AGE, 1995.

SARMIENTO, Domingo F. *Viajes I: De Valparaiso a Paris*. Buenos Aires, Hachette, 1955.

SCHWARTZ, Maria Speranza von. *Garibaldi annedotico e romantico*. Milão, Casa Editrice Sonzogno, 1944.

SEIDLER, Carl. *Dez anos no Brasil*. São Paulo/Belo Horizonte, Edusp/Itatiaia, 1980.

SÉRGIO, Lisa. *I am my beloved: The life of Anita Garibaldi*. Nova York, Weybright and Talley, 1969.

SFORZA, Giovanni. *Garibaldi in Toscana nel 1848*. Roma, Soc. Edit. Dante Alighieri, 1897.

SILVA, Marô. Anita Garibaldi. Porto Alegre, Tchê Comunicações, 1985.

SMITH, Denis Mack. *Garibaldi*. Londres, Hutchinson of London, 1957.

SOUZA, José Antônio Soares de. *História naval brasileira*. Rio de Janeiro, Ministério da Marinha, Serviço de Documentação Geral da Marinha, 1979.

TERSEN, Émile. *Garibaldi*. Berlim, Veb Deutschere Verlag der Wissenschaften, 1968.

TORTEROLO, Leogardo Miguel. *La Legión Italiana en el Uruguay*. Montevidéu, Imprenta de la Escuela Naval, 1923.

TREVELYAN, George Macaulay. *Garibaldi's defence of the roman Republic*. Nova York, Longmans/Green and Co., 1907.

UGOLINI, Romano. *Garibaldi, genesi di um mito*. Roma, Edizioni dell'Ateneo, 1982.

ULISSÉA, Ruben. *Panorama histórico de Laguna*. Laguna, Publicação comemorativa da passagem do I Centenário da Comarca da Laguna, 1956.

ULYSSÉA, Saul. *Coisas velhas*. Florianópolis, Imprensa Oficial, 1946.

VALENTE, Valentim. *Anita Garibaldi: Heroína por amor*. São Paulo, Editora Soma, 1984.

VENTURA, Rodriguez. *Memorias Militares del General*. Montevidéu, Barreiro y Ramos, 1919.

WINNINGTON-INGRAM, H. F. *Hearts of oak*. Londres, W.H. Allen and Co., 1889.

XAVIER, Marmier. *Buenos Aires y Montevideo en 1850*. Buenos Aires, El Ateneo, 1948.

ZUMBLICK, Walter. *Aninha do Bentão*. Tubarão, IOESC, 1979.

OUTRAS FONTES

ANNALES DE LA SOCIÉTÉ DES LETTRES, SCIENCES ET ARTS DES ALPES MARITIMES. *Souvenirs de Nice: 1830 a 1860*. Nice, Imprimerie et Litographie Malvano 1/Ed. Corinaldi, Tome XVII, 1900.

BIBLIOTECA CLASSENSE. *La Romagna e Garibaldi*. Ravenna, Longo Editore, 1982.

BIBLIOTECA DI SAN MARINO. *Scritti Garibaldini*. San Marino, 1982.

BRASIL. *Estado de Santa Catarina/Prefeitura de Laguna. Tópicos sobre Laguna*. Laguna, Secretaria Indústria, Comércio e Turismo, 1997.

CASA MAZZINI. *Genova mazziniana e garibaldina – 1849/1866: Celebrazione del Centenario dell'unità d'Italia*, Gênova, Casa Mazzini, 1960.

CENTRO DE ESTUDOS DE CULTURA E CIDADANIA – CECA. *Uma cidade numa ilha: relatório sobre os problemas sócio-ambientais da Ilha de Santa Catarina*. Florianópolis, Insular, 1996.

ISTITUTO GEOGRAFICO DE AGOSTINI. *I Giorni della storia d'Italia dal risorgimento a oggi: cronica quotidiana dal 1815*. Novara, 1997.

REVISTA NICE HISTORIQUE. *Des terrasses a la promenade du cours*. Nice, n. 3, 1997.

________. *Commerce et port-franc*. Nice, n. 3, 1998.

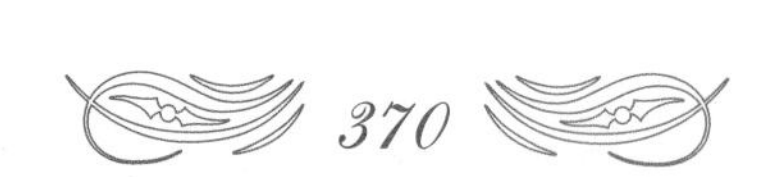

Agradecimentos

A supervisão de pesquisa e a revisão histórica do livro foram feitas pelo historiador e cientista político Ricardo Maranhão, graduado e doutorado pela USP e professor de História Política da Unicamp desde 1980. Sua experiência na fronteira entre o jornalismo e a história foi muito importante em todo o processo de elaboração desta biografia de Anita Garibaldi. Com ele atuou a historiadora Denise Mendes, pós-graduada pela USP.

A maior parte das fotos e reproduções é de autoria de Olívio Lamas. Ele esteve em Montevidéu e percorreu o interior de Santa Catarina e do Rio Grande do Sul na busca de alguns dos documentos e cenários mais significativos desta história, trabalhando, muitas vezes, em condições tão adversas que só a tarimba de repórter fotográfico premiado foi capaz de superar. Lamas foi, além disso, parceiro de todas as horas.

Os mapas e desenhos a bico de pena atuais levam a assinatura do artista plástico catarinense Maurício Muniz. As fotos dos Açores são de Jone César de Araújo, um artista plástico apaixonado pelo arquipélago. O material relacionado com os sambaquis e a caça à baleia é da arqueóloga Fabiana Comerlato.

A professora Mary dal Priore produziu um texto especialmente para este livro sobre a situação da mulher no século XIX. Sobre esse mesmo tema, a professora Eni de Mesquita Samara me franqueou o acesso ao resultado de seus vinte anos de pesquisa.

O coronel Cláudio Moreira Bento auxiliou igualmente, com informações sobre aspectos militares da Guerra dos Farrapos – de que ele é o maior especialista. Elma

Sant'Anna, autora gaúcha e garibaldina entusiasmada, foi outra valiosa colaboradora, cedendo material e indicando contatos na Itália.

Em Florianópolis, Kátia Juncks mergulhou na coletânea de Wolfgang Ludwig Rau com entusiasmo e paciência, localizando ainda outros dados, fontes de informação e colaboradores. Ana Karina Mochnacz transcreveu os documentos e os tradutores Amilcar D'Avila Melo e Iur Gomes também auxiliaram. A Biblioteca Pública do Estado de Santa Catarina foi indispensável.

Em São Paulo, cooperaram no levantamento as jornalistas Fabiana Caso e Daisy Rocha. Em Roma, Daniela de Freitas. Em Milão, o jornalista e pesquisador José Luiz del Roio – sem ele, teria sido impossível publicar a miniatura de Anita Garibaldi pintada por Gallino, única imagem verdadeira dessa heroína.

No Uruguai, a professora Ana Frega compreendeu a pressa do jornalista e as limitações do projeto. Também agradeço o empenho da jornalista Duda Hamilton e de seu companheiro Pablo Corti, que abriram mão do sagrado tempo livre de suas férias para sair à cata de documentos e registros históricos em Montevidéu.

Nos Estados Unidos, Patrick Scott, guardião da coleção Anthony P. Campanella na seção de livros raros da Thomas Cooper Library, da Universidade da Carolina do Sul, adicionou cortesia e gentileza à eficiência de uma instituição invejável, em que a palavra burocracia, felizmente, não predomina. Registro, também, o esforço do assistente de catálogo Paul Schultz, que me aturou dia após dia, do momento em que a biblioteca abria até depois de seu fechamento oficial.

No quesito bibliotecários, minha lista não estaria completa sem os funcionários da Biblioteca Municipal Mário de Andrade, em São Paulo, que compensam a falta de estrutura com o máximo de boa vontade.

Em Ravenna, o professor Massimo Morigi serviu como um cicerone especialíssimo, guiando a mim e ao fotógrafo e cinegrafista Andrea Cassinis pelos cenários onde Anita viveu seus últimos momentos.

Ao jornalista Luiz Weis, que se dispôs ao exaustivo compromisso de ler os originais, deixo registrados meus agradecimentos e a certeza de que suas sugestões foram todas levadas em conta. Silvio Lancellotti foi outro que assumiu empreitada igual.

A reta final foi menos ingrata, em virtude da hospitalidade da Pousada Mar de Dentro, em Santo Antônio de Lisboa. Roberto Saraiva da Silva e suas colaboradoras Neuza Carvalho e Áurea Rosa não devem ter enfrentado hóspede mais estranho.

Lembro ainda o apoio de A. P. Quartim de Moraes, Al Neto, Aldair G. Morais, Allyson Bordinhão, Ana Tavares, Ana Wais, Antonio Alberto Pádua, Antonio Morga, Cacau Menezes, Cristina Ramalho, Danilo Miranda, Eduardo Ribeiro, Eliana Markun, governador Espiridião Amin, Fernanda Lago, Fernando Pessoa Ferreira, Fran Augusti, Gabriel Priolli, Gildo Marçal Brandão, professor Iaponam Soares, José Alvaro Moyses, Josenice de Oliveira, Manoel Canabarro, Maria Lacey, Marcio Gomes, Marco Antonio Coelho Filho, Marcos Pivetta, Mauro Guimarães, Miguel Jorge, Monica Teixeira, Oribe Cubres, do Cabildo de Montevidéu, Paulo Pompilho, Pedro Ignácio Schmitz, Raul Sartori, Ricardo Mucci, Ricardo Ribenboim, comandante Rolim Amaro, Viviane de Marco, Otavio Tostes e Washington Olivetto.

Participaram ainda Alexandre F. Barros, Borges F. da Silva, Francesco Anzello, Giovanni Alberari, Jean Palmroth, Jorge Fotona Piazzine, Luigi Tavoletta Pugliosi, Luís Augusto Diniz, Luís Cantabarro, Manoela Magaldi, Mark Alexandre Stradone, Olívio Faya, Sergio Cutsky, Walter Tourinho.

Seria impossível realizar uma pesquisa dessa amplitude sem recursos e a confiança de empresas, instituições e pessoas que acreditaram na idéia. No instante zero, a Editora SENAC São Paulo transformou intenção em cronograma, pelo que sou realmente grato. Sem a Lei de Incentivo à Cultura, no entanto, seria impossível chegar ao fim do percurso. Foi quando entrou em cena Eliana Cobbett, especialista não apenas na formatação de projetos culturais, mas em concretizar sonhos alheios – o que a credencia justamente para que possa realizar os dela do mesmo modo.

No que se refere ao Ministério da Cultura, que avaliou o projeto e o aprovou, registro a maneira correta com que o assunto foi tratado por seus funcionários e dirigentes, permitindo desse modo que os patrocinadores se beneficiassem dos mecanismos legais existentes.

A TAM me auxiliou desde o primeiro momento, sem exigir nenhuma contrapartida preliminar. E em que pesem as dificuldades financeiras, o governo de Santa Catarina também. A maior parcela de recursos foi assegurada pela Volkswagen do Brasil, empresa que tem tradição nesse campo da ação cultural.

São esses patrocinadores que permitem doar 2 mil exemplares desta obra para bibliotecas espalhadas por todo o país, assegurando o acesso público ao livro.

Finalmente, uma palavra para Tatiana, a primeira a ler cada capítulo e a última a me desencorajar: valeu.

Fotos

Andrea Cassinis, p. 337, 341; Fabiana Comerlato, p. 54 (à direita), 144; João Alfredo Rohr, p. 54 (à esquerda); Jone César de Araújo, p. 61, 62, 63; Olívio Lamas, p. 97, 128-129, 182-183, 202; Paulo Markun, p. 47; Renato Grimm, p. 180; W. L. Rau, p. 123 (à direita); *Zero Hora*, p.123 (à esquerda).